Fiebre

Robin Cook
FIEBRE

BRUGUERA·EMECE

Título original:
FEVER

Traducción: *Rolando Costa Picazo*

1.ª edición: setiembre, 1983
La presente edición es propiedad de Editorial Bruguera, S. A.
Camps y Fabrés, 5. Barcelona (España)
© 1982 by Robert Cook
© Emecé Editores, S. A. - 1982
Traducción: © Editorial Bruguera, S. A. / Emecé Editores, S. A. - 1983
Diseño de cubierta: Neslé Soulé

Printed in Spain
ISBN 84-02-09642-5 / Depósito legal: B. 24.739 - 1983
Impreso en los Talleres Gráficos de Editorial Bruguera, S. A.
Carretera Nacional 152, km 21,650. Parets del Vallès (Barcelona) - 1983

A la felicidad de mi familia,
que empezó con mis padres,
y que ahora comparto con mi esposa.

...el hombre más fuerte del mundo es el que está más solo».

HENRIK IBSEN
Un enemigo del pueblo

Prólogo

*Las moléculas venenosas de benceno llegaron a
la médula ósea en un crescendo. El elemento químico extraño fluyó en la sangre y fue llevado desde la
trabécula ósea hasta lo más profundo del delicado
tejido. Era como una horda frenética de bárbaros
descendiendo sobre Roma. El resultado fue igualmente desastroso. La complicada naturaleza de la
médula, destinada a aprovechar al máximo el contenido celular de la sangre, sucumbió ante el invasor.*

*Todas las células expuestas al benceno fueron ata-
cadas. Tal era la naturaleza del elemento químico,
que desgarró las membranas celulares como con da-
gas de acero. Todas fueron atravesadas por igual:
las células rojas y las blancas, las jóvenes y las viejas. En algunas células menos castigadas, en las que
entraron sólo unas pocas moléculas, las enzimas lograron desactivar el elemento químico. En la mayor
parte de las otras, la destrucción de la membrana
interior fue inmediata.*

*A los pocos minutos la concentración de benceno
había aumentado hasta tal punto que miles de moléculas venenosas alcanzaban el mismo centro de la
médula: las primitivas y delicadas células germinales,
activos agentes divisorios, fuente de las células que
circulan en la sangre, cuya función da fe de cientos*

9

te millones de años de evolución. Allí se agostaba,
segundo a segundo, el increíble misterio de la vida,
esa organización más fantástica que la más disparatada quimera científica. Las moléculas de benceno
penetraban en estas atareadas células, interrumpiendo la ordenada reproducción de las moléculas de
ácido desoxirribonucleico. La mayoría de estas células suspendían sus procesos vitales en forma repentina, o bien, desprendidas del misterioso control central, daban tumbos frenéticos y anárquicos como
animales rabiosos, hasta que se producía la muerte.

Después de que repetidas oleadas de sangre pura
barrieron las moléculas de benceno, la médula podría
haberse recuperado, de no ser por una sola célula
germinal. Esta célula había estado activa durante
años, produciendo una progenie impresionante de
células o glóbulos blancos cuya función, aunque parezca irónico, era ayudar a que el cuerpo luchara
contra los invasores extraños. Cuando el benceno
penetró hasta el núcleo de esta célula, dañó una
parte muy específica del ácido desoxirribonucleico,
pero no destruyó la célula. Habría sido mejor que
el benceno la hubiese destruido porque al no hacerlo,
rompió el delicado equilibrio entre reproducción y
maduración. La célula se dividió instantáneamente,
y las células resultantes tuvieron el mismo defecto.
Ya no escuchaban el misterioso control central, ma-
durando para convertirse en glóbulos blancos normales, sino que respondían a un impulso desenfre-
nado de reproducir su naturaleza alterada. Aunque
parecían relativamente normales, eran diferentes de
las otras células de la sangre. La típica viscosidad
superficial estaba ausente, y absorbían sustancias
nutritivas en proporciones alarmantes. Se habían
convertido en parásitos dentro de su propia casa.

Después de sólo veinte divisiones ya había más
de un millón de estos glóbulos incontrolados. Tras
veintisiete divisiones alcanzaban los mil millones.
Entonces empezaron a separarse de la masa. Primero unos pocos glóbulos enfermos entraron en la circu-
lación como un hilo delgado, que pronto se convirtió en corriente, y por último en torrente. Avanzaron

*por el cuerpo, ansiosos por establecer colonias fér-
tiles. Después de cuarenta divisiones superaban los
tres mil millones.*

*Fue el comienzo de una agresiva leucemia mie-
loblástica aguda en el cuerpo de una muchacha
púber, que empezó el 28 de diciembre, dos días después de que la joven cumpliera doce años. Se llamaba Michelle Martel y no tenía idea de lo que le estaba pasando, excepto por un solo síntoma: tenía
fiebre.*

1

Una fría semana de enero se abría paso, vacilante, por el helado paisaje de Shaftesbury, en el estado de Nueva Hampshire. De mala gana, las sombras empezaban a palidecer a medida que se iba aclarando lentamente el cielo invernal, revelando una monótona cubierta de nubes grises. Estaba a punto de nevar y, a pesar del frío, había una humedad cortante en el aire, como para recordar a todos que muy cerca, hacia el este, estaba el Atlántico.

Los edificios de ladrillo rojo del viejo Shaftesbury se apiñaban a lo largo del río Pawtomack, dándole un aspecto de pueblo abandonado. El río había sido su apoyo y fuente de sustento; nacía en las Montañas Blancas del norte, cubiertas de nieve, y corría hacia el mar en dirección sudeste. En el pueblo, su curso se veía interrumpido por una presa que se estaba desmoronando y una enorme rueda hidráulica que ya no daba vueltas. Junto al río se sucedían, manzana tras manzana, las fábricas vacías, testimonios de una época más próspera cuando las hilanderías de Nueva Inglaterra eran el centro de la industria textil. En el extremo sur del pueblo, al fondo de la calle Main, la última hilandería, un edificio de ladrillos rojos, estaba ocupada por una em-

13

presa química, Recycle Ltd.; era una planta de recuperación de goma, plástico y vinilo. Un jirón de humo gris y acre se elevaba de una gran chimenea, confundiéndose con las nubes. En toda la zona flotaba un olor asqueroso y sofocante a goma y plástico quemados. Alrededor del edificio había pilas enormes de neumáticos desechados que parecían el excremento de un monstruo gigantesco.

Al sur del pueblo, el río corría entre colinas onduladas y boscosas, esparcidas entre praderas cubiertas de nieve y rodeadas por cercas de piedra levantadas por los pobladores hacía trescientos años. A diez kilómetros al sur del pueblo el río hacía un suave recodo hacia el este y formaba una idílica península de dos hectáreas y media, en cuyo centro se encontraba una laguna poco profunda conectada con el río por un brazo de agua. Detrás de la laguna se levantaba una colina sobre la que se erguía una casona de estilo victoriano con el tejado a dos aguas y adornos de madera. Un largo camino serpenteante bordeado de robles y arces conducía a la carretera interestatal que hacia el sur llevaba a Massachusetts. A veinticinco metros al norte de la casa se encontraba un granero deteriorado por el tiempo, rodeado por un matorral de arbustos perennes. Construida sobre pilares, al borde de la laguna, había una réplica, en miniatura, de la casa principal; era un cobertizo transformado en casa de muñecas.

Se trataba de un hermoso paisaje de Nueva Inglaterra, semejante a una escena invernal de las que ilustran los almanaques, excepto por un leve detalle macabro: no había peces en la laguna ni vegetación en unos dos metros a la redonda.

Dentro de la pintoresca casa blanca, la luz pálida de la mañana se difundía a través de las cortinas de encaje. Poco a poco el amanecer, que iba cobrando fuerzas, sacaba dulcemente a Charles Martel de las profundidades de un reconfortante sueño. Rodó sobre el lado izquierdo, disfrutando de una satisfacción presente en su vida desde hacía dos años, y que no se atrevía a reconocer. Había un nuevo sentimiento de orden y de seguridad que Charles no esperaba experimentar desde que a su primera esposa le habían diagnosticado un linfoma. Había muerto nueve años atrás, dejándolo con tres hijos que criar. La vida se convirtió en algo que había que soportar.

Sin embargo, todo eso pertenecía al pasado. La espantosa herida se fue curando poco a poco, y luego, ante su sorpresa, hasta el vacío se llenó. Dos años antes se había vuelto a casar, pero todavía tenía miedo de reconocer cuánto había mejorado su vida. Era más seguro y fácil concentrarse en su trabajo y en las necesidades diarias de su familia que reconocer ese contento recobrado y luego admitir la mayor de las vulnerabilidades: la felicidad. Cathryn, su nueva esposa, hacía difícil esa actitud de su marido porque era una persona alegre y generosa. Charles se enamoró de ella el día que la conoció y se casaron cinco meses después. Esos dos últimos años sólo habían incrementado su amor por ella.

A medida que la oscuridad menguaba, Charles podía ver el plácido perfil de su mujer dormida. Estaba de espaldas, con el brazo derecho doblado de manera casual sobre la almohada. Parecía mucho más joven de los treinta y dos años que tenía, hecho que al principio había acentuado la diferencia de trece años que los separaba. Charles tenía cuarenta y cinco, y sabía que los aparentaba, pero Cathryn parecía tener unos veinticinco años. Apoyado en el codo, observó los delicados rasgos de su mujer. Recorrió el óvalo formado por el suave pelo castaño desde el nacimiento hasta los hombros. La cara, iluminada por las primeras luces de la mañana, le pareció radiante, y observó la línea ligeramente curva de la nariz y la dilatación de las fosas nasales al respirar. Contemplarla despertó en Charles una emoción profunda.

Miró el reloj: faltaban veinte minutos para que sonara el despertador. Agradecido, volvió a hundirse en el tibio nido, bajo las mantas, y se acercó al cuerpo de su mujer, maravillado ante el bienestar que sentía. Incluso ansiaba comenzar los días de trabajo en el instituto. Sus investigaciones progresaban

15

a un paso alarmante. Sintió una punzada de excitación. ¿Y si él, Charles Martel, de Teaneck, Nueva Jersey, daba el primer paso significativo hacia el descubrimiento del misterio del cáncer? Charles sabía que eso se estaba convirtiendo en una posibilidad cada vez más cercana, y resultaba irónico, pues él no era un científico investigador formalmente preparado. Cuando Elizabeth, su primera mujer, enfermó, era un médico interno especializado en alergia. Después de la muerte de Elizabeth, Charles abandonó la práctica lucrativa para dedicarse exclusivamente a investigar en el Instituto de Investigaciones Weinburger. Había sido una reacción ante la muerte de su esposa, y, aunque varios colegas le advirtieron que se trataba de una forma malsana de hacer frente a un problema, él renació en el nuevo ambiente.

Cathryn sintió que su marido estaba despierto, se volvió y se encontró rodeada por los brazos de Charles. Se frotó los ojos, lo miró y rió al ver su aspecto pícaro, tan poco característico.

—¿Qué maquina esa mente tuya? —le preguntó, sonriendo.

—Te estaba mirando, simplemente.

—¡Maravilloso! Estoy segura de que estoy espléndida —dijo Cathryn.

—Devastadora —bromeó él, llevando hacia atrás el pelo de su frente.

Cathryn, más despierta ahora, se dio cuenta de la urgencia de la excitación de su marido. Recorrió su cuerpo hasta dar con el miembro erecto.

—¿Y qué es esto? —preguntó.

—No acepto ninguna responsabilidad —contestó él—. Esa parte de mi anatomía tiene iniciativa propia.

Mientras los primeros copos de nieve se posaban sobre el tejado a dos aguas, alcanzaron juntos el clímax con una profundidad de pasión y de ternura que nunca dejaban de abrumarlo. Luego sonó el despertador. El día comenzaba.

Michelle oyó que Cathryn la llamaba, desde lejos, interrumpiendo su sueño; ella y su padre cruzaban un campo. Michelle trató de ignorar la llamada, pero se repitió. Sintió una mano sobre el hombro, y al volverse vio la cara sonriente de Cathryn.

—Hora de levantarse —dijo alegremente su madrastra.

Michelle inspiró hondo y asintió, para hacerle ver que estaba despierta. Había tenido una noche desasosegada, llena de sueños inquietantes que la habían bañado en sudor. Sentía calor bajo las mantas, y frío al destaparse. En varias oportunidades pensó en ir con su padre, cosa que habría hecho si hubiera estado él solo.

—Por Dios, estás colorada —exclamó Cathryn al correr las cortinas. Se inclinó para tocarle la frente. Estaba caliente.

—Me parece que otra vez tienes fiebre —observó Cathryn compasiva—. ¿Te encuentras mal?

—No —contestó Michelle rápidamente. No quería volver a estar enferma. No quería dejar de ir a la escuela y quedarse en casa. Ansiaba levantarse y preparar el zumo de naranja, su tarea de costumbre.

—Es mejor que te tome la temperatura, de todas maneras —dijo Cathryn, yendo hacia el baño que separaba los dormitorios. Reapareció, agitando el termómetro y observándolo alternativamente—. Sólo tardaremos un minuto, y luego sabremos con seguridad qué pasa. —Le puso el termómetro en la boca. Debajo de la lengua—. Volveré después de despertar a los chicos.

La puerta se cerró y Michelle se sacó el termómetro. Aunque había pasado muy poco tiempo, el mercurio indicaba treinta y siete grados y medio. Tenía fiebre, y lo sabía. Le dolían las piernas y sentía flojedad en la boca del estómago. Se volvió a poner el termómetro en la boca. Desde la cama alcanzaba a ver la casa de muñecas que le había hecho Charles en el viejo cobertizo. El tejado estaba cubierto de nieve recién caída. Tembló al ver el paisaje helado. Anhelaba la primavera y los días indolentes que pasaba en esa casa de fantasía. Ella y su padre, solos.

Al abrir la puerta vio que Jean Paul, de quince años, ya estaba despierto, sentado en la cama leyendo su libro de física. Detrás de su cabeza, en la pequeña radio que también era reloj, sonaba una suave música de rock. Llevaba puesto el pijama de franela rojo oscuro con vivo azul que Cathryn le había regalado para Navidad.

—Tienes veinte minutos —advirtió Cathryn alegremente.

—Gracias, mamá —dijo Jean Paul con una sonrisa.

Cathryn se detuvo a mirar al muchacho, y se le ablandó el corazón. Sentía ganas de correr y abrazarlo, pero se resistió a la tentación. Había aprendido que los Martel eran poco afectos al contacto físico directo, hecho que al principio le había costado aceptar, pues provenía del barrio italiano de Boston, donde tocarse y abrazarse era cosa de todos los días. Su padre era letón, pero se marchó cuando ella tenía doce años, de manera que Cathryn se crió sin su influencia. Se sentía italiana al cien por cien.

—Te veré en el desayuno —le dijo.

Jean Paul sabía que a su madrastra le encantaba que le dijera mamá, por eso lo hacía, y de buen grado. Era poco a cambio de tanta ternura y solicitud por parte de ella. Jean Paul se había acostumbrado a que su padre fuese un hombre muy atareado y a verse eclipsado por su hermano mayor, Chuck, y por Michelle, su irresistible hermanita. Después llegó Cathryn, y la excitación de la boda, seguidas por la adopción legal de los tres hijos por Cathryn. De haberlo preferido ella, Jean Paul la habría llamado «abuela». Creía amarla tanto como a su verdadera madre, o lo poco que recordaba de ella. Cuando murió, él tenía seis años.

Chuck abrió los ojos al sentir la mano de Cathryn, pero fingió seguir durmiendo. Tenía la cabeza bajo la almohada. Sabía que si esperaba, ella volvería a tocarlo, sólo que con más fuerza. Así fue, efectivamente, y sintió dos manos que lo sacudían por los hombros antes de levantar la almohada. Chuck tenía dieciocho años y estaba cursando el primer año en la Universidad del Nordeste. No le iba muy bien, y sentía terror por los exámenes semestrales que se aproximaban. Iban a ser un desastre, en todas las asignaturas, menos psicología.

—Quince minutos —dijo Cathryn. Le enmarañó el largo pelo—. Tu padre quiere ir temprano al laboratorio.

—Qué mierda —murmuró Chuck.

—¡Chuck! —exclamó Cathryn, simulando escandalizarse.

—Yo no me levanto. —Chuck le quitó la almohada y se sepultó bajo ella.

—¿Cómo que no? —estalló Cathryn, destapándolo.

Chuck, que sólo llevaba puesto un calzoncillo, se vio expuesto al frío de la mañana. Saltó de la cama, cubriéndose con las mantas.

—Te he dicho que no hagas eso nunca —dijo con irritación.

—Y yo te he dicho que no hables de esa manera en casa —le recordó Cathryn, ignorando lo desagradable de su tono—. ¡Quince minutos!

Cathryn giró sobre sus talones y salió del cuarto. Chuck se sintió embargado por la frustración. Vio que Cathryn se dirigía hacia el dormitorio de Michelle. Llevaba puesta una bata anticuada de seda color melocotón que había comprado en un mercado de ropa usada; era de un tono parecido al de su piel. Chuck se la imaginaba desnuda con muy poca dificultad. No tenía edad para ser su madre.

Extendió el brazo y cerró la puerta de un golpe. Porque su padre quería ir al laboratorio antes de las ocho, él tenía que levantarse al alba, como un granjero. ¡El genial hombre de ciencia! Chuck se frotó la cara y se fijó en el libro abierto que yacía al lado de la cama. *Crimen y castigo*. Había pasado gran parte de la noche leyéndolo. No era lectura obligatoria para ninguna de sus asignaturas, y por eso probablemente lo disfrutaba. Debería haber estudiado química, pues estaba en peligro de ser suspendido. ¡Dios mío, qué diría su padre si eso pasaba! Ya había habido un lío cuando Chuck no logró entrar en la universidad donde él había estudiado, Harvard. Y ahora, si no aprobaba química..., la especialidad de su padre...

—Yo no quiero estudiar medicina, de todos modos —se dijo con furia al ponerse sus sucios vaqueros Levi's. Se enorgullecía de no haberlos lavado nunca. En el cuarto de baño decidió no afeitarse. A lo mejor se dejaba crecer la barba.

Cubierto por su bata de tela de toalla que, lamentablemente, hacía resaltar los ocho kilos que había engordado en los últimos diez años, Charles se enjabonó la barbilla. Estaba pensando en mil detalles relacionados con el proyecto de investigación que le ocupaba. La inmunología de las formas vivas abarcaba una gama de complejidades que no dejaban de sorprenderlo y estimularlo, especialmente ahora que pensaba que se estaba acercando a una respuesta verdadera en el problema del cáncer. Ya en otras oportunidades se había sentido excitado, para luego decepcionarse. Eso lo sabía. Pero esta vez sus ideas se basaban en años de concienzudos experimentos, y en hechos fácilmente reproducibles.

Empezó a planear las actividades del día. Quería comenzar a trabajar con la nueva cepa HR7 de ratones, portadores de cáncer mamario hereditario. Esperaba hacerlos «alérgicos» a sus propios tumores, objetivo al que creía que se iba aproximando cada vez más.

Cathryn abrió la puerta y pasó a su lado. Se quitó la bata por la cabeza y se metió bajo la ducha. El agua y el vapor hacían ondular la cortina. Después de un momento la corrió y dijo:

—Me parece que tendremos que llevar a Michelle

20

a un verdadero médico. —Desapareció tras la cortina.

Charles dejó de afeitarse, haciendo un esfuerzo por no enfadarse por esa referencia sarcástica a un «verdadero» médico. Era un punto conflictivo entre ambos.

—Yo creía que al casarme con un médico aseguraría una buena atención a mi familia —gritó Cathryn por encima del ruido del agua—. Me equivoqué.

Charles se examinó la cara a medio afeitar. Notó que tenía un poquito hinchados los párpados. Trataba de evitar una discusión. Cathryn ignoraba el hecho de que los problemas médicos de la familia se solucionaban espontáneamente en veinticuatro horas. Sus instintos maternales recientemente despiertos exigían especialistas al primer estornudo, dolor o diarrea.

—¿Michelle sigue escontrándose mal? —preguntó Charles. Era mejor hablar de casos específicos.

—No debería tener que decírtelo. Hace tiempo que esa chica está enferma.

Con exasperación, Charles se acercó y levantó un extremo de la cortina.

—Cathryn, soy un investigador del cáncer, no un pediatra.

—Oh, perdón —dijo Cathryn, levantando la cara bajo el agua—. Creía que eras médico.

—No permitiré que me enredes en una discusión —contestó Charles irritado—. Hay muchos casos de gripe. Michelle es uno de ellos. Las personas están enfermas una semana, y luego mejoran.

Cathryn sacó la cabeza de la ducha y miró a Charles de frente.

—Pero da la casualidad de que hace cuatro semanas que está enferma.

—¿Cuatro semanas? —preguntó él. El tiempo pasaba volando cuando trabajaba.

—Cuatro semanas —repitió Cathryn—. No se trata de asustarse ante los primeros síntomas de un resfriado. Me parece que debo llevar a Michelle al

Hospital Pediátrico, para que la vea el doctor Wiley. Además, podría visitar al chico Schonhauser.

—Está bien, iré a ver a Michelle —convino Charles, volviéndose hacia el lavabo. Cuatro semanas era demasiado tiempo para una gripe. Tal vez Cathryn estaba exagerando, pero prefirió no llevarle la contraria. En realidad, lo mejor era cambiar de tema.

—¿Qué le pasa al muchacho Schonhauser? —Los Schonhauser eran unos vecinos que vivían a un kilómetro y medio río arriba. Henry Schonhauser era químico del Instituto Tecnológico de Massachusetts, además de una de las pocas personas con quien le gustaba tratar. Su hijo, Tad, tenía un año más que Michelle, pero estaban en el mismo curso debido a las fechas de sus cumpleaños.

Cathryn salió de la ducha, satisfecha de que su táctica para hacer que Charles viera a Michelle hubiera dado resultado.

—Hace tres semanas que internaron a Tad en el hospital. Me han dicho que está muy enfermo, pero yo no he hablado aún con Marge.

—¿Cuál es el diagnóstico? —Charles se pasó la máquina de afeitar debajo de la patilla izquierda.

—Algo que no había oído nombrar nunca. Anemia elástica, o algo parecido.

—¿Anemia aplástica? —preguntó Charles, incrédulo.

—Algo parecido.

—Dios mío —dijo Charles, apoyándose en el lavabo—. Eso es terrible.

—¿Qué es? —Cathryn sintió pánico.

—Es una enfermedad en la cual la médula ósea deja de producir células sanguíneas.

—¿Es grave?

—Siempre es grave, a menudo fatal.

Cathryn dejó caer los brazos a ambos lados del cuerpo; el pelo húmedo le colgaba como un estropajo sin retorcer. Sentía una mezcla de lástima y temor.

—¿Es contagiosa?

—No —contestó Charles, distraído. Estaba tratando de recordar lo que sabía de la enfermedad, que no era común.

—Michelle y Tad han pasado mucho tiempo juntos —dijo Cathryn. Había vacilación en su voz.

Charles la miró, dándose cuenta de que le estaba suplicando que la tranquilizara.

—Un momento. ¿No estarás pensando que Michelle podría tener anemia aplástica, eh?

—¿Podría ser?

—No. ¡Por Dios, eres como un estudiante de medicina! Te enteras de la existencia de una nueva enfermedad y cinco minutos después piensas que uno de los chicos podría tenerla. La anemia aplástica es muy rara. Generalmente está asociada con una droga o producto químico. Se contrae por envenenamiento o por una reacción alérgica, aunque por lo general nunca se descubre la causa. Y de todos modos, no es contagiosa. Pobre chico.

—Y pensar que ni siquiera he llamado a Marge —dijo Cathryn. Se inclinó hacia delante y se miró la cara en el espejo. Intentó imaginar la tensión emocional de Marge y decidió que lo mejor era volver a confeccionar listas, como antes de casarse. Ese descuido no tenía excusa.

Charles se afeitó el lado izquierdo de la cara, pensando si no debía ocuparse de estudiar la anemia aplástica. ¿No era posible que le diera una pista acerca de la organización de la vida? ¿Dónde estaba el control que clausuraba la médula ósea? Esa era una pregunta lógica porque, después de todo, Charles pensaba que el tema del control era la clave para desvelar el misterio del cáncer.

Charles golpeó suavemente la puerta. Aguzó el oído y sólo llegó a oír el ruido de la ducha proveniente del cuarto de baño que había entre los dormitorios. Abrió la puerta silenciosamente. Michelle estaba en la cama, mirando la pared. De repente se volvió y sus miradas se cruzaron. Las lágrimas que corrían por sus mejillas enrojecidas brillaron en la luz. El corazón de Charles se enterneció.

Se sentó en el borde de la cama de su hija, cubierta con una colcha bordada; se inclinó y besó a Michelle en la frente. Por los labios se dio cuenta de que tenía fiebre. Se enderezó y miró a su hijita. En su rostro veía a Elizabeth, su primera mujer. El mismo pelo negro espeso, los mismos pómulos y labios gruesos, la misma piel aceitunada e impecable. De su padre, Michelle había heredado los ojos azules, los dientes blancos y derechos y, desgraciadamente, la nariz un tanto ancha. Charles creía que era la niña de doce años más bonita del mundo.

Con el dorso de la mano secó la humedad de sus mejillas.

—Lo siento, papá —dijo Michelle, entre lágrimas.

—¿Qué es lo que sientes? —preguntó Charles con dulzura.

—Estar enferma otra vez. No me gusta molestar.

Charles la abrazó. La sintió frágil entre sus brazos.

—Tú no molestas. No quiero oírte decir eso otra vez. Deja que te mire.

Turbada por las lágrimas, Michelle desvió la mirada mientras Charles tomaba distancia para examinarla. Apoyó la barbilla de la niña sobre la palma de la mano y le levantó la cara.

—Dime cómo te encuentras.

—Me encuentro un poco débil, eso es todo. Puedo ir a la escuela. Te lo juro.

—¿Te duele la garganta?

—Un poco. No mucho. Cathryn dijo que no podía ir a la escuela.

—¿Alguna otra cosa? ¿Te duele la cabeza?

—Un poquito, pero menos que antes.

—¿Los oídos?

—No.

—¿El estómago?

—Tal vez un poquito.

Charles le examinó los párpados inferiores, apretándolos hacia abajo. Tenía las conjuntivas pálidas. En realidad, estaba pálida toda ella.

—Muéstrame la lengua.

Se dio cuenta de que hacía mucho que no practicaba la medicina clínica. Michelle sacó la lengua y observó los ojos de su padre para tratar de detectar el primer síntoma de preocupación. Charles le tocó debajo de la mandíbula y ella retiró la lengua.

—¿Te duele? —le preguntó al tocar unos pequeños nódulos linfáticos.

—No —dijo Michelle.

La hizo sentar en el borde de la cama, de espaldas a él, y le subió el camisón. Jean Paul asomó la cabeza por la puerta del cuarto de baño para decirle que tenía la ducha a su disposición.

—Vete de aquí —gritó Michelle—. Papá, dile que se vaya.

—¡Fuera! —dijo Charles. Jean Paul desapareció. Alcanzaron a oír sus risas, mezcladas con las de Chuck.

Charles golpeó suavemente la espalda de Michelle, con cierta torpeza, pero comprobó que tenía los pulmones limpios. Luego hizo que se acostara de espaldas y le levantó el camisón hasta justo debajo de sus incipientes pechos. El delgado abdomen subía y bajaba de modo rítmico. Era lo suficientemente delgada como para que él notara cómo se contraía el corazón después de cada latido. Con la mano derecha, le empezó a palpar el abdomen.

—Trata de relajarte. Si te hago daño, avísame.

Michelle intentó quedarse quieta pero se retorció debajo de la mano fría de su padre. Dijo que le dolía.

—¿Dónde? —le preguntó Charles. Michelle le señaló el lugar y él tocó con mucho cuidado, concluyendo que le dolía la línea media del abdomen. Le puso los dedos justo debajo de las costillas derechas y le pidió que inspirara. Sintió entonces bajo sus dedos el borde romo del hígado. Ella le dijo que le dolía un poco. Poniendo la mano izquierda debajo de ella, para sostenerla, buscó el bazo. Se sorprendió al ver que lo palpaba sin dificultad. Siempre le había costado cuando ejercía, de modo que se preguntó si el de Michelle estaría dilatado.

Se puso de pie y la miró. Estaba delgada, aunque siempre lo había estado. Charles empezó a tocarle las piernas para sentir el tono muscular. Se detuvo al notar una serie de morados.

—¿Dónde te has hecho todos estos morados?

Michelle se encogió de hombros.

—¿Te molestan las piernas?

—Un poco. Las rodillas y los tobillos, después de hacer gimnasia. Pero si me escribes una nota no tengo por qué ir a gimnasia.

Charles volvió a ponerse de pie y observó a su hija. Estaba pálida, tenía algunos dolores, nódulos linfáticos y fiebre. Podía tratarse de cualquier enfermedad vírica sin importancia. Pero ¡cuatro semanas! A lo mejor Cathryn tenía razón. A lo mejor debía ir a un médico «verdadero».

—Por favor, papá —dijo Michelle—. No puedo faltar a la escuela si quiero ser un médico investigador como tú.

Charles sonrió. Michelle siempre había sido una niña precoz, y este halago indirecto era prueba de ello.

—Que pierdas unos pocos días de clase en la escuela primaria no arruinará tu carrera —dijo Charles—. Cathryn te llevará hoy al Hospital Pediátrico para que veas al doctor Wiley.

—¡Es un médico de bebés! —dijo Michelle, desafiante.

—Es un pediatra y tiene pacientes hasta de dieciocho años, sabelotodo.

—Quiero que tú me lleves.

—No puedo, querida. Tengo que ir al laboratorio. ¿Por qué no te vistes y bajas a desayunar?

—No tengo hambre.

—Michelle, no te pongas difícil.

—No me pongo difícil. No tengo hambre, eso es todo.

—Baja a tomar un poco de zumo, entonces.
—Charles le pellizcó ligeramente la mejilla.

Michelle miró a su padre hasta verlo salir de su dormitorio. Nuevamente se le saltaron las lágrimas. Se encontraba muy mal, no quería ir al hospital y, para colmo, se sentía muy sola. Más que nada en el mundo, quería que su padre la quisiera, y sabía que

26

él se ponía impaciente cuando uno de ellos caía enfermo. Se sentó con dificultad y trató de sobreponerse al mareo.

—Por Dios, Chuck —dijo Charles con aversión—. Pareces un cerdo.

Chuck no le hizo caso. Se sirvió cereal, le echó leche y se sentó a comer. Para el desayuno se había dispuesto que cada uno se ocupara de sí mismo, excepto el zumo de naranja, que preparaba Michelle. Cathryn lo había hecho esa mañana.

Chuck iba vestido con un suéter manchado y vaqueros sucios, tan largos que se pisaba la parte inferior, deshilachada. Estaba despeinado y era evidente que no se había afeitado.

—¿Por qué andas tan desaliñado? —prosiguió Charles—. Yo creía que el aspecto de *hippie* estaba pasado de moda ahora que los estudiantes universitarios han vuelto a ser respetables.

—Tienes razón. Los *hippies* están pasados de moda —dijo Jean Paul al entrar en la cocina. Se sirvió zumo de naranja—. La moda ahora es *punk*.

—¿*Punk*? —preguntó Charles—. ¿Chuck es *punk*?

—No —rió Jean Paul—. Chuck no es más que Chuck.

Chuck levantó la mirada de la caja de cereal y espetó una sarta de obscenidades destinadas a su hermano menor. Jean Paul no le hizo caso y abrió su libro de física. Se le ocurrió en ese momento que su padre nunca se fijaba en lo que se ponía él. Sólo se fijaba en Chuck.

—Por Dios, Chuck —decía en ese momento Charles—. ¿Crees realmente que debes tener ese espantoso aspecto? —Chuck no respondió. Charles lo observaba comer con creciente exasperación—. Chuck, te estoy hablando.

Cathryn extendió la mano y la puso sobre el brazo de Charles.

—No discutamos durante el desayuno. Ya conoces a los estudiantes universitarios. Déjalo en paz.

—Creo que por lo menos merezco una respuesta —insistió Charles.

Inspirando hondo y exhalando el aire por la nariz para subrayar su fastidio. Chuck miró a su padre cara a cara.

—No soy médico —respondió—. No tengo obligación de respetar un código para vestirme.

Las miradas de padre e hijo se encontraron. Chuck dijo, para sus adentros: «Trágate ésta, hijo de puta, genio. Como sacabas buenas calificaciones en química crees saberlo todo, pero no es así.» Charles estudió la expresión de su hijo, maravillado por la arrogancia que mostraba el muchacho con tan poca base de razón. Era inteligente, pero terriblemente haragán. Harvard lo había rechazado por sus mediocres resultados en la enseñanza secundaria y Charles tenía la impresión de que no le iba bien en Northeastern. ¿En qué se habría equivocado como padre? No le fue posible concentrarse en el problema debido a la personalidad de Jean Paul. Charles miró a su otro hijo: pulcro, tranquilo, estudioso. Costaba creer que esos dos muchachos provinieran de la misma fuente genética y que hubieran crecido juntos. Charles volvió a fijar su atención en Chuck. El desafío del muchacho no había disminuido, pero Charles perdió todo interés en el asunto. Por el momento tenía cosas más importantes en qué pensar.

—Espero —dijo apaciblemente— que tu aspecto y tus calificaciones no tengan nada en común. Espero que te vaya bien en la universidad. No nos hemos enterado de nada en ese sentido.

—Me va bien —contestó Chuck, volviendo a clavar los ojos en la caja de cereal. Hacer frente a su padre era algo nuevo para Chuck. Antes de entrar en la universidad, había evitado toda confrontación. Ahora trataba de buscarla. Estaba seguro de que Cathryn lo notaba, y que lo aprobaba. Después de todo, Charles también era tiránico con Cathryn.

—Si voy a ir a Boston en la camioneta —intervino Cathryn con la esperanza de cambiar de tema— necesitaré más dinero. Y ya que hablamos de dinero, llamaron de la compañía de combustible para decir que no vendrán hasta que se les pague.

—Recuérdamelo esta noche —dijo Charles en seguida. No quería hablar de dinero.

—Tampoco has pagado el semestre de la universidad —le recordó Chuck.

Cathryn levantó la mirada del plato y la clavó en Charles, esperando que refutara las palabras de Chuck. La matrícula de un semestre era mucho dinero.

—Recibí una nota ayer —dijo Chuck— en la que me decían que estábamos atrasados en el pago y que no me reconocerían los cursos si no nos poníamos al día.

—Pero el importe de la cuota fue retirado de nuestra cuenta —observó Cathryn.

—Gasté el dinero en el laboratorio —explicó Charles.

—¿Qué? —preguntó Cathryn, estupefacta.

—Lo recuperaremos. Necesitaba una nueva cepa de ratones y hasta marzo no hay dinero.

—¿Compraste ratas con el dinero de la matrícula de Chuck? —preguntó Cathryn.

—Ratones —corrigió Charles.

Con el placer de un *voyeur*, Chuck escuchó la discusión entre su padre y su madrastra. Hacía meses que estaba recibiendo notas de la administración, pero no las había mencionado esperando una oportunidad en que estuviera en juego su rendimiento en la universidad. Mejor no podría haber resultado.

—Qué maravilla —dijo Cathryn—. Y ¿cómo esperas que comamos de aquí a marzo y paguemos la matrícula de Chuck?

—Ya me encargaré yo de eso —contestó Charles, cortante Se defendía adoptando una actitud airada.

—Sería mejor que yo buscara un empleo —dijo Cathryn. ¿No necesitan a alguien que escriba a máquina en el instituto?

—Por el amor de Dios. ¡No estamos en crisis! —exclamó Charles—. Todo sigue bajo control. Lo

29

que debes hacer es terminar tu tesis doctoral y entonces dedicarte a trabajar en tu especialidad.

Hacía casi tres años que Cathryn estaba tratando de terminar la tesis.

—De modo que ahora yo tengo la culpa de que no se pague la matrícula de Chuck, por no terminar el doctorado —dijo Cathryn, sarcástica.

Michelle entró en la cocina en ese momento. Cathryn y Charles levantaron la mirada, olvidando momentáneamente la discusión. Se había puesto un suéter rosado con un monograma sobre otro de cuello alto blanco de algodón, lo que la hacía aparentar más de doce años. Su cara, enmarcada por el pelo negro azabache, estaba extraordinariamente pálida. Se dirigió al aparador y se sirvió un vaso de zumo de naranja. Al probarlo, hizo un gesto de desagrado.

—Aborrezco el zumo lleno de burbujas.

—Bueno, bueno —dijo Jean Paul—. La princesita se está haciendo la enfermita para no ir a la escuela.

—No molestes a tu hermana —le ordenó Charles.

De repente, un violento estornudo sacudió la cabeza de Michelle. El vaso de naranjada que tenía en la mano salpicó parte de su contenido en el suelo. Sintió el líquido que se le agolpaba en la nariz y automáticamente se inclinó hacia delante, abriendo la mano para atajar el estornudo. Horrorizada, comprobó que era sangre.

—¡Papá! —gritó al ver la sangre que llenaba su mano ahuecada y se derramaba por el suelo.

Charles y Cathryn saltaron de sus asientos al mismo tiempo. Cathryn tomó un paño mientras Charles alzaba a Michelle y la llevaba a la sala.

Los muchachos contemplaron el charco de sangre, luego miraron la comida, tratando de decidir el efecto que tenía el episodio sobre su apetito. Cathryn regresó corriendo, sacó una cubitera de la nevera y volvió a la sala.

—¡Ah! —dijo Chuck—. Yo no sería médico ni aunque me pagaran un millón de dólares. No aguanto ver sangre.

—Michelle siempre se las arregla para llamar la atención —dijo Jean Paul.

—Me gustaría que repitieras eso.

—Digo que Michelle siempre... —repitió Jean Paul. Le divertía molestar a Chuck.

—Cállate, estúpido. —Chuck se levantó y volcó en el cubo de la basura el resto de su bol de cereal. Luego, dando un rodeo alrededor del charco de sangre, se fue a su dormitorio.

En cuatro bocados Jean Paul terminó su comida y puso el plato en el fregadero. Con una toalla de papel limpió la sangre del suelo.

—¡Dios mío! —exclamó Charles al salir al exterior por la puerta de la cocina. La tormenta había levantado el viento del nordeste, que traía el hedor de goma quemada proveniente de la planta de recuperación—. Qué olor más espantoso.

—Vivimos en un lugar de mierda —dijo Chuck.

La desfachatez de su hijo le hizo hervir la sangre, pero se contuvo y no dijo nada. La mañana ya había sido bastante desagradable. Metió la barbilla dentro del chaquetón de piel de oveja para guarecerse de la nieve y caminó pesadamente hacia el granero.

—En cuanto pueda me iré a California —anunció Chuck, siguiéndolo. Había dos centímetros y medio más de nieve reciente.

—Vestido como estás, encajarás a las mil maravillas —dijo Charles.

Jean Paul, que cerraba la marcha, rió. Su aliento formaba bocanadas de vapor en el aire. Chuck giró sobre sus talones y de un empujón sacó a Jean Paul del sendero abierto a paladas, haciendo que se metiera en la nieve profunda. Se oyeron palabras airadas, pero Charles no les hizo caso. Hacía demasiado frío para detenerse. Las ráfagas de viento parecían cortar la piel y el hedor era espantoso. No siempre había sido así. La planta había abierto en el setenta y uno, un año después que él y Elizabeth compraron la casa. Vivir allí fue idea de ella. Quería que sus hijos se criaran en el campo, con aire limpio. «Qué ironía», pensó Charles al abrir el granero.

Aunque no era tan malo. El olor les llegaba únicamente cuando había viento del nordeste y, por suerte, eso no sucedía a menudo.

—Maldición —dijo Jean Paul, mirando el estanque—. Con esta nueva nevada voy a tener que volver a limpiar mi pista de hockey. Papá, ¿cómo es que el agua no se hiela nunca alrededor de la casa de muñecas de Michelle?

Charles miró hacia la laguna, dejando un pedazo de tubería contra la puerta del granero para mantenerla abierta.

—No sé. No se me ha ocurrido pensar en eso. Debe de estar relacionado con la corriente porque la laguna se conecta con el brazo del río, y el brazo tampoco se hiela.

—Qué asco —dijo Chuck, señalando más allá de la casa de muñecas. Sobre el barro congelado que rodeaba la laguna había un pato silvestre muerto—. Otro pato muerto. Me parece que ellos tampoco soportan el olor.

—Qué extraño —reflexionó Charles—. Hace varios años que no se ven. Cuando vinimos a vivir aquí, yo siempre los ahuyentaba de la casa de muñecas de Michelle. Luego desaparecieron.

—Allí hay otro —dijo Jean Paul—. Este no está muerto. Anda revoloteando.

—Parece borracho —observó Chuck.

—Vayamos a ayudarlo.

—No tenemos tiempo —dijo Charles, previniéndolos.

—Oh, vamos. —Jean Paul echó a andar sobre la nieve endurecida.

Ni Charles ni Chuck compartían el entusiasmo de Jean Paul, pero aun así lo siguieron. Cuando llegaron a su lado, lo vieron agachado sobre el animal, que se sacudía, presa de un ataque.

—¡Por Dios, tiene epilepsia! —exclamó Chuck, sobresaltado.

—¿Qué le pasa, papá? —preguntó Jean Paul

—No tengo ni la menor idea. La medicina de las aves no es una de mis especialidades.

Jean Paul estaba tratando de contener las sacudidas y espasmos del pato.

—No sé si deberías tocarlo —dijo Charles—. No estoy seguro de si los patos trasmiten o no la psitacosis.

—A mí me parece que deberíamos matarlo para que no siga sufriendo —afirmó Chuck.

Charles echó un vistazo a su hijo mayor, que tenía los ojos clavados en el ave enferma. Por alguna razón la sugerencia de Chuck, que probablemente era correcta, le pareció cruel.

—¿Lo puedo dejar en el granero? —suplicó Jean Paul.

—Voy a buscar mi rifle de aire comprimido y lo aliviaré de su sufrimiento —dijo Chuck. Ahora podía desquitarse de las actitudes de su hermano.

—No —ordenó Jean Paul—. ¿Lo puedo dejar en el granero, papá? Por favor.

—Está bien —convino Charles—, pero no lo toques. Ve a buscar una caja, o algo así.

Jean Paul corrió hacia el granero. Charles y Chuck se miraron por encima del pato enfermo.

—¿No sientes compasión? —preguntó Charles.

—¿Compasión? ¿Tú me hablas de compasión, después de todo lo que haces con esos animales en el laboratorio?

Charles estudió a su hijo. Le pareció ver más que falta de respeto. Le pareció ver odio. Chuck había sido un misterio para su padre desde el día que alcanzó la pubertad. Con cierta dificultad, reprimió el impulso de darle una bofetada.

Con su habilidad acostumbrada, Jean Paul se las había ingeniado para encontrar una caja grande de cartón y una almohada vieja. Rompió la funda y llenó la caja de plumas. Alzó el pato usando la funda como protección, y lo metió en la caja. Explicó a su padre que las plumas evitarían que el pato se hiciera daño, en caso de tener un nuevo ataque, y además lo mantendrían caliente. Charles asintió y los tres subieron al automóvil.

El coche, un Pinto rojo de cinco años, con manchas de herrumbre aquí y allá, se quejó cuando

Charles intentó ponerlo en marcha. El silenciador estaba lleno de agujeros, de modo que el Pinto hizo unos cuantos ruidos hasta que finalmente arrancó. Charles salió del garaje marcha atrás, subió por el sendero y tomó la carretera 301 en dirección norte, hacia Shaftesbury. Sintió alivio cuando el coche tomó velocidad. Era imposible lograr una paz perfecta en la vida familiar. Por lo menos en el laboratorio las variables tenían una consoladora predeterminación y los problemas se sometían al método científico. Charles toleraba cada vez menos los caprichos humanos.

—¡Muy bien! ¡No habrá música! —Apagó la radio. Los muchachos habían estado peleando por la emisora que querían sintonizar—. Contemplad el paisaje con tranquilidad, que es una buena forma de empezar el día.

Los dos muchachos se miraron y pusieron los ojos en blanco.

El camino bordeaba el río Pawtomack, que serpenteaba por la campiña. A medida que se acercaban a Shaftesbury aumentaba el hedor proveniente de Recycle Ltd. Lo primero que se veía del pueblo era la chimenea del edificio, que escupía un negro penacho de humo. Un agudo silbato rompió el silencio cuando pasaron junto a la planta. Indicaba un cambio de turno.

Una vez que se alejaron de allí, el olor desapareció como por arte de magia. Las hilanderías abandonadas fueron asomando, amenazantes, a la izquierda, mientras recorrían la calle Main. No se veía ni un alma. A las siete menos cuarto de la mañana, parecía una aldea desierta. Tres puentes de acero oxidado, tendidos sobre el río, eran otras reliquias de la era progresista, antes de la primera guerra mundial. Había incluso un puente cubierto, pero nadie lo utilizaba, pues era inseguro. Lo conservaban para los turistas. El hecho de que nunca llegaban turistas a Shaftesbury parecía pasarles inadvertido a las autoridades.

Jean Paul bajó del coche delante de la escuela, en la parte norte del pueblo. La ansiedad que tenía por empezar el día se reflejó en la forma rápida de despedirse. Ya a esa hora había un grupo de amigos esperándolo. Juntos entraron en la escuela. Jean Paul pertenecía al equipo de baloncesto y entrenaban antes de clase. Charles miró a su hijo menor hasta verlo desaparecer y luego prosiguió el viaje en dirección a la carretera 193 que llevaba a Boston. El tránsito sólo se hizo pesado al llegar a Massachusetts.

Conducir un coche tenía un efecto hipnótico sobre Charles. Por lo general se ponía a pensar en las complejidades de antígenos y anticuerpos, estructuras proteicas y formación de proteínas mientras conducía guiado por otras partes inferiores y más primitivas de su mente. Ese día en especial, sin embargo, percibía el silencio habitual de Chuck, cosa que empezó a irritarlo. Trató de imaginar en qué pensaba su hijo mayor, pero por más que se esforzó, no logró ningún resultado.

La cara inexpresiva y hastiada de su hijo, que alcanzó a ver de soslayo, le hizo preguntarse si estaría pensando en alguna chica. Se dio cuenta de que ni siquiera sabía si el muchacho salía con chicas.

—¿Qué tal te va en la universidad? —le preguntó con tono tan informal como le fue posible.

—¡Muy bien! —dijo Chuck, en guardia de inmediato.

Otro silencio.

—¿Sabes ya en qué te especializarás?

—No. Todavía no.

—Debes de tener alguna idea. ¿No tienes que empezar a pensar en el programa de materias del año próximo?

—Falta tiempo para eso.

—¿Qué asignatura te gusta más este año?

—Psicología, creo. —Chuck se puso a mirar por la ventanilla. No quería hablar de la universidad. Tarde o temprano empezaría a hablar de química.

—¿Psicología? —repitió Charles, meneando la cabeza.

Chuck miró la cara de su padre, pulcra y rasurada, su nariz ancha pero bien definida, esa manera tan condescendiente que tenía de hablar, con la cabeza ligeramente vuelta hacia atrás. Siempre tan seguro de sí mismo, tan inclinado a sacar conclusiones. A Chuck le pareció oír cierta mofa en el tono de su padre al pronunciar la palabra «psicología». Se armó de coraje y preguntó:

—¿Qué tiene de malo la psicología?

Era un área en la que estaba seguro de que su padre no era experto.

—Es una pérdida de tiempo —dijo Charles—. Se basa en un principio fundamentalmente falso de estímulo-respuesta. El cerebro no funciona así. No está en blanco, ni es una *tabula rasa*, sino un sistema dinámico que genera ideas y hasta emociones que a menudo prescinden del medio. ¿Sabes a qué me refiero?

—¡Sí! —Chuck apartó la mirada. No tenía idea de lo que estaba diciendo su padre, pero como de costumbre sonaba bien. Y era más fácil estar de acuerdo, que es lo que hizo los quince minutos siguientes, mientras Charles mantenía un apasionado monólogo acerca de los errores del enfoque psicológico behaviorista.

—¿Por qué no vienes al laboratorio esta tarde? —preguntó Charles después de un intervalo de silencio—. Mis investigaciones han progresado muchísimo, y creo que estoy próximo a un descubrimiento. Me gustaría compartirlo contigo.

—Hoy no puedo —contestó rápidamente Chuck. No le apetecía en absoluto que le enseñara el instituto, donde todo el mundo tocaba el suelo con la frente al ver pasar a Charles, el famoso hombre de ciencia. Eso siempre lo hacía sentir incómodo, sobre todo porque no entendía absolutamente nada de lo que hacía su padre. Sus explicaciones estaban tan fuera de su alcance que vivía aterrorizado de que al hacerle una pregunta revelara su gran ignorancia.

—Puedes venir a cualquier hora, cuando te venga bien, Chuck. —Charles siempre había deseado poder compartir su entusiasmo con Chuck, pero éste nunca había demostrado el menor interés. Charles creía

36

que si su hijo veía la ciencia en acción, se sentiría irresistiblemente atraído hacia ella.

—No. Tengo clase y luego un par de reuniones.

—Qué lástima. ¿Mañana, quizá? —preguntó Charles.

—Sí, quizá mañana.

Se bajó del auto en la avenida Huntington y luego de despedirse mecánicamente, se alejó bajo la nieve. Charles lo observó. Parecía una caricatura de la década de los sesenta, fuera de lugar hasta en medio de sus pares. Los otros estudiantes parecían más despiertos, más atentos a su aspecto. Casi todos estaban en grupos. Chuck iba solo. Charles pensó que tal vez Chuck había sufrido mucho más que sus hermanos la enfermedad y muerte de su madre. Esperaba que la presencia de Cathryn contribuyera a aliviar en algo la situación, pero desde la boda, Chuck se había vuelto todavía más distante y reservado. Charles dejó atrás la avenida Huntington y se dirigió hacia Cambridge.

2

Mientras cruzaba el río por el puente de la Universidad de Boston, Charles empezó a hacer planes para el día. Era infinitamente más sencillo tratar con las complejidades de la vida intracelular que con la incertidumbre de la educación de los hijos. En Memorial drive, Charles giró a la derecha, luego casi en seguida a la izquierda, para entrar en la zona de estacionamiento del Instituto de Investigaciones Weinburger. Empezó a sentirse mejor.

Al bajar del auto notó que ya había muchos otros, algo raro para esa hora de la mañana. Incluso el Mercedes azul del director estaba en el lugar que le correspondía. Sin importarle el tiempo, Charles se quedó de pie un momento pensando en el significado que podía tener aquello, luego echó a andar hacia el instituto. Era un edificio moderno de cuatro pisos, hecho de ladrillo y vidrio, semejante al hotel Hyatt, que estaba cerca, aunque sin el perfil piramidal de éste. Estaba situado a orillas del río Charles, entre Harvard y el Instituto de Tecnología, frente al campus de la Universidad de Boston. Por eso no era extraño que el instituto no tuviera dificultades en reclutar investigadores.

La recepcionista lo vio por el vidrio de espejo mientras se acercaba y apretó un botón para abrir la puerta de cristal grueso. Las medidas de seguridad eran estrictas debido al valor del instrumental científico y a la naturaleza de algunas investigaciones, especialmente las genéticas. Charles cruzó la alfombrada área de recepción, y dijo buenos días a la recatada señorita Andrews, que había ingresado hacía poco. Ella inclinó la cabeza y observó a Charles bajo sus bien depiladas cejas. Charles se preguntó cuánto duraría. La vida de los encargados de la recepción en el instituto era de muy corta duración.

Con una exagerada reacción tardía, Charles se detuvo en el salón principal y volvió atrás para poder ver la sala de espera. En medio de una nube de humo de cigarrillos, una pequeña multitud se arremolinó, excitada.

—Doctor Martel... doctor Martel —gritó uno de los hombres.

Sorprendido al oír su nombre, Charles entró en la sala y se vio rodeado de inmediato por todas las personas, que hablaban a la vez. El hombre que lo había llamado le puso un micrófono a unos centímetros de la nariz.

—Soy del *Globe* —dijo el hombre—. ¿Puedo hacerle unas cuantas preguntas?

Charles hizo a un lado el micrófono, e inició una retirada hacia el salón.

—Doctor Martel, ¿es verdad que usted se va a hacer cargo del estudio? —gritó una mujer, tomándolo del bolsillo del abrigo.

—No concedo entrevistas —dijo Charles, y se desprendió de la pequeña multitud. Inexplicablemente, los reporteros se detuvieron en el umbral de la sala de espera.

—¿Qué demonios pasa aquí? —se preguntó Charles al dejar de correr. Empezó a caminar rápidamente. Odiaba los medios de comunicación. La enfermedad de Elizabeth había atraído la atención de la prensa, por alguna razón, y en repetidas ocasiones Charles se había sentido ultrajado al ver que su tragedia personal se convertía en un suceso trivial para que la gente leyera con el café del desayuno. Entró en el laboratorio y cerró la puerta de un golpe.

Ellen Sheldon, su ayudante de laboratorio desde hacía seis años, dio un respingo. Estaba concentrada en medio de la quietud del laboratorio mientras preparaba el equipo para separar seroproteínas. Como de costumbre, había llegado a las siete y cuarto, para prepararlo todo antes de la llegada de Charles, que invariablemente se producía a las ocho menos cuarto. Le gustaba estar trabajando a las ocho en punto, sobre todo en los últimos tiempos, en que todo iba tan bien.

—Si yo diera un portazo como ése, me lo recordarías toda la vida —dijo Ellen, irritada. Era una mujer morena y atractiva, de treinta años, que llevaba el pelo recogido, aunque siempre se le escapaban unos mechones que le caían sobre la nuca. Cuando la contrató, sus colegas, celosos, le hicieron toda clase de bromas, pero en realidad Charles no empezó a apreciar su exótica belleza hasta haber trabajado con ella varios años. Sus rasgos no eran excepcionales individualmente; era el conjunto lo que resultaba interesante. Sin embargo, para Charles los aspectos más importantes eran su intelecto, su disposición para el trabajo y su excelente formación en el Instituto Tecnológico.

—Siento haberte sobresaltado —se excusó Charles, mientras colgaba el abrigo—. Hay un montón de periodistas allá abajo, y ya sabes cómo me ponen.

—Todos lo sabemos —convino Ellen, volviendo a su tarea.

Charles se sentó al escritorio y empezó a revisar sus papeles. El laboratorio era un cuarto grande y rectangular con una oficina privada en la parte posterior, separada por una puerta. Charles había prescindido de la oficina y había puesto un escritorio funcional de metal en el laboratorio, convirtiendo la oficina en un cuarto para los animales. El recinto principal para los animales era un ala separada, en la parte de atrás del instituto, pero Charles quería que algunos de los animales que utilizaba en sus experimentos estuvieran cerca para poder supervisar su cuidado con mayor atención. Los buenos resultados de los experimentos dependían en gran parte del esmero con que se cuidara a los animales, y Charles procuraba que no se pasase por alto un solo detalle.

—¿Qué hacen todos estos periodistas aquí, de todos modos? —preguntó Charles—. ¿Es cierto que nuestro intrépido líder hizo algún descubrimiento importante mientras se bañaba anoche?

—Debes ser un poco más generoso —le recordó Ellen, reprendiéndolo—. Alguien tiene que hacer el trabajo administrativo.

—Perdóname —dijo Charles, con exageración sarcástica.

—En realidad, es algo serio —explicó Ellen—. El *New York Times* se enteró del episodio de Brighton.

—A estos médicos de la nueva generación sí que les gusta la publicidad —dijo Charles, meneando la cabeza con asco—. Yo creía que después de ese artículo delirante en *Times* hace un mes, había quedado satisfecho. ¿Qué diablos hizo?

—¿No me digas que no te has enterado? —preguntó Ellen con incredulidad.

—Ellen, yo vengo a trabajar. Tú, más que nadie, deberías saberlo.

—Es verdad. Pero esta situación de Brighton... Todo el mundo se ha enterado. Ha sido la comidilla del instituto durante una semana por lo menos.

—Si no te conociera mejor, diría que estás tratando de hacerme enfadar. Si no me lo quieres decir, no me lo digas. En realidad, por tu tono de voz, empiezo a pensar que sería mejor que no me dijeras nada.

—Bueno, es malo —dijo Ellen—. El jefe del departamento de animales denunció al director que el doctor Thomas Brighton había estado entrando a hurtadillas al laboratorio, y sustituyendo los ratones enfermos de cáncer por otros sanos.

—¡Qué maravilla! —exclamó Charles con sarcasmo—. Evidentemente, la idea era hacer que su droga pareciera milagrosamente eficaz.

42

—Exactamente. Lo más interesante es que ha sido su droga, Cancerán, la que le ha dado toda esta publicidad reciente.

—Y su posición aquí en el instituto —agregó Charles; sintió que se ponía colorado de desprecio. No aprobaba la publicidad de la que se había rodeado el doctor Thomas Brighton, pero al dar su opinión se había dado cuenta de que la gente creía que estaba celoso.

—Le tengo lástima —dijo Ellen—. Esto seguramente tendrá un efecto muy grave en su carrera.

—¿Oigo bien? —preguntó Charles—. ¿Sientes lástima por ese conspirador hijo de puta? Ojalá le prohíban el ejercicio de la medicina y lo echen con una patada en el culo. Se supone que es un doctor en medicina. Hacer trampas en la investigación es tan malo como hacer trampas atendiendo a los pacientes. ¡No! Es peor. En la investigación se termina por hacer daño a muchas más personas.

—Yo no me apresuraría a juzgarlo. A lo mejor estaba bajo presión con tanta publicidad. Puede haber circunstancias atenuantes.

—Cuando se trata de integridad no puede haber circunstancias atenuantes.

—Pues yo no estoy de acuerdo. Las personas tienen problemas. No todos somos superhombres, como tú.

—No empieces con toda esa mierda psicológica —dijo Charles. Le sorprendía la inquina que escondía el comentario de Ellen.

—Muy bien, no seguiré. Pero un poco de generosidad humana te vendría bien, Charles Martel. Te importan un rábano los sentimientos de los demás. Sólo te ocupas de ti mismo. —La voz de Ellen temblaba de emoción.

Se produjo un silencio tenso en el laboratorio. Ellen volvió ostensiblemente a su tarea. Charles abrió su libro de laboratorio, pero no podía concentrarse. No había sido su intención enfurecerse tanto, y evidentemente había ofendido a Ellen. ¿Era realmente insensible a los sentimientos de los demás? Era la primera vez que Ellen decía algo negativo

43

sobre él. Charles se preguntó si tendría algo que ver con la breve relación que mantuvieron antes de que él conociera a Cathryn. Después de muchos años de trabajar juntos, fue más el resultado de la cercanía que del amor. Sucedió en un momento en que Charles por fin había salido de la depresión inmovilizadora después de la muerte de Elizabeth. Sólo duró un mes. Luego llegó Cathryn al instituto, para trabajar temporalmente durante el verano. Después, él y Ellen no volvieron a hablar del asunto. A Charles le había parecido mejor entonces dejar que el episodio se olvidara.

—Siento haberme enfadado —dijo Charles—. No era mi intención. Me he dejado llevar.

—Yo siento haber dicho lo que he dicho —se disculpó Ellen; en su voz todavía se detectaba la emoción que la embargaba.

Charles no quedó convencido. Quería preguntarle si creía realmente que él era insensible, pero no se atrevía.

—Me olvidaba —agregó Ellen—. El doctor Morrison quiere verte cuanto antes. Ha llamado antes de que llegaras.

—Morrison puede esperar —dijo Charles—. Empecemos nuestro trabajo.

Cathryn estaba irritada con Charles. No era la clase de persona que trata de reprimir sus sentimientos; además, se sentía justificada. En vista de la hemorragia nasal de Michelle, bien podría su marido haber alterado sus sagrados horarios para llevarla él mismo al hospital pediátrico. Después de todo, él era el médico. Cathryn tuvo una imagen mental horrible: vio que Michelle volvía a sufrir una hemorragia en el coche. ¿Podría desangrarse hasta morir? Cathryn no estaba segura, pero la posibilidad le parecía lo suficientemente real como para asustarse. Cathryn aborrecía todo lo que tuviera que ver con enfermedad, sangre y hospitales. No estaba segura acerca de la causa de su temor, aunque posiblemente hubiera contribuido una experiencia desagradable que tuvo a los diez años, debido a un caso complicado de apendicitis. Se presentaron dificultades en el diagnóstico, primero en el consultorio del médico, luego en el hospital. Hasta ese día recordaba claramente los azulejos blancos y el olor antiséptico. Pero lo peor había sido la penosa experiencia del examen vaginal. Nadie trató de explicarle nada. Sólo la sujetaron. Aún recordaba la angustia y la desesperación. Charles sabía todo eso, pero aun así insistió en que debía llegar a tiempo al laboratorio y dejó que ella acompañara a Michelle.

Cathryn decidió que la unión hace la fuerza, de modo que llamó a Marge Schonhauser por el teléfono de la cocina para preguntarle si quería ir a Boston. Si Tad seguía en el hospital, existía una buena posibilidad de que así fuera. Levantaron el teléfono a la segunda llamada. Era Nancy, la hija de dieciséis años.

—Mamá ya está en el hospital.

—Bueno —dijo Cathryn—. Trataré de verla allá, pero si no la veo, dile que la he llamado.

—Sí —aseguró Nancy—. Se alegrará de saber que la ha llamado.

—¿Qué tal está Tad? —preguntó Cathryn—. ¿Volverá pronto a casa?

—Está muy enfermo, señora Martel. Tuvieron que hacerle un transplante medular. Nos hicieron pruebas a todos pero la única compatible era Lisa. Está en una cámara para protegerse contra los gérmenes.

—Lo siento mucho —dijo Cathryn. Sintió que su fortaleza la abandonaba. No tenía idea de qué era un transplante medular, pero parecía algo serio. Se despidió de Nancy y colgó el receptor. Se quedó sentada un momento, pensando. Le espantaba el aspecto emocional de una confrontación con Marge, y se sentía culpable por no haberla llamado antes. La enfermedad de Tad hacía que sus temores por la hemorragia nasal de Michelle parecieran nimios en comparación. Inspiró hondo y entró en la sala.

Michelle estaba mirando el noticiero de la mañana en la televisión, sentada en el sofá. Después de un zumo de naranja y un breve descanso se encontraba considerablemente mejor, aunque molesta. Charles no había dicho nada, pero ella estaba segura de que estaba decepcionado. La hemorragia nasal había sido la provocación final.

—He llamado al consultorio del doctor Wiley —anunció Cathryn con toda la animación de que logró hacer acopio— y la enfermera me ha dicho que vayamos cuanto antes. De lo contrario, tendremos que esperar mucho. Vámonos, entonces.

—Me encuentro mucho mejor —mintió Michelle. Forzó una sonrisa pero le temblaron los labios.

—Muy bien —dijo Cathryn—. Pero te quedarás quieta. Yo te traeré el abrigo y las otras cosas.

Cathryn empezó a subir la escalera.

—Cathryn, me parece que ya estoy bien. Ya puedo ir a la escuela.

Como para fundamentar su opinión, Michelle bajó las piernas y se puso de pie. Se sentía muy débil, pero aun así seguía sonriendo, vacilante.

Cathryn se volvió a mirar a su hija adoptiva, y sintió una oleada de emoción por la niñita que Charles tanto amaba. Cathryn no tenía idea de por qué Michelle querría negar su enfermedad, a menos que le tuviera miedo al hospital, como ella. Se acercó a la niña y la abrazó con fuerza.

—No tienes por qué tener miedo, Michelle.

—No tengo miedo —repuso Michelle, resistiéndose al abrazo de Cathryn.

—¿No? —le preguntó Cathryn, por decir algo. Siempre le sorprendía que alguien rechazara su afecto. Sonrió forzadamente sin quitar las manos de los hombros de Michelle.

—Creo que puedo ir a la escuela. No tengo por qué hacer gimnasia si escribes una nota de justificación.

—Michelle. Hace un mes que no te encuentras bien. Esta mañana tenías fiebre. Es hora de que hagamos algo.

—Pero es que ya estoy bien, y quiero ir a la escuela.

Quitó las manos de los hombros de Michelle y estudió el rostro desafiante de la niña. En muchos sentidos, Michelle seguía siendo un misterio. Era tan concienzuda y seria, que parecía madura para su edad, pero por alguna razón mantenía a Cathryn a cierta distancia. Cathryn se preguntaba hasta qué punto eso se debería a que Michelle hubiera perdido a su madre a los tres años. Ella misma sabía lo que significaba crecer con un solo progenitor, debido a que su padre había abandonado a su madre.

—Yo sé lo que vamos a hacer —anunció Cathryn, preguntándose cuál sería la mejor manera de tratar el problema—. Volveré a tomarte la temperatura. Si tienes fiebre, iremos al hospital; de lo contrario no iremos.

La temperatura de Michelle era de treinta y ocho grados.

Una hora y media más tarde, Cathryn entraba en el garaje del Hospital Pediátrico y sacaba de la máquina la tarjeta de estacionamiento. Por suerte, habían viajado sin novedades. Michelle habló muy poco durante el trayecto, limitándose a responder preguntas directas. A Cathryn le pareció que la niña estaba exhausta, con las manos inmóviles sobre la falda, como un títere que espera que lo muevan desde arriba.

—¿En que éstas pensando? —le preguntó rompiendo el silencio. No había espacio libre para estacionar y tuvieron que circular de un lugar a otro.

—En nada —contestó Michelle, sin moverse.

Cathryn la observó por el rabillo del ojo. Quería tanto que la niña bajara la guardia y aceptara su cariño...

—¿No quieres compartir tus pensamientos? —insistió.

—No me encuentro bien, Cathryn. Me encuentro muy mal. Me parece que tendrás que ayudarme a bajar del coche.

Cathryn la miró y detuvo el coche abruptamente. Se acercó y la abrazó. La niñita no opuso resistencia. Se corrió y apoyó la cabeza sobre el pecho de Cathryn, que sintió las lágrimas tibias de Michelle sobre el brazo.

—Sólo quiero ayudarte, Michelle. Te ayudaré cuando me necesites. Te lo prometo.

Cathryn tenía la sensación de haber traspuesto finalmente una frontera indefinida. Le había costado dos años y medio de paciencia, pero rendía sus frutos.

Un bocinazo agudo la volvió a la realidad presente. Hizo un cambio y reinició la marcha, satisfecha de que Michelle siguiera abrazándola.

Cathryn se sentía más que nunca en su vida como una madre verdadera. Cuando entraron por la puerta giratoria, Michelle estaba tan débil que permitió que ella la ayudara. En el mostrador de recepción, Cathryn llenó de inmediato un formulario solicitando una silla de ruedas, y aunque al principio Michelle se resistió, finalmente le permitió que empujara la silla.

Cathryn sintió que la felicidad de tener a Michelle tan próxima la ayudaba a amortiguar el horror al hospital. El decorado también contribuía: el suelo del vestíbulo estaba recubierto de acogedores azulejos mexicanos, y el tapizado de los sillones era de tonos anaranjados y amarillos. Incluso había muchas plantas. Parecía más bien un hotel de lujo que el hospital de una gran ciudad.

Los consultorios de pediatría eran igualmente acogedores. Ya había cinco pacientes esperando en la sala del doctor Wiley. Para desagrado de Michelle, ninguno tenía más de dos años. Se hubiera quejado, sólo que vio los consultorios a través de una puerta abierta y recordó por qué estaba allí. Se acercó a Cathryn y le preguntó:

—No me pondrán una inyección, ¿no?

—No tengo ni idea —dijo Cathryn—. Luego, si te sientes con ánimo, podemos hacer algo divertido. Lo que quieras.

—¿Podríamos visitar a papá? —preguntó la niña. Su mirada se avivó.

—Por supuesto —contestó Cathryn. Colocó a Michelle junto a una silla vacía, y allí se sentó ella.

Una madre con un niño de cinco años, que gimoteaba, salieron del consultorio. Otra de las madres, con un niñito diminuto, se puso de pie y entró.

—Preguntaré a la enfermera si puedo llamar por teléfono —dijo Cathryn—. Quiero averiguar dónde está Tad Schonhauser. Estás bien ¿verdad?

—Sí —afirmó Michelle—. En realidad, me encuentro muy bien.

—Qué suerte —dijo Cathryn al ponerse de pie. Michelle observó cómo Cathryn se dirigía hasta el escritorio de la enfermera. Su larga cabellera castaña se movía al caminar. La vio usar el teléfono. Recordó que su padre siempre decía que le gustaba el color del pelo de su madrastra, y deseó que el de ella fuera igual. De pronto ansió ser vieja, como de unos veinte años, para poder ser médica, hablar con Charles y trabajar en su laboratorio. Charles le había dicho que los médicos no tenían que poner inyecciones; para eso estaban las enfermeras. Michelle rogó que no le pusieran una inyección. No le gustaba.

—Doctor Martel —dijo el doctor Peter Morrison, de pie en la puerta del laboratorio de Charles—. ¿No te han dado el recado?

Charles, que estaba cargando muestras de suero en un mostrador automático de radiactividad, se irguió para mirar a Morrison, jefe administrativo del departamento de fisiología. Estaba apoyado en la jamba de la puerta, con expresión tensa, de enfado. La luz del tubo fluorescente del cielo raso se reflejaba en las lentes de sus gafas de montura de concha.

—Iré a verte dentro de diez o quince minutos —dijo Charles—. Tengo una cosa importante que terminar.

Morrison consideró las palabras de Charles un momento.

—Te esperaré en mi oficina.

La puerta se cerró lentamente tras él.

—No deberías provocarlo —le advirtió Ellen—. No haces más que causar dificultades.

—Le hace bien —afirmó Charles—. Le da algo en qué pensar. No tengo idea de qué hace en esa oficina que tiene.

—Alguien tiene que ocuparse de los asuntos administrativos —señaló Ellen.

—La ironía es que alguna vez fue un buen investigador —dijo Charles—. Ahora toda su vida está dominada por su ambición de llegar a ser director. No hace otra cosa que firmar papeles, asistir a reuniones, ir a almorzar y a fiestas de beneficencia.

—En esas fiestas se recauda mucho dinero.

—Supongo que sí. Pero no se necesita un doctorado en fisiología para hacer todas esas cosas. Me parece un desperdicio. Si las personas que donan dinero en esos banquetes llegaran a descubrir la ínfima proporción que se destina a la investigación, se quedarían heladas.

—En eso estoy de acuerdo contigo —concordó Ellen—. Deja que yo termine de colocar las muestras. Tú ve a ver a Morrison y vuelve pronto porque voy a necesitar tu ayuda para extraer sangre a los ratones.

Diez minutos más tarde, Charles subió la escalera de incendio para llegar al segundo piso. No tenía idea de por qué quería verlo Morrison, aunque suponía que era para inyectarle ánimos y pedirle que publicara algo para algún congreso. Charles difería de sus colegas con respecto a las publicaciones. Nunca había querido apresurarse a publicar. Aunque a menudo las carreras de investigación eran valoradas de acuerdo con la cantidad de artículos publicados, la tenaz dedicación y la capacidad de Charles le habían granjeado el respeto de sus colegas, muchos de los cuales solían decir que eran los hombres como Charles los que hacían los grandes descubrimientos científicos. Era el departamento administrativo el que protestaba.

El despacho del doctor Morrison quedaba en el área administrativa del segundo piso, donde las paredes de los salones estaban agradablemente pintadas de beige y cubiertas de sombríos retratos al óleo de antiguos directores que vestían la toga académica. La atmósfera era totalmente distinta a la de los utilitarios laboratorios de la planta baja y el primer piso. Daba la impresión de un próspero despacho de abogados más que de una organización médica sin fines de lucro. Su opulencia nunca dejaba de irritar a Charles: sabía que el dinero provenía de personas que creían contribuir a la investigación.

Con este estado de ánimo Charles se encaminó al despacho de Morrison. Estaba a punto de entrar cuando notó que una de las secretarias lo miraba. Presintió la misma excitación reprimida que había sentido esa mañana, como si todos esperaran que sucediera algo.

Cuando Charles entró, Morrison se levantó de detrás de su ancho escritorio de caoba y salió a su encuentro extendiendo la mano. Su fastidio se había evaporado. Charles le estrechó la mano automáticamente, aunque se sintió estupefacto por el gesto. No tenía nada en común con ese hombre. Morrison lucía un traje a rayas, recién planchado, camisa blanca, almidonada y corbata de seda. Sus zapatos, confeccionados a mano, estaban bien lustrados. Charles llevaba su acostumbrada camisa azul de algodón, la corbata floja, con el nudo entre el segundo y el tercer botón y las mangas arrolladas. Llevaba unos pantalones anchos y los mocasines estropeados.

—Bien venido —dijo Morrison, como si no hubiera visto ya a Charles esa mañana. Con un ademán le indicó que se sentara en el sofá de cuero colocado en el fondo de la oficina, desde donde se veía el río—. ¿Café? —le preguntó, mostrando sus dientes pequeños y blancos.

Charles rechazó cortésmente la invitación, se sentó en el sofá y se cruzó de brazos. Pasaba algo raro, y estaba intrigado.

—¿Has visto el *New York Times* de hoy? —le preguntó Morrison.

Charles meneó la cabeza negativamente.

Morrison caminó hasta su escritorio, tomó el diario y le mostró un artículo de la primera página. Al señalarlo, su pulsera de identificación, de oro,

51

asomó por debajo de la manga de la camisa. ES
CÁNDALO EN EL INSTITUTO WEINBURGER.

Charles leyó el primer párrafo, que parafraseaba
lo que le había contado Ellen. Era suficiente.

—Terrible, ¿eh? —preguntó Morrison en tono mo-
nótono.

Charles asintió con la cabeza, aunque estaba a
medias de acuerdo. Sabía que el incidente tendría
un efecto negativo en las finanzas durante un tiempo, pero al mismo tiempo desplazaría del centro de
interés a la nueva droga, Cancerán, que injustifica-
damente había atraído toda la atención de la gente,
para llevar esa atención hacia áreas más promiso-
rias. Charles pensaba que Cancerán era sólo un agente alcalinizante más. Para él, la solución para el
cáncer estaba en la inmunología, no en la quimioterapia, si bien reconocía la creciente cantidad de
curas logradas en los últimos años.

—El doctor Brighton no debería haber hecho
todo esto —dijo Morrison—. Es demasiado joven e
impaciente.

Charles esperó a que Morrison fuera al grano.

—Tendremos que deshacernos de él —agregó Morrison.

Charles asintió, mientras Morrison se embarcaba
en una explicación del comportamiento de Brighton.
Observó la reluciente calva del director. El poco
pelo que le quedaba estaba detrás de las orejas, y
se lo juntaba en una franja peinada cuidadosamente.

—Un momento —dijo Charles, interrumpiéndolo—. Todo esto es muy interesante, pero tengo un
experimento importante en marcha abajo. ¿Querías
decirme algo en especial?

—Por supuesto —contestó Morrison, arreglándose el puño de la camisa. Su voz se volvió más seria.
Juntó los dedos de las dos manos—. La junta de
directores del instituto se anticipó al artículo del
New York Times y tuvo una reunión de emergencia
anoche. Decidimos que, de no actuar rápidamente,
la verdadera víctima del caso Brighton sería la nueva y prometedora droga, Cancerán. Supongo que
comprenderás nuestra preocupación ¿no?

—Por supuesto —dijo Charles. En el horizonte de su mente empezó a formarse una nube negra.

—Se decidió también que la única forma de salvar el proyecto era que el instituto apoyara públicamente la droga designando a su científico más prestigioso para que completara los experimentos. Tengo la gran satisfacción de comunicarte, doctor Charles Martel, que tú resultaste elegido.

Charles cerró los ojos y se pegó en la frente con la mano abierta. Quería salir corriendo de la oficina, pero se contuvo. Lentamente, volvió a abrir los ojos. Los labios delgados de Morrison estaban extendidos en una sonrisa. Charles, en realidad, no estaba seguro de si Morrison se daba cuenta de su reacción, en cuyo caso se estaba burlando de él, o si creía sinceramente que le estaba dando una buena noticia.

—No puedo decirte lo contento que estoy —prosiguió Morrison— porque la junta eligió a un hombre de mi departamento. No es que me sorprenda, entiéndeme. Todos hemos trabajado incansablemente para el Weinburger. Pero es agradable que de vez en cuando lo reconozcan. Y, por supuesto, fui yo quien te propuso.

—Bueno —empezó a decir Charles con la voz más firme que pudo—. Espero que trasmitas a la junta mi agradecimiento por su voto de confianza, pero lamentablemente no estoy en posición de ocuparme del proyecto Cancerán. Te darás cuenta de que mi propio trabajo va muy, muy bien. Tendrán que buscar a otro.

—Estarás bromeando —dijo Morrison. Su sonrisa disminuyó, luego se esfumó.

—En absoluto. Con el progreso que estoy haciendo, no puedo de ninguna manera abandonar mi trabajo actual. Mi asistente y yo hemos tenido éxito y vamos a un ritmo más rápido.

—Pero no has publicado nada desde hace varios años. ¿Qué clase de ritmo es ése? Además, los fondos para tus investigaciones provienen, casi en su totalidad, del instituto. Hace muchísimo tiempo que no se producen donaciones importantes gracias a tu trabajo. Sé que eso se debe a que has insistido en permanecer en el campo inmunológico de las inves tigaciones, y hasta ahora yo siempre te he respaldado. Pero ahora se necesitan tus servicios. En cuanto termine el proyecto Cancerán podrás volver a tu trabajo. Es así de sencillo. —Morrison se puso de pie y volvió a su escritorio para darle a entender que para él la entrevista había terminado, y que la decisión estaba tomada.

—Pero yo no puedo abandonar mi trabajo —insistió Charles, sintiéndose desesperado—. En este momento es imposible. Todo marcha muy bien. ¿Y mi desarrollo del proceso del hibridoma? Deberían tenerlo en cuenta.

—Ah, el hibridoma —dijo Morrison—. Un trabajo maravilloso. ¿Quién hubiera pensado que un linfocito sensibilizado pudiera fusionarse con una célula cancerosa para hacer una especie de fábrica celular de anticuerpos? ¡Brillante! Sólo que existen dos problemas. Primero: eso fue hace muchos años; y segundo: no publicaste el descubrimiento. Habríamos podido sacar provecho de él. En cambio, fue otra institución la que se llevó la fama. Yo, en tu lugar, no dependería del desarrollo del hibridoma para asegurar mi posición ante la junta de directores.

—No me molesté en publicar el proceso del hibridoma porque no era más que un paso en mi experimento. Nunca me he impacientado por publicar.

—Todos lo sabemos. En realidad, ésa es probablemente la principal razón por la que estás donde estás, y no eres jefe de departamento.

—¡No quiero ser jefe de departamento! —gritó Charles, empezando a perder la paciencia—. Yo quiero investigar, no barajar papeles y asistir a fiestas benéficas.

—Supongo que eso es un insulto personal —dijo Morrison.

—Puedes tomarlo como quieras —contestó Charles, que había abandonado los esfuerzos por controlár su furia. Se puso de pie, se acercó al escritorio de Morrison y lo acusó con el dedo—. Te diré cuál es la razón principal por la que no puedo ocuparme del proyecto Cancerán. ¡No creo en él!

—¿Qué demonios quieres decir? —La paciencia de Morrison también iba desapareciendo.

—Quiero decir que los venenos celulares como Cancerán no son la solución para el problema del cáncer. Se presume que matan las células cancerosas con mayor rapidez que las normales de modo que después que se detiene la enfermedad al paciente todavía le quedan células normales para seguir viviendo. Eso es sólo un enfoque provisional. La cura verdadera del cáncer sólo puede producirse cuando se comprendan mejor los procesos celulares de la vida, en especial la comunicación química entre las células.

Charles empezó a pasearse por la habitación, deslizándose nerviosamente los dedos por el pelo. Morrison, en cambio, no se movió. Se limitó a seguir con la mirada los movimientos giratorios de Charles.

—Te digo —gritó Charles— que el ataque contra el cáncer se está haciendo desde una perspectiva equivocada. El cáncer no puede ser considerado una enfermedad como si se tratara de una infección porque eso alienta el concepto erróneo de que pueda existir una cura mágica, como un antibiótico.

Charles dejó de pasearse y se apoyó en el escritorio de Morrison, mirándolo. Habló con voz más tranquila pero más apasionada.

—He estado pensando mucho en esto. El cáncer no es una enfermedad en el sentido tradicional del concepto, sino el desenmascaramiento de una forma de vida más primitiva, como las que existían en el comienzo del tiempo, cuando se estaban desarrollando los organismos multicelulares. Piensa. En una época, hace eones, sólo existían criaturas unicelulares que, egoístamente, se ignoraban entre sí. Pero luego, después de unos cuantos millones de años, algunas se reunieron en grupo porque era más eficaz. Se comunicaron químicamente, y esta comunicación hizo posible que existieran organismos multicelulares como nosotros. ¿Por qué una célula del hígado sólo hace lo que hace una célula del hígado, lo mismo que sucede con una célula del corazón, o del cerebro? La respuesta reside en la comunicación química. Pero las células cancerosas no reaccionan a esta comunicación química. Se han independizado, han vuelto a una etapa más primitiva, como esos organismos unicelulares que existían hace millones de años. El cáncer no es una enfermedad, sino una pista de la organización básica de la vida. Y la inmunología es el estudio de esta comunicación.

Charles concluyó su soliloquio apoyado sobre el escritorio de Morrison. Se hizo un silencio incómodo. Morrison se aclaró la garganta, alejó del escritorio el sillón de cuero y se sentó.

—Muy interesante —dijo—. Lamentablemente, no nos ocupamos de asuntos metafísicos. Y debo recordarte que hace más de una década que se estudia el aspecto inmunológico del cáncer sin que se haya contribuido significativamente a prolongar la vida del enfermo.

—De eso se trata —dijo Charles, interrumpiéndolo—. La inmunología proporcionará una cura, no un alivio.

—Por favor —dijo con suavidad Morrison—. Yo te he escuchado, ahora quiero que me escuches tú. Hay muy poco dinero disponible para la inmunología actualmente. Eso es un hecho. El proyecto de Cancerán está respaldado por una enorme subvención, tanto del Instituto Nacional del Cáncer como de la Sociedad Estadounidense del Cáncer. El Weinburger necesita ese dinero.

Charles trató de interrumpirlo, pero Morrison se lo impidió. Charles se desplomó sobre un sillón. Sentía que el peso de la burocracia del instituto lo rodeaba como un pulpo gigantesco.

Morrison se quitó las gafas ceremoniosamente y las puso sobre el secante.

—Tú eres un científico excelente, Charles. Eso lo sabemos todos, y por eso te necesitamos en este momento. Pero también eres un hombre rebelde, y en ese sentido se te tolera más que de lo que se te aprecia. Tienes enemigos aquí, tal vez motivados por los celos, tal vez por verte tan justo y bueno ante tus propios ojos. Yo te he defendido muchas veces. Hay muchos que desearían que te fueras. Te digo todo esto por tu propio bien. Anoche en la reunión sugerí que tal vez tú no quisieras hacerte cargo del proyecto Cancerán. Se decidió que, en ese caso, no se necesitarían más tus servicios. No será difícil encontrar a alguien que ocupe tu lugar para un proyecto como ése.

«¡No se necesitarían más mis servicios!» Las palabras resonaron dolorosamente en su mente. Charles trató de ordenar sus ideas.

—¿Puedo decir algo ahora? —preguntó.

—Por supuesto —contestó Morrison—. Dime que te harás cargo del proyecto Cancerán. Eso es lo que quiero oír.

—He estado muy ocupado abajo —dijo Charles, pasando por alto el último comentario de Morrison—, y estoy haciendo progresos a paso acelerado. Intencionalmente, he guardado el secreto, pero creo que estoy próximo a descubrir la naturaleza del cáncer y, posiblemente, el modo de curarlo.

Morrison estudió su expresión, tratando de descubrir si era sincero. ¿Se trataba de una treta? ¿Delirios de grandeza? Morrison miró sus ojos azul claro, la alta frente surcada de arrugas. Conocía a la perfección su pasado, la muerte de su mujer, el cambio repentino de la medicina clínica a la investigación. Sabía que era brillante, pero que le gustaba trabajar solo. Sospechaba que la idea de Charles de estar «próximo» bien podía significar unos diez años más.

—Curar el cáncer —dijo Morrison, sin molestarse en disimular el tono de sarcasmo. No apartó los ojos del rostro de Charles—. Sería muy bonito. Todos nos enorgulleceríamos. Pero... tendrás que esperar a que se complete el proyecto Cancerán. El laboratorio Leslie, que tiene la patente, está ansioso por empezar la producción. Si me perdonas ahora. tengo cosas que hacer. No se hablará más del asunto. Ve a consultar los libros que tratan de Cancerán y empieza a trabajar. Buena suerte. Si tienes algún problema, házmelo saber.

Charles salió aturdido del despacho de Morrison aplastado por la perspectiva de tener que abandonar sus investigaciones a la fuerza en un momento tan crítico. Consciente de la mirada inquisitiva de la pulcra secretaria de Morrison, Charles apretó el paso hasta la escalera de incendio, abriendo la puerta con fuerza. Bajó lentamente. Le daba vueltas la cabeza. En toda su vida nadie lo había amenazado con echarlo. Aunque estaba seguro de conseguir otro empleo, la idea de quedar a la deriva durante un tiempo, por corto que fuera, lo anonadaba, especialmente con todas las obligaciones financieras que tenía. Al abandonar su consultorio, Charles había abandonado también su posición acomodada. El sueldo de investigador apenas les alcanzaba, especialmente ahora que Chuck iba a la universidad.

Al llegar al primer piso, Charles enfiló el corredor en dirección a su laboratorio. Necesitaba tiempo para pensar.

3

Su turno había llegado. Una enfermera, que parecía salida de una película de Doris Day, de la década de los cincuenta, llamó a Michelle por su nombre y permaneció junto a la puerta abierta. Michelle tomó con fuerza la mano de su madrastra cuando entraron en el consultorio. Cathryn no sabía cuál de las dos estaba más tensa.

El doctor Wiley levantó la vista de un historial clínico que tenía sobre su escritorio, y las miró por encima de las gafas. Cathryn nunca había visto al doctor Wiley, pero todos los chicos lo conocían. Michelle le dijo a Cathryn que lo había ido a ver hacía cuatro años, cuando tuvo varicela. Tenía ocho años entonces. Cathryn se sintió cautivada de inmediato por el atractivo del hombre. Aparentaba alrededor de sesenta años, y emanaba de él ese aire paternal, tranquilizador, que las personas asocian tradicionalmente con los médicos. Era alto, de pelo canoso, muy corto, y llevaba un abundante bigote gris. La corbata roja de lazo, con el nudo hecho a mano, le daba un aspecto personal que irradiaba vigor. Con sus manos grandes, aunque suaves, dejó el historial clínico sobre el escritorio y se inclinó hacia delante.

—Bueno, bueno —dijo el doctor Wiley—. La señorita Martel está hecha toda una dama. Estás muy

59

hermosa. Algo pálida, pero hermosa. Preséntame a tu nueva mamá.

—No es mi nueva mamá —dijo Michelle, indignada—. Hace más de dos años que es mi mamá.

Cathryn y el doctor Wiley rieron y, después de un momento de indecisión, Michelle también, aunque no estaba muy segura de por qué.

—Siéntense, por favor —dijo el doctor Wiley, indicando las sillas colocadas frente al escritorio. Como clínico consumado que era, había empezado el examen no bien Michelle entró en su consultorio. Además de la palidez, había notado el paso inseguro de la niña, su postura agobiada, la mirada vidriosa de sus ojos azules. Tras abrir el historial clínico de Michelle, que acababa de releer, tomó un lápiz.

—¿Qué sucede?

Cathryn describió la enfermedad de Michelle, y ésta agregó comentarios aquí y allí. Cathryn dijo que todo había empezado gradualmente, con fiebre y un malestar general. Creían que tenía gripe, pero no se le iba. Algunas mañanas estaba bien, otras muy mal. Cathryn concluyó diciendo que había decidido llevarla finalmente para que la examinara, en caso de que necesitara antibióticos.

—Muy bien —dijo el doctor Wiley—. Me gustaría quedarme a solas con Michelle, si no le molesta, señora de Martel. Se puso de pie, se dirigió a la puerta del consultorio, y la abrió.

Cathryn se quedó confundida un momento, y se puso de pie. Esperaba quedarse con Michelle.

El doctor Wiley sonrió cálidamente y, como si leyera la mente, le aseguró:

—Michelle estará cómoda conmigo. Somos viejos amigos.

Cathryn apretó ligeramente el hombro de Michelle y se encaminó hacia la puerta, donde se detuvo.

—¿Cuánto tardará? ¿Tengo tiempo de visitar a un enfermo?

—Creo que sí. Tardaremos unos treinta minutos.

—Volveré antes, Michelle —dijo Cathryn.

Michelle se despidió con un ademán y la puerta se cerró.

Cathryn siguió las instrucciones de la enfermera y desanduvo el camino hasta llegar al vestíbulo de recepción. Al subir al ascensor volvió a sentir su antiguo miedo a los hospitales. Mientras miraba a una pobre niñita en una silla de ruedas, se dio cuenta de que los hospitales pediátricos eran particularmente intimidantes. La idea de un niño enfermo la descomponía. Intentó concentrarse en el indicador de pisos situado encima de la puerta, pero una necesidad poderosa e incomprensible atraía su mirada hacia la niña enferma. Cuando se abrieron las puertas en el quinto piso, donde salió del ascensor, tenía las piernas como de goma y las palmas de las manos húmedas por la transpiración.

Cathryn se dirigía a la unidad de aislamiento Marshall Memorial, pero el quinto piso contenía también la unidad de terapia intensiva y la sala de recuperación quirúrgica.

En el estado sensible en que se encontraba, se vio sometida a las imágenes y sonidos asociados con una crisis médica aguda. La señal electrónica de los monitores cardíacos se mezclaba con los alaridos de niños aterrorizados. Por todas partes se veía una profusión de tubos, botellas y máquinas chirriantes. Era un mundo extraño, poblado por un personal que iba y venía apresuradamente y que a Cathryn le parecía irrazonablemente indiferente al horror que lo rodeaba. Cathryn no se daba cuenta del hecho de que a esos niños se los estaba socorriendo.

Durante la pausa que hizo para recobrar el aliento en un corredor angosto con muchas ventanas, Cathryn notó que estaba cruzando de un edificio a otro dentro del centro médico. El corredor era un pacífico puente. Estuvo sola un momento hasta que pasó por su lado un hombre en una silla de ruedas motorizada, con la leyenda EXPEDIDOR en la parte de atrás. Sobre un enrejado de metal sonaban de manera discordante tubos de ensayo y frascos llenos de toda clase de muestras de fluidos corporales. El hombre le sonrió, y Cathryn le devolvió la sonrisa. Fortificada, siguió su camino.

La unidad de aislamiento Marshall Memorial le pareció menos atemorizante. Todas las puertas de las habitaciones estaban cerradas, y no se veían enfermos. Cathryn llegó hasta el puesto de las enfermeras, que le pareció la sección de venta de pasajes de un aeropuerto moderno y no el centro nervioso de la sala de un hospital. Era un recinto cuadrado, grande, con un grupo de monitores de televisión. Un empleado levantó la vista y le preguntó amablemente en qué podía servirla.

—Busco al niño Schonhauser —dijo Cathryn.

—Quinientos veintiuno —dijo el empleado, indicando la dirección con la mano.

Cathryn le dio las gracias y se dirigió a la puerta cerrada. Llamó con suavidad.

—Entre directamente —le dijo el empleado desde el mostrador—. Pero no se olvide la bata.

Cathryn puso la mano en el picaporte, abrió la puerta y se encontró en una antesala pequeña con estantes para ropas de cama y otras cosas, un botiquín, un lavabo y un cesto grande para ropa sucia. Más allá del cesto había otra puerta con una ventanita de vidrio. Antes de que Cathryn diera un paso, la puerta interior se abrió y una figura con máscara y bata entró en el cuarto. Con movimientos rápidos, la persona se quitó la máscara de papel y el gorro, que arrojó en el cesto de basura. Era una enfermera joven, de pelo rojizo y pecas.

—Hola —dijo. Arrojó los guantes a la basura y la bata al cesto de ropa sucia—. ¿Viene a ver a Tad?

—Eso espero —dijo Cathryn—. ¿Está la señora Schonhauser?

—Sí, viene todos los días, pobre mujer. No se olvide de la bata. Las precauciones son estrictas.

—Yo... —empezó a decir Cathryn, pero ya la enfermera trasponía la puerta.

Cathryn buscó en los estantes hasta encontrar los gorros y las máscaras. Se puso uno de cada uno, sintiéndose ridícula. Al lado había una bata, que se puso por encima de los hombros. Tuvo dificultad con los guantes de goma; no logró calzarse bien el izquierdo. Los dedos de goma le colgaban de la mano. Abrió la puerta interior.

Lo primero que vio fue una gran urna de plástico, como una jaula, que rodeaba la cama. Aunque el plástico fragmentaba la imagen, Cathryn logró divisar la forma de Tad Schonhauser. En la fuerte luz fluorescente estaba pálido, ligeramente verdoso. Se oía el leve silbido de un tubo de oxígeno. Marge Schonhauser estaba sentada a la izquierda de la cama, leyendo junto a la ventana.

—Marge —llamó Cathryn en un susurro.

La mujer, de máscara y bata, levantó los ojos.

—¿Sí? —preguntó.

—Soy Cathryn.

—¿Cathryn?

—Cathryn Martel.

—Por Dios —exclamó Marge, cuando finalmente pudo asociar el nombre. Se puso de pie y dejó el libro. La tomó de la mano y la llevó a la antesala. Antes de que la puerta volviera a cerrarse a sus espaldas, Cathryn miró a Tad. No se había movido, aunque tenía los ojos abiertos.

—Gracias por venir —dijo Marge—. Realmente te lo agradezco mucho.

—¿Cómo está? —preguntó Cathryn. El cuarto extraño, y las batas no eran muy alentadores.

—Muy mal —contestó Marge. Se quitó la máscara. Estaba ojerosa y tensa, con los ojos hinchados y enrojecidos—. Le hicieron un trasplante medular, de Lisa, pero no ha resultado. En absoluto.

—Hablé con Nancy esta mañana. No tenía idea de que Tad estuviera tan enfermo. —Cathryn podía sentir la emoción de Marge. Estaba cerca de la superficie, como un volcán a punto de estallar.

—Nunca había oído hablar de anemia aplástica —dijo Marge, tratando de reír, pero le saltaron las lágrimas. Cathryn también se echó a llorar, y las dos mujeres se abrazaron, llorando un rato. Por fin Marge suspiró, se hizo hacia atrás y miró a Cathryn a los ojos—. ¡Qué bien que has venido! No sabes cuánto te lo agradezco. La gente se olvida de una cuando hay un caso grave.

—Pero es que yo no me imaginaba... —murmuró Cathryn, con remordimiento.

—No te estoy culpando a ti —explicó Marge—. Me refiero a la gente, en general. Supongo que no saben qué decir, o tienen miedo a lo desconocido, pero es en estos momentos cuando más se necesita a las personas.

—Lo siento mucho —dijo Cathryn, que no encontraba qué decir. Deseaba haber venido hacía semanas. Marge era mayor que ella, de la edad de Charles, más bien. No obstante, se llevaban bien, y Marge había sido muy amable y generosa cuando ella llegó a Shaftesbury. Los demás la acogieron con frialdad.

—No quiero desquitarme contigo —aseguró Marge— pero estoy muy deprimida. Esta mañana los médicos me dijeron que Tad puede ser un caso terminal. Están tratando de prepararme. No quiero que sufra, pero tampoco quiero que muera.

Cathryn se quedó aturdida. ¿Un caso terminal? ¿Tad, muerto? Eran cosas que se decía de los viejos, no de un chico que hacía poco había estado en la cocina de su casa, rebosante de vida y energía. Con dificultad reprimió el impulso de echar a correr escaleras abajo. En lugar de hacerlo, abrazó a Marge.

—No puedo dejar de preguntar por qué —dijo Marge, sollozando. Trataba de contenerse, pero permitió que Cathryn la abrazara—. Dicen que el buen Señor tiene sus razones, pero me gustaría conocerlas. Es un chico tan bueno... Parece todo tan injusto...

Cathryn hizo acopio de sus fuerzas y empezó a hablar. No había pensado lo que iba a decir. Se le ocurrió en ese momento. Habló de Dios y de la muerte de una manera que a ella misma le sorprendió, pues no era religiosa en el sentido tradicional. De niña había sido criada en la fe católica e incluso a los diez años hablaba de ser monja. En la universidad se rebeló contra el ritual de la Iglesia para convertirse en una especie de agnóstica, sin preocuparse por analizar sus sentimientos. Sin embargo, lo que dijo debía de tener sentido, porque Marge reaccionó; Cathryn no sabía si la reacción se debía al contenido de sus palabras o simplemente a la compañía humana, el hecho es que Marge se calmó y hasta logró sonreír débilmente.

—Debo irme —dijo Cathryn por fin—. Tengo que encontrarme con Michelle. Pero volveré a verte. Esta noche te llamaré por teléfono, te lo prometo.

Marge inclinó la cabeza y besó a Cathryn antes de volver con su hijo. Cathryn salió al vestíbulo. Se quedó de pie junto a la puerta, respirando agitadamente. Después de todo, el hospital se había mantenido fiel a lo que siempre había sido, infundiéndole el horror de siempre.

—A mí no me parece que tengamos otra alternativa —dijo Ellen, poniendo la taza de café sobre el mostrador. Estaba sentada en un taburete del laboratorio, mirando a Charles, desplomado en su silla, frente al escritorio—. Es una lástima tener que retrasarnos en nuestro trabajo en este momento, pero ¿qué otra cosa podemos hacer? A lo mejor debimos haber tenido informados a Morrison de nuestros progresos.

—No —dijo Charles. Tenía los codos sobre el escritorio, y la cara apoyada en las manos. No había probado su café—. De haberlo hecho, nos habría interrumpido mil veces para que publicáramos esto o lo otro. Estaríamos atrasados años luz.

—Es la única forma en que podríamos haber evitado esto —aseguró Ellen. Extendió el brazo y puso la mano sobre el brazo de Charles. Ellen más que nadie, se daba cuenta de lo difícil que resultaba todo eso para él. Charles detestaba que interfirieran en su trabajo, en especial si la interferencia era de orden administrativo—. Pero tienes razón. Si hubieran sabido lo que estábamos haciendo, habrían estado metidos aquí el día entero. —Mantuvo la mano sobre el brazo de Charles—. Todo saldrá bien. Tendremos que retrasarnos, eso es todo.

Charles levantó la mirada y la clavó en los ojos de Ellen, tan oscuros que la pupila se confundía con el iris. Era agudamente consciente de la mano que se había posado sobre su brazo. Desde que la relación entre ellos terminara, ella había evitado, escrupulosamente, tocarlo. De pronto, en una misma mañana, lo acusaba de insensible y le tocaba el brazo: dos señales confusas.

—Esta estupidez del Cancerán requerirá tiempo —dijo—. De seis meses a un año, y eso si todo va bien.

—¿Por qué no nos ocupamos del Cancerán y seguimos con nuestro trabajo? —sugirió Ellen—. Podemos dedicar más horas, trabajar de noche. Yo lo haría con mucho gusto, por ti.

Charles se puso de pie. ¿Trabajar de noche? Miró a esa mujer, con quien se había acostado, aunque apenas se acordaba de ello. Hacía tanto... Su piel tenía el mismo tono aceitunado que la de Elizabeth, o la de Michelle. Aunque se había sentido atraído hacia Ellen, nunca le pareció bien tener relaciones con ella. Eran socios, colegas, compañeros de trabajo, no amantes. Fue un asunto incómodo; habían hecho el amor con torpeza, como adolescentes. Cathryn no era tan hermosa como Ellen, pero desde el principio todo resultó natural y más satisfactorio.

—Tengo una idea mejor —dijo Charles—. ¿Qué te parece si paso por encima de Morrison, voy a ver al director, pongo las cartas sobre la mesa y le explico que es infinitamente más importante que sigamos con nuestro trabajo?

—No creo que funcione —le advirtió Ellen—. Morrison te dijo que la decisión provenía de la junta de directores. El doctor Ibáñez no la va a revocar. Sólo encontrarías problemas.

—Pero yo creo que vale la pena arriesgarse. Ayúdame a juntar los libros del laboratorio. Le mostraré lo que hemos estado haciendo.

Ellen bajó del taburete y se dirigió a la puerta.

—¿Ellen? —dijo Charles desde donde estaba, sorprendido por su proceder.

Ella no se detuvo.

—Haz lo que quieras, Charles. Siempre lo haces, de todos modos. —La puerta se cerró tras ella.

El primer impulso de Charles fue seguirla, pero cambió de idea inmediatamente. Esperaba que ella lo apoyara. Además, tenía cosas más importantes que hacer que preocuparse por los estados de ánimo y el proceder de Ellen. Molesto, dejó de pensar en ella y tomó de su escritorio el libro principal de registro y los cuadernos de datos más recientes, que estaban en la mesa de trabajo. Luego se encaminó escaleras arriba, ensayando mentalmente lo que iba a decir.

La fila de secretarias administrativas inspeccionó cautelosamente su paso por el corredor. Todas sabían que se le había ordenado encargarse del proyecto Canceran y que a él no le seducía la idea.

Charles no hizo caso de las miradas, aunque se sentía como un lobo en un gallinero al acercarse a la secretaria del doctor Carlos Ibáñez, Verónica Evans. De acuerdo con su posición, el área asignada a la señorita Evans estaba separada del resto por paneles divisorios. Llevaba más tiempo que Ibáñez en el Weinburger. Era una mujer elegante, de complexión fuerte y mediana edad sin determinar.

—Quiero ver al director —dijo Charles sin preámbulos.

—¿Está citado? —Nadie intimidaba a la señorita Evans.

—Dígale que quiero verlo, simplemente —contestó Charles.

—Me temo que... —empezó a decir la señorita Evans.

—Si no me anuncia, entraré directamente.

Charles, mantenía el perfecto control de su voz.

La señorita Evans, haciendo gala de una de sus famosas expresiones de desdén, se levantó de mala gana y desapareció en la oficina interior. Cuando volvió a aparecer, simplemente mantuvo la puerta abierta e indicó a Charles que pasara.

El despacho de Ibáñez era grande y se encontraba en la esquina que daba al sur y al este. Además del campus de la Universidad de Boston se veía parte de los rascacielos de la ciudad, más allá del río, helado en parte. Ibáñez estaba sentado ante su enorme escritorio estilo español antiguo. La vista quedaba a su espalda. Sentado frente al escritorio estaba el doctor Thomas Brighton.

El doctor Carlos Ibáñez, que se estaba riendo de algo que se había dicho antes de su entrada, le indicó con la mano que sostenía un cigarro largo y delgado, que se sentara. Un halo de humo gris flotaba sobre la cabeza del director como una nube de lluvia sobre una isla tropical. Era un hombre pequeño, de apenas sesenta años, propenso a hacer movimientos rápidos y repentinos, en especial con las manos. Su cara, perpetuamente tostada, estaba encuadrada por el pelo plateado y una barba de chivo, igualmente plateada. Su voz, era sorprendentemente grave.

Charles se sentó, perturbado por la presencia del doctor Brighton. Por un lado estaba furioso con ese hombre, por razones tanto profesionales como personales. Por el otro, le tenía lástima, pues debía afrontar un escándalo y la repentina disolución de su vida.

El doctor Brighton echó una mirada rápida y claramente desdeñosa a Charles antes de volverse hacia el doctor Ibáñez. Esa sola mirada bastó para socavar el sentimiento de consideración de Charles. Estudió el perfil de Brighton. Era un hombre joven, de treinta y un años, y parecía más joven todavía, rubio y apuesto, con ese aire extenuado de los estudiantes de las prestigiosas universidades del nordeste.

—Ah, Charles —dijo Ibáñez con leve turbación—. Estaba diciendo adiós a Thomas. Es una lástima que por su celo de terminar cuanto antes el proyecto Cancerán procediera imprudentemente.

—Imprudentemente —estalló Charles—. En forma criminal, sería más preciso.

Thomas se puso colorado.

—Pero Charles, sus motivos eran excelentes. Sabemos que no era su intención avergonzar al instituto. El verdadero criminal es el que dio la información a los diarios, y tenemos la intención de descubrirlo y castigarlo con toda severidad.

—¿Y el doctor Brighton? —preguntó Charles como si el hombre no estuviera en la habitación—. ¿Le perdona lo que hizo?

—Por supuesto que no —dijo Ibáñez—. Pero la deshonra que ha padecido en manos de la prensa ya es bastante castigo. Le será difícil encontrar durante varios años un empleo digno de su talento. El Weinburger no puede seguir financiando su carrera, naturalmente. En realidad, le estaba hablando de un grupo privado de médicos en Florida donde estoy seguro de que puede hallar empleo.

Se hizo una pausa incómoda.

—Bueno —dijo el doctor Ibáñez, poniéndose de pie y dando la vuelta a su escritorio. Brighton se levantó y el doctor Ibáñez rodeándolo con el brazo, lo acompañó hasta la puerta, haciendo caso omiso de Charles.

—Le agradeceré la ayuda que me pueda prestar —dijo Brighton.

—Espero que comprenda las razones que nos obligan a que deje el instituto tan rápidamente —expresó Ibáñez.

—Por supuesto —contestó Brighton—. Una vez que los medios de comunicación se enteran de algo así, no paran hasta sacarle todo el jugo. No se preocupe por mí. Me alegro de dejar de ser el centro de atención durante un tiempo.

Ibáñez cerró la puerta tras Brighton, volvió a su escritorio, y se sentó. De repente, su tono era de irritación.

—En realidad, hay dos personas que querría estrangular. El que pasó la información y el reportero que escribió la nota. La prensa tiene la manía de exagerar las cosas, y éste es un buen ejemplo de ello. Es ridículo que saliera en la primera página del *New York Times*.

—A mí me parece que está acusando a quien no debe —dijo Charles—. Después de todo, esto no es un mero inconveniente, sino una cuestión moral.

El doctor Ibáñez miró a Charles por encima de su amplio escritorio.

—El doctor Brighton no debería haber hecho lo que hizo, pero a mí no me preocupa tanto la cuestión moral como el daño potencial infligido al instituto y a la droga Cancerán. Esto último convertiría este incidente menor en una gran catástrofe.

—A mí no me parece que la integridad personal sea una cuestión menor —sostuvo Charles.

—Espero que no me esté sermoneando, doctor Martel. Permítame que le diga una cosa. El doctor Brighton no actuó motivado por propósitos malignos. Creía en Cancerán y quería ponerla a disposición del público cuanto antes. Su engaño fue producto de la impaciencia juvenil, algo de lo que todos hemos sido culpables en un momento u otro. Lamentablemente, en este caso, el entusiasmo escapó a su control, y como resultado hemos perdido a un hombre de mucho talento, un fenómeno que hacía que el dinero de las donaciones fluyera a manos llenas.

Charles se sentó en el borde de la silla. Para él se trataba de un asunto claro como el agua, y estaba alelado a causa de que él e Ibáñez lo consideraban desde perspectivas radicalmente diferentes. A punto de embarcarse en una diatriba sobre el bien y el mal, Charles fue interrumpido por la señorita Evans.

—Doctor Ibáñez —dijo la señorita Evans desde la puerta—. Usted me dijo que le avisara en cuanto llegara el señor Bellman. Pues está aquí.

—¡Hágalo pasar! —gritó Ibáñez, poniéndose de pie de un salto como un boxeador cuando suena la campana.

Jules Bellman, encargado de relaciones públicas del instituto, entró como un perrito con la cola entre las patas.

—No me he enterado de lo del *Times* hasta esta mañana —confesó—. No sé cómo ocurrió, pero de mi oficina no salió la historia. Desgraciadamente, había muchos que estaban enterados.

—Mi asistente me dijo que no se hablaba de otra cosa en el instituto —dijo Charles, saliendo en ayu-

70

da de Bellman—. Yo creo que era el único que no sabía nada.

Ibáñez los miró con el ceño fruncido.

—Pues quiero que descubran quién nos delató.

—No había invitado al hombre de relaciones públicas a que tomara asiento.

—Por supuesto —aseguró Bellman, con voz más decidida—. Yo creo que ya sé quién es el responsable.

—¿Sí? —dijo Ibáñez, levantando las cejas.

—El guardián de los animales. Me dijeron que estaba molesto porque no le habían dado una bonificación.

—¡Por Dios! Todo el mundo espera una medalla por hacer su trabajo —exclamó Ibáñez—. Insista hasta estar seguro. Ahora debemos encargarnos de la prensa. Le voy a decir lo que quiero que haga. Dé una conferencia de prensa. Reconozca que se descubrieron errores en el informe experimental de Canceirán debido al severo apremio del tiempo, pero no admita que haya habido engaño. Diga simplemente que quedaron en evidencia unos errores que el proceso acostumbrado de supervisión no había detectado y que al doctor Brighton se le ha concedido excedencia por tiempo no especificado. Diga que ha estado bajo una gran presión para acelerar la venta de la droga al público. Sobre todo destaque que Canceirán es la droga anticancerígena más prometedora que haya aparecido en mucho, mucho tiempo. O a punto de aparecer. Subraye el hecho de que el responsable de la equivocación era Brighton y que el Instituto Weinburger tiene plena confianza en Canceirán. Y anunciará que por eso pondremos a nuestro más destacado hombre de ciencia, el doctor Charles Martel, a cargo del proyecto.

—Doctor Ibáñez —empezó a decir Charles—. Yo...

—Un momentito, Charles —lo interrumpió Ibáñez—. Permítame terminar con Jules. ¿Ha entendido bien todo eso, Jules?

—Doctor Ibáñez —dijo Charles—. Quiero decir una cosa.

—En seguida, Charles. Escuche, Jules. Quiero que

hable como si Charles fuera la reencarnación de Luis Pasteur, ¿entiende?

—Claro —dijo, excitado, Bellman—. Doctor Martel, ¿puede decirme cuáles han sido sus últimas publicaciones?

—Maldita sea —gritó Charles, poniendo sus libros con fuerza sobre el escritorio de Ibáñez—. Esta conversación es ridícula. Saben perfectamente que no he publicado nada últimamente, sobre todo porque no quería perder tiempo. Pero aunque no he publicado nada, he hecho progresos importantes. Están aquí, en estos libros. Déjeme que le enseñe una cosa.

Charles extendió la mano para abrir uno de los libros, pero el doctor Ibáñez se lo impidió.

—Serénese, Charles. No está en un juicio, por el amor de Dios. En realidad, es mejor que no haya publicado nada. En este momento, el interés por la investigación inmunológica del cáncer se ha reducido. Probablemente no convendría que Jules tuviera que reconocer que usted ha estado trabajando exclusivamente en esa área pues podría interpretarse que usted no está capacitado para hacerse cargo de Cancerán.

«Dame fuerzas, Dios mío», se dijo Charles entre dientes. Miró con fijeza a Ibáñez, respirando pesadamente.

—¡Permítame decir una cosa! La comunidad médica entera está enfocando el cáncer desde una perspectiva equivocada. Todo esto de los agentes quimioterapéuticos como Cancerán sólo tiene propósitos paliativos. La cura verdadera únicamente podrá producirse cuando se comprenda mejor la comunicación química entre las células, de las cuales el sistema inmunitario desciende directamente. ¡La respuesta está en la inmunología! —La voz de Charles se había elevado en un crescendo, y la última oración resonó con el fervor propio de un fanático religioso.

Bellman bajó los ojos y se removió, inquieto. Ibáñez dio una larga chupada a su cigarro y exhaló el humo en una voluta delgada.

—Bien —dijo finalmente Ibáñez, rompiendo el embarazoso silencio—. Es un punto muy interesante, Charles, pero me temo que no todos estén de acuerdo con usted. La cuestión es que, si bien hay mucho dinero para la investigación quimioterapéutica, hay muy poco para estudios inmunológicos...

—Eso es porque los agentes quimioterapéuticos, como Cancerán, pueden ser patentados, mientras que los procesos inmunológicos, en general, no —refutó Charles, interrumpiendo impulsivamente al doctor Ibáñez.

—A mí me parece que en este caso —afirmó Ibáñez— puede aplicarse el viejo dicho «No muerdas la mano que te da de comer». La comunidad del cáncer lo ha mantenido, doctor Martel.

—Y estoy agradecido —contestó Charles—. No soy rebelde ni revolucionario. Todo lo contrario. Lo único que pido es que me permitan hacer mi trabajo. En realidad, por eso he venido aquí, en primer lugar: para decirle que no me siento capaz de hacerme cargo del proyecto Cancerán.

—¡Tonterías! —exclamó Ibáñez—. Usted es más que capaz. Obviamente, es lo que piensa la junta de directores.

—No me refiero a mi capacidad intelectual —explicó Charles con irritación—. Estoy hablando de mi falta de interés. No creo en Cancerán ni en el enfoque del cáncer que representa.

—Doctor Martel —dijo Ibáñez lentamente, con ojos que horadaban la cara de Charles—. ¿Se da cuenta de que estamos en medio de una crisis? ¿Se va a quedar sentado, diciéndome que no puede ayudar porque no está interesado? ¿Qué cree usted que administro, un colegio con aporte del gobierno? Si perdemos los fondos que nos dan para Cancerán, el instituto entero se verá en peligro financiero. Usted es la única persona que no está trabajando con fondos de un instituto nacional de cáncer y cuyo nombre en la comunidad de investigadores es de tal peso que este desgraciado alboroto se diluirá en cuanto usted se haga cargo.

—Pero yo estoy en un momento crítico de mis

73

investigaciones —suplicó Charles—. Sé que no he publicado, que he mantenido mis investigaciones en secreto. Quizá me equivoqué en eso. Pero he obtenido resultados, y creo que estamos ante un descubrimiento importante. Todo está aquí. —Charles dio un golpecito a uno de sus libros—. Escúcheme, puedo tomar una célula cancerosa, cualquier célula cancerosa, y aislar la diferencia química entre esa célula y una célula normal del mismo individuo.

—¿En qué animales?

—Ratones, ratas y monos —dijo Charles.

—¿Y en seres humanos? —preguntó el doctor Ibáñez.

—No he probado todavía, pero estoy seguro de que resultará. Ha resultado en todas las especies que he probado, a la perfección.

—Esta diferencia química, ¿es antigénica en el animal huésped?

—Debería serlo. En todos los casos la proteína parece lo suficientemente diferente para ser antigénica, pero lamentablemente no he podido sensibilizar un animal canceroso. Parece haber una especie de mecanismo de bloqueo o lo que yo llamo un factor de bloqueo. Allí estoy en mi trabajo: intentando aislar ese factor de bloqueo. Cuando lo logre, me propongo usar la técnica de hibridoma para hacer un anticuerpo para el factor de bloqueo. Si puedo eliminar el factor de bloqueo, tengo esperanzas de que el animal reaccione inmunológicamente a su tumor.

—¡Diablos! —murmuró Bellman. No sabía qué anotar en su bloc.

—Lo más alentador —dijo Charles con entusiasmo— es que todo esto tiene sentido, científicamente hablando. Hoy en día, el cáncer es un vestigio de un antiguo sistema mediante el cual los organismos podían aceptar nuevos componentes celulares.

—Me doy por vencido —dijo Bellman. Cerró el bloc de un golpe.

—Usted está admitiendo también, doctor Martel —señaló Ibáñez— que le falta mucho para terminar su trabajo.

—Por supuesto —concedió Charles—. Pero el ritmo se ha acelerado.

—No existe razón, excepto su preferencia personal, para no dejar su trabajo de lado durante algún tiempo.

—Sólo que promete tanto... Si resulta tan fructífero como supongo, sería trágico, incluso criminal, no tenerlo listo cuanto antes.

—Pero es prometedor solamente en su opinión. Debo admitir que parece interesante, y le aseguro que el Weinburger lo apoyará, como siempre lo ha apoyado. Pero primero tendrá que ayudar al Weinburger. Sus propios intereses deberán verse pospuestos. Debe hacerse cargo del proyecto Canceran inmediatamente. Si se niega, doctor Martel, deberá proseguir sus investigaciones en otra parte. No quiero que sigamos discutiendo. No hay nada más que decir.

Durante un momento, Charles se quedó sentado donde estaba, con un rostro inexpresivo que reflejaba su inseguridad interior. El entusiasmo con que había presentado su caso había elevado de tal forma sus esperanzas que las palabras definitivas de Ibáñez tuvieron un efecto paralizante, sobre todo cuando a ellas se sumaba la amenaza de despedirlo, amenaza mucho más terrible proviniendo de Ibáñez que de Morrison. El trabajo y el sentido de identidad estaban tan relacionados en Charles que no se imaginaba siquiera que pudiera separárselos. Recogió sus libros con un esfuerzo.

—Usted no es el hombre más popular que tenemos —agregó Ibáñez con dulzura—, pero ahora tiene la oportunidad de cambiar ese hecho arrimando el hombro. Quiero que me diga, doctor Martel, que está con nosotros.

Charles asintió sin levantar los ojos. Padecía la indignidad final de una capitulación incondicional. Se volvió y salió de la oficina sin decir una sola palabra más.

Después que se cerró la puerta, Bellman miró a Ibáñez.

—Qué reacción tan extraña. Espero que no traiga problemas. Esa actitud evangélica me aterroriza.

—Yo siento lo mismo —dijo Ibáñez pensativamente—. Es una lástima que se haya convertido en un fanático científico y, como todos los fanáticos, puede ser difícil. Es una lástima, porque es un investigador de primer orden, tal vez el mejor que tenemos. Pero personas así pueden perjudicarnos, especialmente en esta época, cuando hay muy pocos donantes. Me pregunto de dónde creerá Charles que sacamos el dinero para administrar este lugar. Si los del Instituto Nacional del Cáncer hubieran oído su monólogo acerca de la quimioterapia, les habría dado un ataque.

—Voy a tener que mantener a la prensa alejada de él —dijo Bellman.

El doctor Ibáñez rió.

—Por lo menos, eso será fácil. A Charles nunca le ha interesado la publicidad.

—¿Está seguro de que es el mejor que tenemos para hacerse cargo de Cancerán? —dijo Bellman.

—Es el único. No hay ningún otro disponible, con su reputación profesional. Lo único que tiene que hacer es terminar el estudio.

—Pero si él echa a perder las cosas por alguna razón... —dijo Bellman.

—Ni siquiera lo sugiera —dijo Ibáñez—. Si maneja torpemente el asunto en este momento, tendremos que hacer algo drástico, o de lo contrario todos tendremos que buscar otro empleo.

Asqueado consigo mismo, Charles volvió pesadamente a su laboratorio. Por primera vez en casi diez años, recordó con nostalgia la práctica privada. Echaba de menos la autonomía. Estaba acostumbrado a ser dueño y señor, y hasta ese momento no se había dado cuenta de lo poco que disponía de su tiempo en el Weinburger.

Por segunda vez ese día, Charles cerró de un golpe la puerta del laboratorio, haciendo trepidar los tubos y redomas de vidrio colocados sobre los estantes y aterrorizando a los ratones y ratas que había en el cuarto de los animales. También y por segunda vez hizo sobresaltar a Ellen, que al volverse bruscamente tiró una probeta, aunque logró sujetarla hábilmente. Estaba a punto de quejarse, pero al ver la expresión de Charles, guardó silencio.

Con un ataque de furia mal dirigida, tiró los pesados libros del laboratorio sobre el mostrador. Uno cayó al suelo, mientras que los demás dieron contra un aparato de destilación, que se hizo añicos; los pedacitos de vidrio saltaron por todo el laboratorio. Ellen se hizo atrás, e instintivamente se llevó la mano a la cara, para protegerse. No satisfecho todavía, Charles levantó una redoma Erlenmeyer y la arrojó al fregadero. Ellen no había visto así a Charles en los seis años que llevaban trabajando juntos.

—Si me dices que ya me lo habías advertido, grito —estalló Charles, desplomándose sobre su silla giratoria de metal.

—¿El doctor Ibáñez no ha querido escucharte? —preguntó Ellen, cautelosamente.

—No, me ha escuchado. No ha sido posible convencerlo, y yo he capitulado como un cobarde. Ha sido espantoso.

—No creo que tuvieras otra alternativa —dijo Ellen—. Así que no seas tan duro contigo mismo. De todos modos, ¿cuál es el plan?

—El plan es que terminemos el estudio sobre la eficacia de Cancerán.

—¿Empezamos en seguida? —preguntó Ellen.

—En seguida —respondió Charles con voz cansada—. En realidad, ¿por qué no buscas tú los libros de laboratorio de Cancerán? Yo quiero hablar con alguien.

—Está bien —dijo Ellen suavemente. Era un alivio tener una excusa para salir del laboratorio unos minutos. Sentía que Charles necesitaba estar solo durante un tiempo.

Después de que se fue Ellen, Charles no se movió. Trató de no pensar. Sin embargo, su soledad no duró mucho. Se abrió la puerta y Morrison entró como una tromba.

Charles giró, levantó la vista y miró a Morrison. Se dio cuenta de que estaba furioso. Las venas de sus sienes parecían a punto de estallar.

—No puedo tolerarlo más —gritó. Tenía los labios descoloridos—. Estoy harto de tu falta de respeto. ¿Qué te hace creer que eres tan importante como para desconocer el protocolo normal? No tendría que recordarte que yo soy tu jefe de departamento. Tú debes dirigirte a mí cuando tienes algún problema administrativo, no al director.

—Hazme un favor, Morrison —dijo Charles—. Vete al diablo. Sal de mi laboratorio.

Los ojitos de Morrison se tiñeron de rojo. Perlitas de sudor le saltaron a la frente cuando habló:

—Lo único que puedo decirte es que a no ser por la emergencia en que estamos, Charles, me encargaría de que te echaran del Weinburger ahora mismo. Tienes suerte de que no estemos en condiciones de soportar otro escándalo. Es mejor que te destaques en el proyecto Canceran, si es que tienes intenciones de continuar aquí.

Sin esperar respuesta, Morrison salió del laboratorio. Charles quedó solo con el rumor de los compresores del frigorífico y los latidos del contador automático de radiactividad. Eran sonidos familiares y ejercieron un efecto tranquilizante sobre Charles. Tal vez, pensó, el proyecto Canceran no era tan malo. Tal vez podía hacer el estudio en poco tiempo, siempre que el informe experimental fuera bueno; tal vez Ellen tuviera razón, y pudieran ocuparse de ambos proyectos, si trabajaban de noche.

De repente, el teléfono empezó a sonar. No se decidía a contestar. Lo oyó sonar tres veces, luego cuatro. La quinta vez, levantó el auricular.

—Oiga —dijo la voz de una mujer—. Habla la señora Crane, de la tesorería de la Universidad del Nordeste.

—Sí —contestó Charles. Tardó algunos minutos en asociar la universidad con Chuck.

—Siento molestarlo —se disculpó la señora Cra

ne—, pero su hijo nos dio este número. Su cuenta del semestre, de mil seiscientos cincuenta dólares, está muy atrasada.

Charles jugueteó nerviosamente con una cajita llena de clips. No sabía qué decir. No poder pagar las cuentas era una nueva experiencia.

—¿Señor Martel?

—Doctor Martel —corrigió Charles, aunque en cuanto lo hizo se sintió como un tonto.

—Perdóneme, doctor Martel —dijo la señora Crane, verdaderamente compungida—. ¿Podremos contar con esa suma en breve?

—Por supuesto —dijo Charles—. Le enviaré un cheque en seguida. Siento mucho el descuido.

Charles colgó. Sabía que debía pedir un préstamo de inmediato. Esperaba que a Chuck le fuera bien en sus estudios, y que no estudiara psicología. Volvió a levantar el auricular, pero no marcó. Ganaría tiempo yendo directamente al banco. Por otra parte, necesitaba aire fresco y alejarse por un tiempo de los Morrison y los Ibáñez de este mundo.

4

Mientras hojeaba una revista, Cathryn se debatía con un renovado sentimiento de angustia. Al principio, la sala de espera del doctor Wiley le había resultado un santuario donde se sentía lejos de los horrores del resto del hospital, pero a medida que pasaba el tiempo, la incertidumbre y la premonición volvieron a hacerse presentes. Consultó su reloj. Se dio cuenta de que hacía más de una hora que Michelle estaba en el consultorio. ¡Pasaba algo!

Empezó a inquietarse, a cruzar y descruzar las piernas y a mirar el reloj repetidas veces. Para su pesar, nadie conversaba en la sala de espera, y casi no había movimiento, excepto el de las manos de una mujer que tejía y el de los gestos caprichosos de dos niñitos que jugaban con unos cubos. De repente, Cathryn se percató de lo que la molestaba. Todo era demasiado insulso, sin emoción, como la fotografía bidimensional de una escena tridimensional.

Se puso de pie, incapaz de seguir sentada quieta.

—Perdón —dijo, acercándose a la enfermera—. Mi hija, Michelle Martel. ¿Tiene idea de cuánto más tardará?

—El doctor no ha dicho nada —contestó la enfermera con amabilidad. Estaba sentada con la espalda penosamente recta de manera tal que sus abundantes nalgas rebasaban la parte posterior de la silla.

—Hace mucho que está —insistió Cathryn, en busca de que la tranquilizara.

—El doctor Wiley es muy completo. Estoy segura de que terminará pronto.

—¿Tarda más de una hora por lo general? —preguntó Cathryn. Tenía un miedo supersticioso de hacer preguntas, como si el hacerlas pudiera influir en el resultado final.

—Desde luego —dijo la enfermera recepcionista— Tarda el tiempo necesario. Nunca se apresura. Es de esa clase de médicos.

«Pero ¿por qué necesita tanto tiempo?», se preguntó Cathryn mientras regresaba a su asiento. La imagen de Tad en su celda de plástico volvía a la mente preocupada de Cathryn. Era terrible saber que los niños contraían enfermedades serias. Antes había creído que era algo muy raro que les ocurría a los hijos de los otros, a los niños que una no conocía. Pero Tad era vecino, el amigo de su hija. Cathryn se estremeció.

Cathryn tomó otra revista y miró los anuncios: gente sonriente, feliz, que lustraba el suelo o compraba automóviles. Pensó qué podía hacer para comer, pero no terminó el pensamiento. ¿Por qué tardaría tanto Michelle? Llegaron otras dos madres con envoltorios rosados que obviamente eran bebés. Luego entró otra madre con su hijo, un niñito de alrededor de dos años con una terrible erupción violácea que le cubría la mitad de la cara.

La sala de espera estaba completa y Cathryn empezó a tener dificultad en respirar. Se puso de pie para hacer sitio a la segunda madre que llevaba a su bebé, tratando de no ver al niño de dos años, el de la horrenda, desfigurante erupción. Su temor aumentó. Hacía más de una hora y veinte minutos que había dejado a Michelle con el médico. Se dio cuenta de que estaba temblando.

Una vez más se acercó a la enfermera y se quedó

conspicuamente de pie frente a ella, hasta que la mujer notó su presencia.

—Dígame —dijo en un tono penosamente cortés. Cathryn sintió ganas de sacudir a esa mujer cuya blancura almidonada enardecía sus precarias emociones. No necesitaba cortesía, sino calor y comprensión, un poco de sensibilidad.

—¿Cree que es posible —preguntó Cathryn— averiguar por qué tarda tanto?

Antes de que la recepcionista pudiera contestar, se abrió la puerta que estaba a su izquierda y el doctor Wiley asomó la cabeza. Recorrió con la mirada la sala de espera hasta ver a Cathryn.

—Señora Martel, ¿puedo hablar un momento con usted? —Su voz era inexpresiva. Volvió al consultorio, dejando la puerta entreabierta.

Cathryn se dirigió rápidamente hacia el consultorio, tocándose con nerviosismo las peinetas floreadas para asegurarse de que estaban en su lugar, y cerró la puerta cuidadosamente tras de sí. Wiley se había situado junto al escritorio, pero sin sentarse en la silla. Estaba sentado a medias en el borde, con los brazos cruzados sobre el pecho.

Cathryn, exquisitamente sensible a todos los matices, escudriñó la ancha cara del hombre. Tenía la frente surcada de arrugas, cosa que Cathryn no había notado la primera vez. No sonreía.

—Necesitamos su permiso para un examen —dijo el doctor Wiley.

—¿Va todo bien? —preguntó Cathryn. Trataba de parecer normal, pero hablaba demasiado fuerte.

—Todo está bajo control. —Descruzando los brazos, Wiley tomó un papel del escritorio—. Pero es preciso hacer un examen de diagnóstico. Necesito su firma en este formulario. —Le entregó el papel. Cathryn lo tomó con mano temblorosa.

—¿Dónde está Michelle? —Sus ojos recorrieron el formulario. Estaba redactado en la jerga médica corriente.

—En uno de los consultorios. Puede verla, si

83

quiere, aunque yo preferiría hacerle el examen antes. Se llama aspiración medular.

—¿Medular? —Cathryn levantó la cabeza de una sacudida. La palabra evocaba la tremenda imagen de Tad Schonhauser en su carpa de plástico.

—No hay por qué alarmarse —dijo el doctor Wiley al ver la reacción de Cathryn—. Es un examen sencillo, parecido a la extracción de una muestra de sangre.

—¿Tiene anemia aplástica Michelle? —soltó abruptamente Cathryn.

—Claro que no. —El doctor Wiley estaba perplejo por su reacción—. Quiero hacer la prueba para el diagnóstico, pero puedo asegurarle que Michelle no tiene anemia aplástica. Si no le molesta mi pregunta, ¿por qué piensa eso?

—Hace unos minutos he ido a visitar al hijo de unos vecinos, que tiene anemia aplástica. Cuando usted ha mencionado la médula... —Cathryn no pudo completar la oración.

—Comprendo —aseguró el doctor Wiley—. No se preocupe. Puedo afirmar que la anemia aplástica no es una posibilidad en este caso. Aun así, necesitamos hacer el examen... para cubrir todos los aspectos.

—¿Cree que debería llamar a Charles? —preguntó Cathryn. Estaba aliviada porque Michelle no podía tener anemia aplástica y agradecida al doctor Wiley por eliminarla como posibilidad. Aunque Charles le había dicho que la anemia aplástica no era infecciosa, su proximidad la asustaba.

—Si quiere llamar a Charles, hágalo, por favor. Pero déjeme que le explique un poco. La aspiración medular se hace con una aguja similar a la que usamos para extraer sangre. Usamos anestesia local, de modo que es prácticamente indoloro, y sólo tarda unos momentos. Una vez que tengamos los resultados, habremos terminado. No es más que un procedimiento simple, que hacemos a menudo.

Cathryn se las arregló para sonreír y dijo que hicieran el examen. El doctor Wiley le caía simpático, y sentía una confianza visceral en aquel hombre, sobre todo porque Charles lo había escogido entre un grupo de pediatras que él conocía muy bien, allá en la época en que nació Chuck. Firmó los formularios donde le indicó el médico, luego permitió que la acompañara de vuelta a la sala de espera llena de gente.

Michelle estaba muy quieta sobre la camilla. Incluso con la cabeza sobre la almohada casi lo único que veía era el cielo raso y el vidrio empañado que cubría los tubos fluorescentes. Sin embargo, también alcanzaba a ver un poco del empapelado, con payasos sonrientes, caballos de balancín y niños con globos. Había un lavabo en el cuarto, y aunque no alcanzaba a verlo, oía el agua que goteaba.

El hospital había resultado ser tal cual lo esperaba: terrible. La habían pinchado con agujas tres veces, una vez en cada brazo, luego en un dedo. Las tres veces había preguntado si era la última, pero no le habían contestado, de modo que temía que volviera a ocurrir, sobre todo si se movía demasiado. Por eso estaba inmóvil.

Sentía vergüenza de llevar tan poca ropa encima. Sólo le habían puesto una especie de camisón, pero abierto en la espalda, y sentía en la piel el papel que cubría la camilla. Al bajar los ojos, alcanzaba a ver los montecitos que hacían los dedos de sus pies debajo de la sábana blanca que la cubría. Incluso sus manos estaban debajo de la sábana, cruzadas sobre el estómago. Había estado temblando un poco, pero no se lo dijo a nadie. Lo único que quería era que le dieran su ropa para irse a casa. Sin embargo, sabía que le había vuelto la fiebre; temía que alguien lo notara y le volviera a clavar una aguja. Le habían dicho que la razón por la que necesitaban su sangre era descubrir por qué tenía fiebre.

Se oyó un ruido y se abrió la puerta. Era la enfermera gorda que entraba de espaldas en el cuarto. Su figura cubría el vano de la puerta. Traía algo, y

Michelle oyó un sonido de metal sobre metal. Una vez que traspuso la puerta, la enfermera se volvió. Empujaba una mesita con ruedas cubiertas por una toalla azul. A Michelle no le pareció nada bien.

—¿Qué es eso? —preguntó, nerviosa.

—Cosas para el doctor, tesoro —dijo la señorita Hammersmith, como si estuviera hablando de dulces. Llevaba una placa con su nombre prendida con alfileres cerca del hombro, como una condecoración bélica. Sus pechos parecían la cámara de neumático y daba la impresión de tener tanta carne delante como atrás.

—¿Me va a doler? —preguntó Michelle.

—Cariño ¿por qué haces esa pregunta? Todo lo que hacemos, lo hacemos por tu bien. —La señorita Hammersmith parecía ofendida.

—Todo lo que hace el doctor, duele —dijo Michelle.

—Eso no es verdad —contestó la enfermera en tono burlón.

—Ah, mi paciente favorita —saludó el doctor Wiley, abriendo la puerta con el hombro. Al entrar en el cuarto, mantuvo las manos lejos del cuerpo porque las tenía mojadas y el agua chorreaba al suelo. La señorita Hammersmith abrió un paquete, y el médico sacó con cuidado una toalla esteriliza-da, usando el pulgar y el índice. Michelle se alar-mó al ver que llevaba puesta una máscara quirúr-gica.

—¿Qué va a hacer? —preguntó la niña, abriendo los ojos desmesuradamente. Olvidó su resolución de quedarse quieta y se incorporó, apoyándose sobre un codo.

—Tengo buenas y malas noticias para ti —afir-mó el doctor Wiley—. Tendré que darte otra inyec-ción más, pero la buena noticia es que será la última por algún tiempo. ¿Qué te parece?

El médico arrojó la toalla sobre un mostrador que había junto al lavabo y sacó un par de guantes de goma de un paquete que sostenía la enfermera gorda.

86

Con creciente consternación, Michelle observó cómo se ponía los guantes hasta cubrirse las muñecas, ajustando luego cada dedo.

—Basta de inyecciones —estalló Michelle; los ojos se le llenaron de lágrimas—. Quiero irme a casa. —Trataba de no llorar, pero cuanto más se esforzaba, menos éxito tenía.

—Bueno, bueno —dijo la señorita Hammersmith en tono de consuelo, y empezó a pasarle la mano por el pelo.

Michelle rechazó la mano de la enfermera e intentó sentarse, pero se lo impidió una correa que le sujetaba la cintura.

—Por favor —pudo decir.

—¡Michelle! —ordenó severamente el doctor Wiley; luego, su voz se serenó—. Sé que no te encuentras bien, y que esto no es fácil para ti, pero tenemos que hacerlo. Si colaboras, terminaremos en unos minutos.

—¡No! —gritó Michelle, desafiante—. Quiero a mi papá.

El doctor Wiley se dirigió a la señorita Hammersmith:

—Vaya a ver si puede venir a echarnos una mano la señora de Levy.

La enfermera salió pesadamente del cuarto.

—Muy bien, Michelle, acuéstate y relájate un momento —dijo el doctor Wiley—. Estoy seguro de que tu papá estará muy orgulloso de ti cuando le digamos lo valiente que has sido. Será sólo un minuto. Te lo prometo.

Michelle se recostó y cerró los ojos, sintiendo que las lágrimas le corrían por un lado de la cara. Sabía, intuitivamente, que Charles se sentiría decepcionado si se enteraba de que se había portado como un bebé. Después de todo, sería la última aguja. Pero ya le habían pinchado los dos brazos, de modo que no sabía dónde lo harían ahora.

Volvió a abrirse la puerta y Michelle se incorporó para ver quién entraba. Era la enfermera gorda, seguida por otras dos, una de las cuales llevaba unas correas de cuero.

—No necesitaremos atarla, me parece —dijo el médico—. Muy bien, Michelle, quédate quieta un momento.

—Vamos, tesoro —intentó animarla la señorita Hammersmith con voz lisonjera, acercándose y apostándose a un lado de Michelle. Una de las otras dos enfermeras se coló en el lado opuesto, mientras que la que traía las correas se puso a los pies.

—El doctor Wiley es el mejor médico del mundo y deberías estar agradecida de que se ocupe de ti —siguió diciendo la enfermera mientras bajaba la sábana hasta las piernas de la niña. Michelle tenía los brazos muy tiesos a ambos lados. Trató de resistirse a medias cuando la señorita Hammersmith le levantó el camisón, desnudando su cuerpo de niña desde los pezones hasta las huesudas rodillas.

Observó cómo la enfermera apartaba con un movimiento rápido la toalla de la mesa. El doctor Wiley estaba atareado con los instrumentos, dándole la espalda. Michelle oía el ruido de vidrios y el correr de un líquido. Cuando el médico se volvió, tenía un trozo de algodón en cada mano.

—Sólo voy a limpiarte la piel un poquito —le explicó mientras empezaba a frotarle la cadera.

Michelle sintió un agua helada que le corría por la cadera y se le acumulaba en las nalgas. Era una experiencia nueva, distinta a las inyecciones anteriores. Se esforzó por ver lo que pasaba, pero el médico suavemente, pero con firmeza, la mantuvo en su lugar.

—Terminará en un momento —dijo la señorita Hammersmith.

Michelle miró las caras de las enfermeras Todas sonreían, pero eran sonrisas forzadas. Michelle empezó a sentir pánico.

—¿Dónde me van a pinchar? —gritó, tratando nuevamente de incorporarse.

En cuanto se movió, sintió unos brazos fuertes

que la aferraron y la obligaron a volver a su lugar.
Incluso sintió unas manos férreas alrededor de los
tobillos. Esta restricción acrecentó su pánico. Trató
de debatirse pero la presión que sentía alrededor
de manos y piernas aumentó.

—¡No! —gritó.

—Tranquila —dijo el doctor Wiley mientras sostenía una tela del color metalizado de un revólver,
con un agujero en el centro, y la colocaba sobre su
cadera. Se volvió a la mesita y se quedó allí, haciendo algo. Cuando reapareció, Michelle vio que tenía
una jeringa enorme, con tres anillos de acero inoxidable.

—¡No! —gritó, y con todas sus fuerzas trató de
zafarse del apretón de las enfermeras. Al instante
sintió el peso oprimente de la señorita Hammersmith
sobre su pecho, lo que dificultó su respiración. Luego fue el dolor punzante de una aguja que le atravesaba la piel encima de la cadera, seguido de una
sensación de ardor.

Charles dio un mordisco a su bocadillo, atrapan-
do en el aire un pedacito de fiambre, antes de que
cayera sobre el escritorio. Era un bocadillo enorme,
lo único bueno que se podía comprar en la cafete-
ría del instituto. Ellen se lo trajo al laboratorio,
porque Charles no quería ver a nadie y, exceptuando
su breve viaje al banco, permaneció sentado ante
su escritorio, meditando acerca del registro experimental de Cancerán. Había echado un vistazo a todos los libros del laboratorio y, para su sorpresa, los
encontró bien organizados. Empezaba a sentirse optimista: completar el estudio no sería tan difícil
como había imaginado al principio. Tal vez pudieran
hacerlo en seis meses. Tragó lo que tenía en la boca
y lo ayudó con un trago de café tibio.

—Lo único bueno de este proyecto —dijo, lim-
piándose la boca con el dorso de la mano— es la
cantidad de dinero del que se dispone. Por primera

vez tenemos suficiente. Apuesto a que nos alcanza para ese nuevo contador automático que queríamos, y para una ultracentrifugadora nueva.

—Yo creo que deberíamos comprar una unidad de cromatografía nueva —sugirió Ellen.

—¿Por qué no? —dijo Charles—. Tenemos derecho, ya que nos han obligado a ocuparnos de este proyecto. —Dejó el bocadillo en el plato de cartón y tomó el lápiz—. Haremos lo siguiente. Empezaremos con una dosis de 1/16 del LD50.

—Espera —pidió Ellen—. Hace tanto que estoy en inmunología, que no me acuerdo de esta clase de drogas. Refresca mi memoria. El LD50 es la dosis de una droga que causa el cincuenta por ciento de la muerte en una población grande de animales de laboratorio. ¿Correcto?

—Correcto —dijo Charles—. Tenemos el LD50 para ratones, ratas, conejos y monos de los estudios de toxicidad hechos con Cancerán antes que comenzaran los estudios de eficacia. Empecemos con los ratones. Usaremos la cepa RX7, criada para tumores de mama, porque Brighton la pidió y aquí la tenemos.

Con el lápiz, Charles empezó a hacer un diagrama de las fases del proyecto. Mientras escribía, continuaba hablando. Explicaba a Ellen cada paso que seguirían, sobre todo cómo incrementarían la dosificación de la droga y cómo expandirían el estudio para incluir las ratas y los conejos en cuanto obtuvieran algún dato preliminar de los ratones. Como los monos eran muy costosos, no los usarían hasta el final, cuando pudieran extrapolar la información obtenida de los otros animales, para aplicarla a un grupo significativo desde el punto de vista estadístico. Luego, siempre que tuvieran resultados positivos, seleccionarían individuos de cada especie totalmente al azar, para asegurarse de obtener controles adecuados. Después, estos animales nuevos serían tratados con el nivel óptimo de dosis de Cancerán determinado en la primera parte del estudio. Esta parte del proyecto se llevaría a cabo sin que Charles ni Ellen supieran cuáles eran los animales que habían sido tratados. Sólo lo sabrían después de que éstos hubieran sido sacrificados, estudiados y registrados.

—Caramba —dijo Ellen suspirando y estirando los brazos hacia atrás—. No sabía cómo sería esto.

—Desgraciadamente, esto no es todo. Después de hacer la autopsia de cada animal, hay que estudiarlo, no sólo microscópicamente, sino con el microscopio electrónico. Y...

—¡Basta, por ahora! —exclamó Ellen—. Ya me doy cuenta. ¿Y nuestro trabajo? ¿Qué haremos?

—No estoy seguro —dijo Charles. Dejó el lápiz—. Supongo que eso depende de nosotros dos.

—Creo que más depende de ti —afirmó Ellen. Estaba sentada en un taburete alto, con la espalda apoyada contra la mesa de trabajo. Llevaba un guardapolvo blanco desabotonado, y debajo se veía su suéter beige y un collar de perlas naturales, de una sola vuelta. Tenía las suaves manos cruzadas y quietas sobre la falda.

—¿Has dicho en serio eso de trabajar de noche? —le preguntó Charles. Mentalmente trató de estimar si era posible seguir trabajando con el misterioso factor de bloqueo mientras se dedicaban al Cancerán. Era posible si dedicaban largas horas, aunque avanzaría muy lentamente. Pero aunque pudieran aislar una sola proteína en un solo animal, y que ésta funcionara como agente de bloqueo, ya tendrían algo. Aunque un solo ratón se volviera inmune a su tumor, eso ya sería espectacular. Charles sabía muy bien que lograr el éxito en un solo caso, no era razon suficiente para generalizar, pero sentía que una sola cura serviría de base para convencer al instituto de que apoyara su investigación.

—Mira —señaló Ellen—. Sé lo que significa este trabajo para ti, y que estás próximo a algún tipo de conclusión. No sé si finalmente será positivo o negativo, pero eso no importa. Debes saberlo. Y lo sabrás. Eres la persona más tozuda que he conocido.

Charles estudió el rostro de Ellen. ¿Qué quería decir con que era tozudo? No sabía si era un cumplido o un insulto, y no se daba cuenta cómo la conversación se había desviado al tema de su personalidad. La expresión de Ellen, sin embargo, era neutral, y sus impenetrables ojos no pestañeaban.

Ellen sonrió al notar el escrutinio de Charles, y dijo:

—No te sorprendas tanto. Si estás dispuesto a trabajar de noche, yo también lo estoy. Puedo traer cosas para comer, así no tenemos que salir.

—No sé si te das cuentas de lo duro que será. Viviríamos aquí, prácticamente —le recordó Charles.

—Este laboratorio es más grande que mi apartamento —dijo Ellen, riendo—, y mis gatos se saben cuidar solos.

Charles dirigió la mirada al diagrama que acababa de hacer. No estaba pensando en el Cancerán, sin embargo, sino en si era aconsejable trabajar de noche con Ellen.

—¿Te das cuenta de que no sé si Morrison querrá pagarte horas extra? —preguntó.

—Yo no... —empezó a decir Ellen, pero no terminó. El teléfono los interrumpió.

—Contesta tú —pidió Charles—. No quiero hablar con nadie.

Ellen se deslizó de su taburete y, apoyándose en el hombro de Charles, alargó el brazo para alcanzar el teléfono. Su mano descansaba sobre él cuando dijo «Diga», pero inmediatamente la retiró. Dejó el auricular en el regazo de Charles con brusquedad y se alejó.

—Es tu esposa.

Charles levantó el auricular que se le escurría entre las piernas, y logró alzarlo del cordón. No era un momento muy oportuno para que llamara Cathryn, pensó.

—¿Qué pasa? —preguntó, impaciente.

—Quiero que vengas al consultorio del doctor Wiley —dijo Cathryn con voz seca y controlada.

—¿Por qué?

—No quiero discutirlo por teléfono.

—Cathryn, no he tenido una mañana agradable. Dame una idea de lo que pasa.

—¡Charles, ven aquí en seguida!

—Cathryn, todo se me ha desmoronado esta mañana. No puedo ir ahora.

—Te espero —dijo Cathryn, y colgó.

—¡Mierda! —gritó Charles al colgar de un golpe el receptor. Giró su silla y vio que Ellen se había situado detrás de su escritorio—. Para colmo Cathryn quiere que vaya al consultorio del pediatra pero se niega a decirme por qué. ¡Por Dios! ¿Qué más sucederá hoy?

—Eso es lo que te pasa por casarte con una mecanógrafa.

—¿Cómo? —preguntó Charles. Había oído, pero el comentario le parecía fuera de lugar.

—Cathryn no entiende lo que estamos haciendo. No creo que pueda comprender las presiones a que estamos sujetos.

Charles miró interrogante a Ellen, luego se encogió de hombros.

—Probablemente tienes razón. Es evidente que piensa que puedo dejarlo todo y salir corriendo. Creo que es mejor llamar a Wiley para ver qué pasa. —Charles levantó el teléfono y empezó a marcar, pero no completó la llamada. Lentamente, colgó. Pensó en Michelle, y eso puso una nota de preocupación, disminuyendo su enojo. Recordó la hemorragia nasal de esa mañana—. Es mejor que vaya. No tardaré mucho.

—¿Y nuestro horario? —preguntó Ellen.

—Seguiremos hablando cuando vuelva. Mientras tanto, tú prepara una solución diluida de Cancerán para los ratones. Inyectaremos a la primera tanda en cuanto vuelva. —Charles se dirigió al armario de metal cerca de la puerta y sacó su abrigo—. Haz que te traigan los ratones de nuestro cuarto de animales. Será mucho más fácil.

Ellen observó la puerta que se cerraba al salir

93

Charles. Fuera lo que fuese lo que ella resolvía fuera del laboratorio, parecía que siempre que se encontraba frente a frente con él, terminaba dolida. Sabía que era absurdo, pero no podía protegerse. Era tal la mezcla de decepción y enfado que tenía ganas de llorar. Había permitido que la idea de trabajar con él de noche la excitara. Una actitud estúpida, de adolescente. Sabía en su fuero interno que eso no llevaría a nada; al contrario, le causaría más dolor.

Agradecida por tener algo específico que hacer, Ellen se dirigió al mostrador, donde estaban las botellas esterilizadas de Cancerán. Era un polvo blanco, como azúcar impalpable, a la espera de que le inyectaran agua esterilizada. No era tan estable en solución como en forma sólida, de modo que había que reconstituirlo al usarlo. Sacó el agua esterilizada y luego usó la computadora para obtener la solución diluida óptima.

Cuando estaba sacando las jeringas, entró el doctor Morrison.

—El doctor Martel no está —dijo Ellen.

—Lo sé —contestó Morrison—. Lo vi salir del edificio. No lo estaba buscando a él. Quería hablar con usted un momento.

Ellen dejó la jeringa, se metió ambas manos en los bolsillos y dio la vuelta al mostrador para quedar frente a Morrison. No era acostumbrado que el jefe del departamento de fisiología viniera a hablar con ella, sobre todo a espaldas de Charles. Sin embargo, con todo lo que había pasado esa mañana, no estaba sorprendida. Además, la expresión de Morrison era tan maquiavélica que este tipo de intrigas parecía apropiado.

Morrison se acercó a ella, extrajo una delgada pitillera de oro, la abrió y le ofreció un cigarrillo. Cuando Ellen rehusó, con la cabeza, Morrison sacó un cigarrillo para sí mismo.

—¿Puedo fumar aquí? —preguntó.

Ellen se encogió de hombros. Charles no lo permitiría, aunque no por razones de seguridad. Simplemente, aborrecía el olor. Ellen sintió un aguijonazo de satisfecha rebelión al permitir, tácitamente, que fumara.

Morrison sacó un encendedor de oro que hacía juego con la pitillera y con un complacido ritual, encendió el cigarrillo. Era un gesto estudiado, hecho a propósito, para hacer esperar a Ellen.

—Supongo que sabrá lo que ha sucedido hoy, respecto al caso Brighton —dijo Morrison por fin.

—Algo sé —contestó Ellen.

—¿Sabrá que Charles ha sido seleccionado para continuar con el estudio de Cancerán?

Ellen asintió.

Morrison hizo una pausa y exhaló el humo formando anillos.

—Es extremadamente importante para el instituto que este proyecto sea concluido... con éxito.

—El doctor Martel ya ha empezado a trabajar.

—Bien. Bien —dijo Morrison.

Otra pausa.

—No sé exactamente cómo decir esto —empezó Morrison—. Pero me preocupa que Charles pueda echar a perder el experimento.

—No creo que tenga de qué preocuparse. Si hay algo que se puede esperar de Charles, es su integridad científica —afirmó Ellen.

—No es su capacidad intelectual la que me preocupa —explicó Morrison—, sino su estabilidad emocional. Para ser totalmente sincero, me parece un poco impulsivo. Critica de manera exagerada el trabajo de los demás y cree que tiene el monopolio del método científico.

¿Impulsivo? La palabra hizo vibrar una cuerda familiar en la memoria de Ellen. Como si fuese el día anterior, recordaba la última noche pasada con Charles. Habían comido en el restaurante Harvest, fueron al apartamento de ella, en la calle Prescott, e hicieron el amor. Una noche cálida y tierna, pero como de costumbre, Charles no se había quedado a dormir. Dijo que tenía que volver a su casa, con los chicos, para estar allí cuando ellos se despertaran. Al día siguiente, en el laboratorio, se había comportado como siempre, pero nunca volvieron a salir juntos, y Charles nunca le explicó nada. Ni una sola palabra. Luego se casó con la mecanógrafa temporal. A Ellen le parecía como si un día se hubiese enterado de que Charles salía con esa chica, y al día siguiente de que se casaba con ella. Era verdad: la palabra «impulsivo» le cuadraba. Impulsivo y terco.

—¿Qué quiere que le diga? —preguntó Ellen, esforzándose por volver al presente.

—Supongo que quiero que me tranquilice —contestó Morrison.

—Bueno —dijo Ellen—. Sí, Charles es temperamental, estoy de acuerdo, pero no creo que eso influya en su trabajo. Creo que puede confiar en que haga el estudio del Cancerán.

Morrison se relajó y sonrió; sus dientecitos aparecieron detrás de sus labios delgados.

—Gracias, señorita Sheldon. Eso era exactamente lo que quería oír. —Se acercó al fregadero, abrió el grifo y dejó caer el agua sobre su cigarrillo, a medio fumar. Luego lo tiró en la papelera.

—Otra cosa. No sé si puede hacer un gran favor al instituto, y a mí. Me gustaría que me informara si ve un comportamiento anormal, por parte de Charles, en relación con el proyecto Cancerán. Sé que es una petición difícil, pero la comisión directiva en pleno le agradecerá su cooperación.

—Está bien —afirmó Ellen rápidamente, aunque no estaba segura de cómo interpretarlo. Al mismo tiempo pensó que Charles se lo merecía. Ella había hecho mucho por él, sin recibir reconocimiento—. Lo haré con la condición de que lo que yo diga permanezca anónimo.

—Por supuesto —convino Morrison—. No hay necesidad de decirlo. Y, naturalmente, me informará a mí, directamente.

Morrison se detuvo al llegar a la puerta.

—Ha sido un placer hablar con usted, señorita Sheldon. Hacía tiempo que quería hacerlo. Si llega a necesitar algo, mi oficina estará siempre abierta para usted.

—Gracias.

—Podríamos comer juntos alguna noche.

—Tal vez —dijo Ellen.

Se cerró la puerta. Era un hombre extraño, pero de gran decisión y poder.

5

Charles luchaba con la calefacción del automóvil mientras cruzaba el puente Harvard sobre el río. No lograba llevar la palanca de control a CALOR. Como resultado de sus esfuerzos, el Pinto se salió de carril, ante el espanto de los otros automovilistas, que reaccionaron haciendo sonar la bocina. Charles, desesperado, golpeó el control con la mano, y el bracito de plástico se desprendió y cayó al suelo del coche.

Resignado al frío, Charles trató de concentrarse en el camino. En cuanto pudo, dobló a la derecha en la avenida Massachusetts y bordeó Back Bay Fens, un parque descuidado y lleno de basura en el centro de lo que una vez fuera una atractiva zona residencial. Pasó frente al Museo de Bellas Artes de Boston, y luego por el museo Gardner. Cuando el tránsito empezó a despejarse, se puso a pensar en varias cosas. A Charles le parecía una crueldad mental, por parte de Cathryn, no decirle nada y dejarlo librado a su imaginación. ¿Habría sufrido Michelle una nueva hemorragia nasal? No, eso parecía demasiado simple. A lo mejor le tenían que hacer algún análisis y Cathryn no quería darles permiso. No, no había ninguna razón para que ella no explicara una cosa así por teléfono. Debía de tratarse de algún problema médico. Apendicitis, tal vez. Charles recordó la sensibilidad abdominal, la fiebre baja. Tal vez se trataba de una apendicitis subaguda y querían operar. Y Charles sabía muy bien cómo afectaban los hospitales a Cathryn. Le hacían perder la razón.

Al entrar en el consultorio del doctor Jordan Wiley, Charles se vio envuelto por un mar de madres preocupadas y niños que lloraban. Esa sala de espera atestada era parte de la práctica privada, y Charles no la echaba de menos. Como todas las secretarias de los médicos, ésta tenía esa irritante propensión a dar hora a los enfermos que venían por primera vez durante el tiempo reservado para segundas consultas, y como resultado la sala de espera se llenaba de pacientes, lo que era insoportable. Charles había insistido en que eso no sucediera, inútilmente. El siempre estaba en el cuarto de atrás, y era quien tenía que pedir disculpas a la gente.

Buscó a Cathryn entre las mujeres y niños, pero no la vio. Se abrió paso hasta llegar a la enfermera, rodeada por un montón de madres que querían saber exactamente cuándo entrarían. Charles intentó interrumpir, pero pronto se dio cuenta de que tenía que esperar turno. Al rato atrajo la atención de la mujer. Estaba maravillado por su aplomo. No se sabía si el caos alrededor de ella la afectaba, pues no daba señales de ello.

—Busco a mi esposa —dijo Charles. Tuvo que hablar en voz alta para hacerse oír.

—¿Cómo se llama? —preguntó la enfermera, con las manos cruzadas sobre una pila de historiales clínicos.

—Martel. Cathryn Martel.

—Un momento. —Se hizo atrás en su silla y se puso de pie. Había una expresión de seriedad en su rostro. Las mujeres agrupadas alrededor del escritorio miraron a Charles con una mezcla de respeto y fastidio. Estaban evidentemente celosas de la rápida respuesta que había recibido.

La enfermera regresó casi inmediatamente, seguida por una mujer de impresionantes dimensiones y su nombre sobre el pecho: «Srta. A. Hammersmith.» Hizo una seña a Charles, quien obedientemente se acercó, dando una vuelta al escritorio.

—Haga el favor de venir conmigo —dijo la enfermera.

Lo único de su cara que se movía era la boca, suspendida entre las dos mejillas arrugadas.

Charles obedeció y siguió por un corredor detrás de la figura voluminosa de la señorita Hammersmith, que le impedía ver más adelante. Pasaron por una serie de cuartos que serían consultorios, según supuso Charles. Al final del corredor la enfermera abrió una puerta revestida con paneles de madera y se hizo a un lado para dejar pasar a Charles.

—Perdón —dijo Charles, pasando a su lado con dificultad.

—Creo que a ambos nos vendría bien bajar un poco de peso —comentó la señorita Hammersmith.

La enfermera permaneció en el corredor y una vez que Charles entró en el consultorio, cerró la puerta tras de sí. Charles se encontró en una habitación con una pared recubierta por estanterías llenas de revistas de medicina y algunos libros de texto. En el centro había una mesa redonda de roble claro rodeada por media docena de sillas. De repente, Cathryn se puso de pie de una de ellas. Respiraba audiblemente; Charles alcanzaba a oír el ruido que hacía el aire al entrar y salir de su nariz. No era un sonido suave y tranquilo, sino tembloroso.

—¿Qué...? —empezó a decir Charles.

Cathryn corrió a su encuentro antes de que pudiera terminar y le arrojó los brazos al cuello. Charles le rodeó la cintura con las manos y permitió que lo abrazara hasta recuperar el equilibrio.

—Cathryn —dijo finalmente. Empezaba a sentir el sabor amargo del miedo. El comportamiento de Cathryn comenzaba a socavar su idea de que pudiera tratarse de apendicitis, de una operación o de algo común y corriente.

Un recuerdo horrendo, desagradable, se apoderó

de su mente: el día en que se había enterado del linfoma de Elizabeth.

—Cathryn —dijo, ahora con aspereza—. ¡Cathryn! ¿Qué sucede? ¿Qué te pasa?

—Es culpa mía —murmuró Cathryn. En cuanto habló, se echó a llorar. Charles sintió que se le estremecía el cuerpo por la fuerza de las lágrimas. Esperó, mientras recorría la habitación con los ojos. Vio el cuadro de Hipócrates en la pared frente a la biblioteca, el pavimento de *parquet*, el texto de pediatría de Nelson sobre la mesa.

—Cathryn. Por favor, dime qué pasa. ¿De qué tienes la culpa? —preguntó por fin.

—Debería haber traído antes a Michelle. Lo sé. —Los sollozos le quebraban la voz.

—¿Qué le pasa a Michelle? —preguntó Charles. Sintió un nudo de terror en el pecho. Era como si volviera a vivir otra vez aquella desagradable experiencia.

Cathryn se aferró con más fuerza a Charles, como si él fuera su única salvación. El control que había logrado mantener antes de que él llegara desapareció.

Con un gran esfuerzo, Charles pudo librarse de las manos de Cathryn, aferradas a su cuello. Cuando lo hizo, ella pareció desplomarse. La ayudó a llegar hasta una silla, donde se hundió como un globo pinchado. El se sentó a su lado.

—Cathryn, debes decirme qué sucede.

Su mujer levantó la mirada. Sus ojos azules estaban llenos de lágrimas. Abrió la boca, pero antes de que empezara a hablar, se abrió la puerta. El doctor Jordan Wiley entró en el cuarto.

Charles, que tenía las manos apoyadas sobre los hombros de Cathryn, se volvió al oír el ruido de la puerta al cerrarse. Cuando vio al doctor Wiley, se puso de pie y buscó en la expresión del médico un indicio de lo que estaba pasando. Hacía casi veinte años que lo conocía. Se trataba de una relación profesional más que social, iniciada cuando Charles estaba en la facultad de medicina. Wiley había sido su profesor de pediatría, en el tercer año de su carrera y le había causado una gran impresión en él por sus conocimientos, su inteligencia y su simpatía. Luego, cuando necesitó un pediatra, llamó a Jordan Wiley.

—Me alegro de verte, Charles —saludó el doctor Wiley, tomándolo de la mano—. Siento que sea en circunstancias tan difíciles.

—Quizá pudiera decirme de qué se trata esto —dijo Charles, escondiendo el temor bajo el fastidio.

—¿No te lo han dicho? —preguntó Wiley. Cathryn sacudió la cabeza.

—Entonces será mejor que me vaya un momento. —Se volvió para dirigirse a la puerta, pero Charles lo detuvo, poniéndole una mano en el brazo.

—Creo que usted debería decirme qué pasa.

El doctor Wiley miró a Cathryn, que asintió. Ya no lloraba, pero sabía que le costaría hablar.

—Está bien —dijo Wiley, mirando a Charles de frente otra vez—. Se trata de Michelle.

—De eso ya me había dado cuenta.

—¿Por qué no te sientas? —sugirió el pediatra.

—¿Por qué no me lo dice de una vez? —pidió Charles.

El doctor Wiley estudió el rostro ansioso de Charles. Había envejecido mucho desde sus años de estudiante. Lamentó tener que ser él quien le diera otro motivo más de dolor y de angustia. Esa era una de las responsabilidades que detestaba de las que atraía aparejadas el ser médico.

—Michelle tiene leucemia, Charles —dijo finalmente.

Charles abrió la boca lentamente. Sus ojos azules se pusieron vidriosos, como si estuviera en un trance. No movió un solo músculo. Ni respiró, siquiera. Era como si la noticia hubiera liberado una corriente de recuerdos desterrados. Volvía a oír, una y otra vez, una voz que decía: «Lamento informarle, doctor Martel, que su mujer, Elizabeth, padece de un linfoma... Lamento muchísimo informarle que su esposa no reacciona al tratamiento... Doctor Martel, lamento informarle que su mujer ha entrado en una crisis terminal... Doctor Martel, lamento terriblemente informarle que su esposa murió hace un momento.»

—¡No! No es verdad. Es imposible —gritó Charles con tanta vehemencia que el doctor Wiley y Cathryn se sobresaltaron.

—Charles —dijo Wiley, poniéndole la mano sobre el hombro en actitud compasiva.

Con un movimiento brusco, Charles se libró de la mano del doctor Wiley.

—¡No se atreva a compadecerme!

Cathryn, a pesar de sus lágrimas, se puso de pie de un salto y tomó a Charles del brazo al ver que el doctor Wiley se hacía atrás, sorprendido.

—¿Se trata de una broma pesada? —preguntó Charles, cortante, a la vez que se libraba de la mano de Cathryn.

—No es ninguna broma —dijo el médico con voz suave pero firme—. Sé que esto te resulta difícil, sobre todo después de lo que te pasó con Elizabeth. Pero tienes que serenarte. Michelle te necesita.

La mente de Charles era una confusión de pensamientos y emociones. Se debatió consigo mismo, tratando de concentrarse.

—¿Qué le hace pensar que Michelle tenga leucemia? —Habló lentamente, con un gran esfuerzo.

Cathryn volvió a sentarse.

—El diagnóstico es claro —dijo el doctor Wiley con suavidad.

—¿Qué clase de leucemia? —preguntó Charles, metiéndose los dedos en el pelo y fijando la mirada en la pared de ladrillos—. ¿Linfocítica?

—No. Lo siento, pero se trata de una leucemia mieloblástica aguda.

Lo siento... Lo siento... Una frase hecha a la que recurrían los médicos cuando no sabían qué más decir. Fue un eco desagradable en la cabeza de Charles. «Siento decirle que su esposa ha muerto...» Era como un cuchillo que se le hundía en el corazón.

—¿Células leucémicas circulantes? —preguntó Charles, obligando a su inteligencia a que luchara contra la memoria.

—Lo siento, pero así es. El recuento de células blancas es de más de cincuenta mil.

Un silencio mortal descendió sobre la habitación.

Bruscamente, Charles empezó a caminar. Se movía con pasos rápidos, mientras sus manos se debatían.

—El diagnóstico de leucemia no es seguro hasta que se hace un examen medular —señaló de repente Charles.

—Ya se ha hecho —le dijo Wiley.

—Eso no es posible. Yo no he dado permiso —protestó Charles, cortante.

—Yo se lo di —dijo Cathryn, con la voz vacilante, temerosa de haber hecho algo malo.

Charles ignoró a Cathryn, y siguió mirando con furia al doctor Wiley.

—Yo mismo quiero ver los preparados.

—He hecho que el hematólogo mirara las placas —dijo Wiley.

—No me importa. Las quiero ver —insistió Charles, enfadado.

—Como quieras —dijo el doctor Wiley. Recordaba que Charles era un estudiante atropellado pero concienzudo. Al parecer, no había cambiado. Aunque Wiley sabía que era importante para Charles verificar el diagnóstico, en ese momento hubiera preferido hablar del cuidado que había que prodigar a Michelle.

—Sígueme —dijo por fin, y condujo a Charles por el pasillo. Cuando abrieron la puerta del salón de conferencias se oyó un estruendo de bebés que lloraban. Cathryn, que al principio no sabía qué hacer, corrió tras los hombres.

En el extremo opuesto del pasillo entraron en un cuarto angosto que hacía las veces de un pequeño laboratorio clínico. Había espacio suficiente para un mostrador y una fila de taburetes. Los estantes llenos de muestras de orina daban al cuarto un ligero olor desagradable. Una muchacha de cara granujienta, vestida con una chaqueta blanca y sucia, se

105

bajó respetuosamente del taburete más cercano. Había estado atareada, haciendo análisis de orina.

—Por aquí, Charles —dijo el doctor Wiley, indicándole un microscopio cubierto con un plástico, que sacó. Era un Zeiss binocular. Charles se sentó, ajustó las lentes y encendió la luz. Wiley abrió un cajón y sacó una bandeja de preparados. Con suavidad levantó uno, teniendo cuidado de tocar sólo los bordes. Al extendérselo a Charles, ambos hombres se miraron a los ojos. Al pediatra le pareció que Charles era como un animal acorralado.

Con la mano izquierda, Charles tomó el preparado, usando el pulgar y el meñique. En el centro de la placa había algo que parecía una mancha inocua. En la parte inferior del vidrio se veía la leyenda MICHELLE MARTEL §882673 MEDULA. Con mano temblorosa, Charles colocó el preparado en el microscopio y puso una gota de aceite sobre el portaobjeto. Observó desde un costado, bajó la lente de inmersión hasta que tocó el aceite.

Charles, inspirando hondo, puso los ojos en los oculares y con gran nerviosismo empezó a levantar el tubo del microscopio. De repente vio una multitud de células celestes. Se le cortó la respiración y la sangre se le agolpó en las sienes. Un estremecimiento de terror le recorrió el cuerpo: le pareció estar contemplando su propia sentencia de muerte. En lugar de la acostumbrada población de células en diversas etapas de maduración, la médula de Michelle estaba llena de grandes células indiferenciadas, con sus correspondientes grandes núcleos irregulares que contenían nucléolos múltiples. Un sentimiento de pánico se apoderó de él.

—Creo que estarás de acuerdo en que es concluyente —dijo suavemente el doctor Wiley.

Charles se puso de pie de un salto, tirando al suelo el taburete. Una ira incontrolable, producto de la mañana exasperante que había tenido, alimentada ahora por la enfermedad de Michelle, lo cegó.

—¿Por qué? —le gritó a Wiley, como si el pediatra formara parte de una conspiración en torno a él. Lo tomó de la camisa y lo sacudió con violencia.

Cathryn se interpuso entre los dos, abrazando a su marido.

—¡Detente, Charles! —gritó, horrorizada por la posibilidad de enemistarse con el único hombre que necesitaban para que los ayudara—. El doctor Wiley no tiene la culpa. Si alguien tiene la culpa, somos nosotros.

Como si despertara de un sueño, Charles soltó la camisa del médico. Le había ladeado la corbata de lazo. Se agachó y levantó el taburete, luego se irguió y se cubrió la cara con las manos.

—No se trata de culpar a nadie —dijo el doctor Wiley, arreglándose nerviosamente la corbata— sino de tratar a la niña.

—¿Dónde está Michelle? —preguntó Charles. Cathryn no le soltó el brazo.

—Ya se le ha dado entrada en el hospital. Está en Anderson 6, un piso que tiene unas enfermeras magníficas —le informó Wiley.

—Quiero verla —dijo Charles, con una voz todavía débil.

—Por supuesto. Pero creo que primero debemos discutir el tratamiento. Escucha, Charles. —El doctor Wiley extendió la mano, en actitud de consuelo, pero luego lo pensó mejor y la retiró. Se metió ambas manos en los bolsillos—. Aquí en Pediatría tenemos a una de las eminencias mundiales en leucemia infantil, el doctor Stephen Keitzman, y con permiso de Cathryn ya me he puesto en contacto con él. Michelle está muy enferma, y cuanto antes la vea un oncólogo pediatra, mejor. Dijo que nos vería en cuanto llegaras tú. Me parece que tendríamos que hablar con él primero, y luego ver a Michelle.

Al principio, Cathryn no estaba segura en cuanto al doctor Keitzman. Su aspecto era el opuesto al de Wiley, un hombre pequeño, joven, al parecer, con una cabeza grande y pelo oscuro, espeso y rizado Llevaba unas gafas sin montura sobre la nariz delgada, de poros abiertos. Tenía una manera de ser algo brusca, gestos nerviosos, y un tic peculiar que lo atacaba cuando dejaba de hablar. De repente levantaba el labio superior en un gesto despectivo que por un momento dejaba ver los dientes enfundados a la par que distendía los orificios nasales; duraba sólo un instante, pero tenía un efecto inquietante en la gente que lo veía por primera vez. Sin embargo, era un hombre seguro de sí mismo y hablaba con tanta autoridad que Cathryn le tuvo confianza en seguida.

Segura de que se olvidaría de todo lo que les decía, sacó una libretita y un bolígrafo. Se sentía confundida al ver que Charles parecía no prestar atención. Miraba por la ventana, como si observara el tráfico que avanzaba por la avenida Longwood. El viento del nordeste había traído un aire ártico a Boston, y la mezcla de llovizna y aguanieve se convertía en espesa nevada. Cathryn se sintió aliviada de que Charles estuviera a su lado, para hacerse cargo de todo, porque ella se sentía incapaz. Sin embargo, actuaba de forma extraña: enojado primero, luego distante.

—En otras palabras —resumió el doctor Keitzman—, el diagnóstico de leucemia mieloblástica aguda está más allá de toda duda.

Charles volvió la cabeza y examinó el cuarto. Sabía que tenía un dominio precario de sus emociones, lo que hacía difícil concentrarse en lo que decía Keitzman. Con enfado, sentía que había pasado la mañana entera viendo cómo la gente socavaba su seguridad, dislocaba su vida, destruía a su familia, le robaba la felicidad, apenas descubierta. Racionalmente sentía que existía una gran diferencia entre Morrison e Ibáñez por una parte y Wiley y Keitzman por la otra, pero por el momento todos ellos provocaban en él la misma furia. Le costaba mucho creer que Michelle pudiera tener leucemia, y del tipo peor, el más mortífero. El ya había vivido ese desastre. Ahora debía tocarle a otro.

Mientras escuchaba con indiferencia, Charles examinó al doctor Stephen Keitzman, que había asumido el típico aire condescendiente del médico a cargo del caso y dejaba caer datos e informaciones como si estuviera dando una conferencia. Era evidente que Keitzman había pasado por lo mismo muchas veces, y sus frases hechas, como «Lo siento», sonaban insinceras. Eran frases que Keitzman habría usado con frecuencia. Charles tuvo la desagradable impresión de que el hombre estaba disfrutando, no de la misma manera en que hubiera disfrutado de una película o una buena comida, sino de una forma sutil y complaciente: era el centro de la atención en una crisis. Esta actitud le chocó a Charles, sobre todo porque conocía demasiado bien el material al que se refería Keitzman. Se obligó a permanecer callado mientras su mente convocaba imágenes caleidoscópicas de Michelle a medida que iba creciendo.

—Para aliviar el inevitable sentimiento de culpa —prosiguió Keitzman después de descubrir los dientes en uno de sus gestos nerviosos— quiero destacar que la causa y la fecha de iniciación de una leucemia como la de Michelle son desconocidas. Los padres deben esforzarse por no echar la culpa a algún acontecimiento específico como causa de la enfermedad. El objetivo será tratar el estado y producir una remisión. Me alegra poder informarles que hemos obtenido resultados muy favorables con casos de leucemia mieloblástica aguda, algo que no sucedía hace diez años. Ahora podemos lograr una remisión en un ochenta por ciento de los casos.

—Eso es maravilloso —afirmó Charles, hablando por primera vez—. A diferencia de las curas que han estado logrando en otros tipos de leucemia, que duran cinco años, nos gustaría que nos dijera cuánto dura la remisión en la forma de leucemia que tiene Michelle. —Era como si Charles estuviera aguijoneando a Keitzman para que revelara, de una vez por todas, la peor noticia.

Keitzman se ajustó las gafas y se aclaró la garganta.

—Doctor Martel, soy consciente de que usted sabe más que otros padres acerca de la condición de su hija. Pero como su especialidad no es, específicamente, la leucemia infantil, no tengo idea de cuánto sabe y cuánto desconoce. Por lo tanto, me pareció mejor explicar todo, como si usted no supiera nada. Y aun en el caso de que todos estos datos le resulten familiares, tal vez sean útiles para su esposa.

—¿Por qué no responde a mi pregunta? —preguntó Charles.

—Me parece más provechoso que nos concentremos en lograr una remisión —dijo el doctor Keitzman. Su tic nervioso se hizo más frecuente—. Mi experiencia me ha demostrado que, con los avances en quimioterapia, hay que tratar la leucemia con un enfoque modificable día a día. Hemos visto remisiones espectaculares.

—Excepto en el tipo que tiene Michelle —estalló Charles como en un gruñido—. Vamos, dígame qué probabilidades tiene una leucemia mieloblástica aguda de sobrevivir cinco años.

El doctor Keitzman desvió la mirada para no enfrentarse a los ojos desafiantes de Charles, y la posó en el rostro asustado de Cathryn. Ella había hecho una pausa en sus apuntes, y miró boquiabierta a Keitzman, quien se daba perfecta cuenta de que todo iba muy mal. Miró al doctor Wiley en busca de apoyo, pero Wiley, con la cabeza gacha, se miraba las manos. Entonces, tratando de evitar la mirada de Charles, Keitzman habló, en un nuevo tono de voz.

—Una supervivencia de cinco años es notable en casos de leucemia mieloblástica aguda, pero no imposible.

—Ahora se está acercando a la verdad —afirmó Charles, poniéndose en pie de un salto y apoyándose sobre el escritorio del doctor Keitzman—. Pero, para ser más precisos, la supervivencia media en estos casos, si es que se obtiene una remisión, es de uno o dos años solamente. Y, en el caso de Michelle, con células leucémicas circulantes, la probabilidad de remisión es mucho menor de un ochenta por ciento. ¿No está usted de acuerdo, doctor Keitzman?

Keitzman trató de pensar cuál sería la mejor manera de responder a la pregunta. Quitándose los anteojos, dijo:

—Hay algo de verdad en lo que usted dice, pero

no es una manera constructiva de encarar la enfermedad. Existen una gran cantidad de variables.

Charles caminó bruscamente hasta la ventana y miró la sucia nieve que caía.

—¿Por qué no le dice a mi esposa cuánto sobreviven los que no reaccionan... los pacientes que no experimentan una remisión?

—No estoy seguro para qué sirve esto... —empezó a decir Keitzman.

Charles giró en redondo.

—¿Para qué sirve? ¿Y se atreve a preguntarlo? Yo se lo diré. Lo peor que tiene la enfermedad es la incertidumbre. Los seres humanos son capaces de adaptarse a cualquier cosa, siempre que haya alguna certeza, pero se enloquecen cuando dan tumbos sin saber nada.

Mientras hablaba, Charles volvió ruidosamente al escritorio del doctor Keitzman. Al ver la libreta de Cathryn, se apoderó de ella y la arrojó al cesto de papeles.

—¡No necesitamos tomar apuntes en esta reunión! No es una maldita conferencia. Además, sé todo lo que hay que saber respecto a la leucemia. —Se volvió a Keitzman, con la cara colorada—. Vamos, díganos cuánto sobreviven los que no reaccionan.

Keitzman se hizo hacia atrás en su silla y tomó el borde del escritorio con las manos, como si estuviera a punto de salir volando.

—No mucho —dijo, por fin.

— Eso no basta —acusó Charles, cortante—. Sea más específico.

—¡Está bien! —exclamó el doctor Keitzman—. Semanas, a lo sumo meses.

Charles no dijo nada. Después de haber acorralado a Keitzman, se sentía de repente sin propósito o dirección. Se hundió en un sillón.

El rostro de Keitzman se recobró luego de una serie de repetidos tics. Intercambió miradas con Wilev. Luego prosiguió sus recomendaciones, volviéndose a Cathryn.

—Bien, como estaba diciendo, es mejor pensar

111

en la leucemia como una enfermedad que no es fatal, y tomar cada día tal cual viene.

—Eso es como decirle al condenado a muerte que no piense en su fin —musitó Charles.

—Doctor Martel —dijo el doctor Keitzman claramente—, yo esperaba que su reacción ante esta crisis fuera totalmente distinta, como médico que es.

—Es fácil reaccionar de manera distinta —objetó Charles— cuando no se trata de un miembro de la familia. Desgraciadamente, yo ya he pasado por todo esto.

—Creo que deberíamos discutir la terapia —afirmó el doctor Wiley, hablando por primera vez.

—Estoy de acuerdo —dijo el doctor Keitzman—. Debemos iniciar el tratamiento cuanto antes. En realidad, me gustaría empezar hoy, en cuanto terminemos con todos los estudios básicos. Naturalmente, necesitaremos su consentimiento, debido a la naturaleza de las drogas.

—Con una posibilidad de remisión tan escasa, ¿está seguro de que vale la pena someter a Michelle a los efectos secundarios? —Charles hablaba con más calma ahora. Mentalmente veía a Elizabeth durante los últimos meses, víctima de violentos ataques de náusea... Veía la pérdida de pelo... Cerró los ojos.

—Sí, estoy seguro —declaró con firmeza Keitzman—. Es un hecho establecido que se han producido avances significativos en el tratamiento de la leucemia infantil.

—Eso es absolutamente cierto —confirmó Wiley.

—Se han producido avances —acordó Charles— pero, desgraciadamente, en casos de leucemia diferentes al de Michelle.

Los ojos de Cathryn saltaron de Charles a Keitzman y luego a Wiley. Esperaba, necesitaba una unanimidad sobre la cual pudiera construir una esperanza. En cambio, sólo encontraba desacuerdo y animosidad.

—Bien —empezó el doctor Keitzman— yo creo en un tratamiento agresivo en todos los casos, sean cuales sean las probabilidades de remisión. Todo paciente merece una oportunidad, a cualquier costo. Un día, un mes, son preciosos.

—Aunque el paciente prefiera terminar con su sufrimiento —dijo Charles, recordando los últimos días de Elizabeth—. Cuando las probabilidades de remisión, no hablemos de cura, por supuesto, son menos de un veinte por ciento, no creo que valga la pena someter a un niña a un dolor adicional.

El doctor Keitzman se puso de pie con brusquedad.

—Obviamente, valoramos la vida de manera distinta. Yo creo que la quimioterapia es un arma verdaderamente notable contra el cáncer. Usted tiene derecho a su opinión, por supuesto. Sin embargo, parece evidente que preferiría buscar otro oncólogo o hacerse cargo usted mismo de la terapia de su hija. ¡Buena suerte!

—¡No! —exclamó Cathryn, poniéndose de pie de un salto, aterrorizada ante la perspectiva de que Keitzman los abandonara, pues el doctor Wiley decía que era el mejor especialista—. Doctor Keitzman, lo necesitamos. Michelle lo necesita.

—Me parece que su marido no comparte su opinión, señora.

—Sí, la comparte —afirmó Cathryn—. Está perturbado. Por favor, doctor Keitzman —Cathryn se volvió a Charles y le puso la mano en el cuello—. ¡Charles, por favor! No podemos luchar solos. Esta mañana has dicho que no eras pediatra. Necesitamos al doctor Keitzman y al doctor Wiley.

—Yo creo que debería cooperar —lo instó Wiley.

Charles se hundió bajo el peso de su propia impotencia. Sabía que él no podía tratar a Michelle, a pesar de que estaba convencido de que el enfoque que se daba a la enfermedad era equivocado. No tenía nada que ofrecer y en su mente sólo había una confusión de emociones encontradas.

—Por favor, Charles —suplicó Cathryn.

—Michelle está muy enferma —dijo Wiley.

—Está bien —murmuró Charles suavemente, obligado a capitular una vez más.

Cathryn miró al doctor Keitzman.

113

—¡Bueno! Ha dicho que está bien.

—Doctor Martel. ¿Quiere usted que yo sea el oncólogo? —preguntó Keitzman.

Con un suspiro que indicaba lo mucho que le costaba respirar, Charles asintió de mala gana.

Keitzman se sentó y ordenó rápidamente unos papeles que tenía sobre el escritorio.

—Muy bien —dijo por último—. Nuestro tratamiento para la leucemia mieloblástica incluye las siguientes drogas: Daunorubicina, Tioguanina y Citarabina. Comenzaremos inmediatamente con sesenta miligramos por metro cuadrado de Daunorubicina suministrados por vía endovenosa por infusión rápida.

Mientras el doctor Keitzman esbozaba la dosificación del tratamiento, Charles se torturaba pensando en los posibles efectos laterales de la Daunorubicina. La fiebre de Michelle era causada probablemente por una infección debida al poder reducido que tenía su cuerpo para luchar contra las bacterias. La Daunorubicina empeoraría esa situación. Además de hacerla básicamente impotente para luchar contra un ejército de bacterias y hongos, la droga le devastaría el sistema digestivo y posiblemente el corazón también... y... el pelo. ¡Dios mío!

—Quiero ver a Michelle —dijo de pronto, poniéndose de pie de un salto mientras intentaba sofocar sus pensamientos. De inmediato se dio cuenta de que había interrumpido al doctor Keitzman en mitad de una oración. Todos lo miraron, como si hubiera hecho algo atroz.

—Charles, me parece que deberías escuchar —le aconsejó Wiley, extendiendo la mano y tomándolo de un brazo. Fue un gesto reflejo y sólo después de tocarlo, el doctor Wiley pensó si había sido aconsejable hacerlo. Sin embargo, Charles no reaccionó en realidad, el brazo le caía, fláccido, y después de un tirón leve, volvió a sentarse.

—Como estaba diciendo —prosiguió Keitzman—, creo que es importante adaptar el enfoque psicológico a la paciente. Generalmente, los divido por edad: menores de cinco años, niños en edad escolar y adolescentes. Con los menores de cinco es sencillo: terapia con constante apoyo de cariño. Los problemas comienzan con los niños de edad escolar, cuya mayor preocupación es el temor de separarse de sus padres y el dolor del tratamiento hospitalario.

Charles se debatió en su asiento. No quería pensar en el problema desde el punto de vista de Michelle. Eso era demasiado doloroso.

Los dientes del doctor Keitzman brillaron por un momento mientras se le contorsionaba la cara; en seguida prosiguió:

—A los niños en edad escolar se les informa especialmente de lo que ellos preguntan. El enfoque psicológico se centra en aliviar la ansiedad causada por la separación.

—Creo que Michelle va a sentir terriblemente la separación —dijo Cathryn, que luchaba por seguir la explicación del doctor Keitzman, deseosa por cooperar y así agradar al hombre.

—En los adolescentes —siguió el doctor Keitzman, sin acusar recibo de la intervención de Cathryn—, el tratamiento se aproxima al de los adultos. El enfoque psicológico está orientado hacia la eliminación de la confusión y la incertidumbre sin destruir el rechazo, si éste es parte del mecanismo de defensa del paciente. En la situación de Michelle, desgraciadamente, el problema se ubica entre la edad escolar y la adolescencia. No estoy seguro de cuál es la mejor manera de tratarla. Tal vez los padres tengan una opinión al respecto.

—¿Quiere decir si se debe informar a Michelle de que tiene leucemia? —preguntó Cathryn.

—Eso es parte del problema —convino Keitzman

Cathryn miró a Charles, pero su marido había vuelto a cerrar los ojos. El doctor Wiley le devolvió la mirada con expresión de simpatía, lo que le dio un poco de seguridad a Cathryn.

—Bien —dijo el doctor Keitzman—, eso es algo que hay que pensar mucho. No hay por qué tomar una decisión ahora. Se le puede decir que estamos tratando de descubrir qué tiene. Antes de separarnos, ¿tiene hermanos Michelle?

—Sí —contestó Cathryn—. Dos varones.

—Bien. Habrá que determinar su antígeno leucocitario y su grupo sanguíneo, para ver si son compatibles. Probablemente necesitaremos plaquetas, granulocitos e incluso hasta médula, de modo que espero que concuerde con alguno de los dos.

Cathryn miró a Charles en busca de apoyo, pero su marido seguía con los ojos cerrados. No tenía ni idea de qué estaba hablando el doctor Keitzman, pero suponía que Charles sí. Su marido, sin embargo, parecía más abatido que ella por la noticia.

Mientras subía en el ascensor, Charles luchaba por serenarse. Nunca en su vida había sentido emociones conflictivas tan dolorosas. Por una parte, ansiaba el momento de ver a su hija, para poder abrazarla y protegerla; por otra parte, le espantaba la idea de verla. Tenía que aceptar el diagnóstico, y conocía demasiado bien la gravedad del problema. Michelle se daría cuenta, por su expresión.

El ascensor se detuvo. Se abrieron las puertas. Ante él se extendía un corredor celeste, con figuras de animales pegadas como calcomanías sobre la pintura. Estaba lleno de niños de distintas edades, con ropa de dormir, enfermeras, padres y hasta empleados de mantenimiento alrededor de una escalera, arreglando las luces.

El doctor Wiley los condujo por el pasillo, bordeando la escalera. Pasaron por el puesto de las enfermeras. La encargada de turno, al ver al doctor Wiley, corrió a su lado. Charles miraba hacia abajo, observándose los pies. Cathryn iba a su lado, y lo había tomado del brazo.

Michelle tenía un cuarto para ella sola. Estaba pintado de celeste, igual que el corredor. En la pared izquierda, al lado de la puerta del baño, había un hipopótamo grande, bailando y en el extremo del cuarto, una ventana con persianas. A la derecha, un ropero, un escritorio, una mesita de noche, y la cama típica de hospital. En la cabecera de la cama, de un poste de acero inoxidable colgaban una bolsita de plástico y una botella. La sonda de plástico serpenteaba y se metía en el brazo de Michelle. La niña, que estaba mirando hacia la ventana, se volvió al oírlos entrar.

—Hola, rabanito —dijo alegremente el doctor Wiley—. Mira a quien te traigo.

Al ver a su hija, el temor de enfrentarse a ella se desvaneció en una oleada de afecto y preocupación. Corrió hacia ella y apoyando la cabecita entre sus brazos, la acercó a él. Michelle reaccionó abrazándolo con el brazo libre.

Cathryn dio la vuelta a la cama y se detuvo frente a Charles. Se dio cuenta de que su marido luchaba por contener las lágrimas. Después de algunos minutos, Charles soltó a su hija y suavemente depositó su cabeza sobre la almohada. Alisándole el abundante pelo negro, lo arregló en dos bandas que enmarcaban la pálida carita. Michelle tomó la mano de Charles y se la apretó.

—¿Cómo estás? —le preguntó Charles. Temía que Michelle pudiera darse cuenta de su precario estado emocional.

—Ahora me encuentro bien —contestó ella, claramente contenta de ver a sus padres.

Pronto se le ensombreció el rostro y, volviéndose hacia Charles, preguntó:

—¿Es verdad, papá?

A Charles le dio un vuelco el corazón. «Lo sabe», pensó, alarmado. Miró al doctor Keitzman, tratando de recordar lo que él había dicho con respecto al enfoque psicológico apropiado.

—¿Qué es verdad? —preguntó el doctor Wiley, acercándose al pie de la cama.

—Papá —suplicó Michelle—. ¿Es verdad que me tengo que quedar a dormir aquí?

Charles parpadeó, como si le costara creer que Michelle no le estuviera pidiendo que confirmara el diagnóstico. Luego, cuando se sintió seguro de que ella no sabía que tenía leucemia, sonrió con alivio.

—Sólo unas pocas noches —dijo.

117

—Pero no quiero faltar a la escuela —protestó Michelle.

—No te preocupes por la escuela —la calmó Charles, con una risa nerviosa. Miró un instante a Cathryn, que también rió. La misma risa vacía—. Es importante que permanezcas aquí para que te observen y descubran cuál es la causa de la fiebre.

—No quiero más análisis —dijo la niña, abriendo los ojos de temor. Ya había sufrido bastante.

Charles se sorprendió al ver qué delgado era el cuerpecito de Michelle en la cama de hospital. Sus bracitos parecían increíblemente frágiles. Asomaban de las mangas del camisón reglamentario. El cuello, que siempre había sido normal, parecía ahora del tamaño del antebrazo. Tenía la apariencia de un ave delicada y vulnerable. Charles sabía que en el corazón de la médula de Michelle un grupo de sus propias células libraban una batalla contra su cuerpo. Y él no podía hacer nada para ayudarla. Absolutamente nada.

—El doctor Wiley y el doctor Keitzman sólo harán los análisis imprescindibles —la tranquilizó Cathryn, acariciándole el pelo—. Tendrás que portarte como una niña grande.

El comentario de Cathryn despertó un sentimiento de protección en Charles. Reconocía que no podía hacer nada por Michelle, pero al menos podía protegerla contra un trauma innecesario. Sabía muy bien que los pacientes que sufrían de enfermedades raras siempre eran molestados con toda clase de tormentos y que estaban sujetos a los antojos de los médicos. Con la mano derecha, Charles volvió la botella de plástico flexible para poder leer la etiqueta. Plaquetas. Sin soltar la botella, se volvió al doctor Wiley.

—Necesitaba plaquetas inmediatamente —explicó el doctor Wiley—. No tenía más que veinte mil.

Charles asintió.

—Bueno, debo irme —dijo el doctor Keitzman. Apretando un pie de la niña a través de las mantas, agregó—: La veré luego, señorita Martel. Vendrán a verte otros médicos luego. Por este tubo te estamos inyectando medicamentos, de modo que debes mantener el brazo quieto.

Charles miró el tubo de plástico: ¡Daunorubicina! Sintió una nueva oleada de temor, acompañada por el deseo de extender el brazo y arrancar a su adorada hija de las garras del hospital. Un pensamiento irracional le cruzó por la mente: tal vez la pesadilla desaparecería si apartaba a Michelle de toda esa gente.

—Estoy disponible en cualquier momento, en caso de que quieran hablar conmigo —dijo Keitzman mientras se dirigía a la puerta.

Cathryn recibió el ofrecimiento con una sonrisa y un movimiento de cabeza. Notó que Charles no apartaba la mirada de Michelle. Se sentó en el borde de la cama y le susurró algo al oído. Cathryn rogó que el silencio de su marido no contribuyera a aumentar el fastidio del oncólogo.

—Voy a salir un momento —anunció el doctor Wiley, siguiendo a Keitzman. La enfermera de turno, que no había dicho ni una sola palabra, también se fue.

En el corredor, el doctor Keitzman aminoró el paso para permitir que lo alcanzara Wiley. Juntos caminaron hacia el puesto de las enfermeras.

—Me parece que Charles Martel va a hacer que éste sea un caso muy difícil —dijo Keitzman.

—Temo que tiene razón —convino Wiley.

—Si no fuera por esa pobre chiquilla enferma, le diría a Martel que se fuera al diablo. ¿Qué le pareció ese disparate de no usar quimioterapia? ¡Por Dios! Se diría que un hombre en su posición debería estar al tanto de los adelantos de la quimioterapia, sobre todo en la leucemia linfocítica y la enfermedad de Hodgkin.

—Lo sabe —dijo Wiley—. Está perturbado, nada más. Es comprensible, sobre todo si se piensa que pasó por todo esto cuando la muerte de su mujer.

—Aun así, su comportamiento me ofende. Es un médico.

—Pero se dedica a la investigación —aclaró Wiley—. Hace casi diez años que está apartado de la

119

medicina clínica. Me parece recomendable que los investigadores no se alejen totalmente de la práctica, para conservar así la perspectiva. Después de todo, lo que importa es tratar a la gente.

Llegaron al puesto de las enfermeras y ambos se apoyaron en el mostrador, contemplando sin ver la escena que se desarrollaba ante sus ojos.

—El enfado de Charles me ha asustado durante un momento —reconoció el doctor Wiley—. Pensaba que había perdido el control.

—No estuvo mucho mejor en mi consultorio —dijo el doctor Keitzman, meneando la cabeza—. He tenido que hacer frente a la ira de los pacientes en otras oportunidades, aunque nunca nada igual. Las personas se enfurecen contra el destino, no contra los especialistas que les informan de su diagnóstico.

Los dos médicos vieron a un enfermero que con habilidad dirigía una camilla con un niño recién operado. Acababa de salir del ascensor de pacientes. Durante un momento guardaron silencio. La camilla desapareció en uno de los cuartos, y varias enfermeras corrieron tras ella.

—¿Está pensando lo mismo que yo? —preguntó el doctor Keitzman.

—Probablemente. Estoy pensando si Charles Martel será muy estable o no.

—Entonces estamos pensando lo mismo —dijo el doctor Keitzman—. Tuvo muchos cambios repentinos de ánimo en el consultorio.

Wiley asintió.

—A pesar de las circunstancias, su reacción no es apropiada. Aunque siempre ha sido extraño. Vive en Nueva Hampshire, en medio del campo. Decía que era idea de su mujer, pero cuando ella murió, no se fue a otra parte. Sigue viviendo allí, con su segunda esposa. No sé. Cada uno es como es, supongo.

—Su segunda esposa parece una mujer sensata.

—Oh, es un escanto. Adoptó a los hijos y los trata como propios. Cuando se casaron yo temía que fuera demasiado para ella, pero se adaptó a las mil maravillas. **Ha sido un golpe terrible enterarse de que Michelle tenía leucemia, pero creo que reaccionará mejor que Charles. Por eso se lo dije primero, en realidad.**

—Tal vez deberíamos hablar con ella un momento —sugirió Keitzman—. ¿Qué le parece?

—Intentémoslo. —El doctor Wiley se volvió al puesto de enfermeras—. ¡Señorita Shannon! ¿Puede venir un momento?

La enfermera encargada se acercó a los dos médicos. El doctor Wiley le explicó que querían hablar con la señora Martel sin su marido, y le pidieron que tratara de arreglarlo.

Observaron cómo la señorita Shannon se encaminaba enérgicamente por el corredor. Después de un tic facial, el doctor Keitzman dijo:

—No hace falta decir que la niña está terriblemente enferma.

—Me di cuenta con el análisis de sangre —observó el doctor Wiley—, y me aseguré con el de médula.

—Puede llegar a ser un caso terminal muy rápido, me temo —afirmó Keitzman—. Creo que ya está afectado el sistema nervioso central. Lo que quiere decir que deberemos iniciar el tratamiento hoy mismo. Quiero que los doctores Nakano y Sheetman la vean de inmediato. Martel tiene razón en una cosa. Sus probabilidades de remisión son ínfimas.

—Aun así, hay que intentarlo —dijo Wiley—. En momentos como éste, no le envidio su especialidad.

—Por supuesto que lo intentaré —señaló el doctor Keitzman—. Ah, aquí viene la señora Martel.

Cathryn había seguido a la señorita Shannon esperando a medias ver a Marge Schonhauser, pues la enfermera le había dicho que alguien preguntaba por ella. No se le ocurrió pensar en ninguna otra persona, ya que nadie más sabía que estaba en el hospital. Una vez que salió del cuarto de Michelle, la señorita Shannon le explicó que los médicos querían hablar con ella a solas. Le pareció un mal augurio.

—Gracias por venir —le dijo Wiley.

—De nada —Cathryn miró primero a uno de los médicos, luego inmediatamente al otro—. ¿Qué pasa?

—Se trata de su esposo —empezó a decir el doctor Keitzman con cautela. Hizo una pausa, escogiendo las palabras cuidadosamente.

—Nos preocupa que pueda interferir en el tratamiento de Michelle —agregó el doctor Wiley, terminando el pensamiento del otro médico—. Esto es duro para él. En primer lugar, sabe todo lo que hay que saber respecto a la enfermedad. Además, ya ha visto morir a otra persona amada, a pesar de la quimioterapia.

—No es que no entendamos sus sentimientos. Simplemente, creemos que Michelle debe tener todas las posibilidades de una remisión, a pesar de los efectos laterales.

Cathryn estudió los rasgos estrechos, de halcón, del doctor Keitzman, y la cara ancha y redonda del doctor Wiley. Eran muy diferentes físicamente, pero compartían la misma intensidad.

—No sé qué quieren que diga.

—Nos gustaría que nos diera una idea de su estado emocional —dijo Keitzman—. Nos gustaría tener una idea de lo que podemos esperar.

—A mí me parece que todo irá bien —les aseguró Cathryn—. Le costó mucho adaptarse cuando la muerte de su primera esposa, pero sé que nunca interfirió en el tratamiento.

—¿Pierde a menudo los estribos, como hoy? —preguntó Keitzman.

—Ha recibido un *shock* tremendo —explicó Cathryn—. Me parece comprensible. Además, desde la muerte de su primera esposa, la investigación sobre el cáncer ha sido su pasión.

—Una terrible ironía —dijo Wiley.

—¿Y ese estallido emocional de hoy? —preguntó el doctor Keitzman.

—Tiene su genio, sí —aceptó Cathryn—, pero por lo general sabe controlarlo.

—Bueno, eso es alentador. Tal vez no resulte tan

122

difícil, después de todo. Gracias, señora Martel. Nos ha ayudado muchísimo. Sé que usted también ha sufrido un terrible *shock*. Perdone si hemos dicho algo que haya podido perturbarla. Haremos todo lo posible por Michelle, se lo aseguro. —Volviéndose al doctor Wiley, dijo—: Tengo que echar a andar la maquinaria. Luego hablaré con usted. —Empezó a caminar de inmediato, casi a correr, y en seguida desapareció.

—Tiene unos gestos algo extraños —observó Wiley—, pero no existe mejor oncólogo. Es una de las dos eminencias mundiales en leucemia infantil.

—Llegué a temer que nos abandonara cuando Charles empezó a actuar de esa manera —dijo Cathryn.

—No; es demasiado buen médico para hacer algo así —afirmó el doctor Wiley—. Está preocupado por Charles, por la actitud de su esposo hacia la quimioterapia, pues hay que iniciar un tratamiento agresivo de inmediato si se quiere lograr una remisión.

—Estoy segura de que Charles no interrumpirá el tratamiento.

—Esperemos que así sea —deseó Wiley—. Dependeremos de su fortaleza, Cathryn.

—¿Mi fortaleza? —preguntó Cathryn, sorprendida—. Los hospitales y los problemas médicos no son mis puntos fuertes.

—Mucho me temo que deberá sobreponerse a eso —dijo el doctor Wiley—. La trayectoria clínica de este caso será muy difícil.

En ese momento, Cathryn vio a Charles que salía del cuarto de Michelle. El también la vio y se dirigió hacia el puesto de las enfermeras. Cathryn corrió a su encuentro. Se abrazaron en silencio, fortaleciéndose mutuamente. Cuando se separaron y fueron hacia el doctor Wiley, Charles demostraba un mayor control.

—Es una buena chica —dijo—. Por Dios, sólo le preocupa tener que quedarse a dormir aquí. Dice que quiere estar en casa para preparar el zumo de naranja para el desayuno. ¿Qué te parece?

—Se siente responsable —afirmó Cathryn—. Hasta que yo llegué, ella era la única mujer de la casa. Teme perderte, Charles.

—Es sorprendente lo que uno ignora acerca de sus propios hijos. Le he preguntado si le importaba que yo volviera al laboratorio. Ha dicho que no, siempre que tú te quedes, Cathryn.

Cathryn se conmovió.

—Camino del hospital hemos tenido una pequeña charla, y por primera vez he sentido que me aceptaba.

—Tiene suerte que estés tú. Y yo también. Espero que no te moleste, pero tengo que dejarte. Quiero que entiendas. Me siento tan impotente, que tengo que hacer algo —explicó Charles.

—Entiendo —dijo Cathryn—. Creo que tienes razón. No puedes hacer nada ahora, y será mejor que te ocupes de otra cosa. Tendré mucho gusto en quedarme. Llamaré a mi madre. Le diré que venga y se ocupe de todo.

El doctor Wiley vio que la pareja se acercaba, satisfecho al notar su cariño y apoyo mutuos. El hecho de que reconocieran su dolor y lo compartieran era saludable. Era un buen signo, alentador. Sonrió, un poco perdido, pues no sabía qué decir. Debía volver a su consultorio, que estaría hecho un caos, pero deseaba permanecer allí por si lo necesitaban.

—¿No tiene un poco de sangre de Michelle? —preguntó Charles. Su voz sonaba profesional.

—Es posible —contestó Wiley. No esperaba esa pregunta. Charles tenía la extraña condición de desconcertarlo.

—¿Dónde la tiene? —preguntó Charles.

—En el laboratorio clínico.

—Muy bien. Vamos.

Charles empezó a caminar hacia el ascensor.

—Me quedo con Michelle —dijo Cathryn—. Te llamaré si hay noticias. De lo contrario, te veré en casa a la hora de cenar.

—Muy bien.

Echó a andar, decidido.

Confundido, el doctor Wiley lo siguió, despidiéndose rápidamente de Cathryn con una inclinación de cabeza. La tranquilidad que había sentido respecto a Charles empezaba a resquebrajarse rápidamente. Su estado de ánimo, al parecer, había entrado en una nueva y curiosa tangente. ¿La sangre de su hija? Bueno, era médico.

6

Charles se apresuró a cruzar el vestíbulo del Instituto Weinburger. Aferraba el frasco que contenía la sangre de Michelle e ignoró los saludos de la recatada recepcionista y del guardia de seguridad. Corrió por el pasillo a su laboratorio.

—Gracias por volver —se burló Ellen—. Me hubiera venido bien que me ayudaras a inyectar Cancerán a los ratones.

Charles la ignoró y llevó el frasco de sangre al aparato que usaban para separar los componentes celulares. Empezó el complicado proceso.

Ellen se agachó para observarlo por debajo de los estantes de vidrio.

—¡Eh! —gritó—. Te he dicho que me hubiera venido bien...

Charles conectó una bomba circulatoria.

Ellen se acercó, secándose las manos curiosa por ver el objeto de la obvia e intensa concentración de Charles.

—He terminado de inyectar al primer grupo de ratones —repitió cuando estuvo al lado de Charles, segura de que la oía.

—Espléndido —dijo Charles, sin interés. Cuidadosamente introdujo una parte de la sangre de Michelle en la máquina. Luego accionó el compresor.

127

—¿Qué estás haciendo? —preguntó Ellen, que no se perdía ningún movimiento.

—Michelle tiene leucemia mieloblástica —Lo dijo sin expresión, como si estuviera dando el informe sobre el tiempo.

—¡Oh, no! —exclamo Ellen, con voz entrecortada—. Charles, lo siento tanto. —Sintió ganas de acercarse y consolarlo, pero se contuvo

—Sorprendente, ¿verdad? —comento Charles, con una risita—. Si los desastres del día se hubieran mantenido circunscritos a los problemas del Weinburger, probablemente me echaría a llorar. Pero con la enfermedad de Michelle, todo es abrumador. ¡Dios mío!

La risa de Charles era hueca, pero aun así le pareció fuera de lugar a Ellen.

—¿Estás bien? —preguntó ella.

—Espléndidamente —contestó Charles mientras abría la pequeña nevera para sacar unos reactivos clínicos.

—¿Cómo se encuentra Michelle?

—Bastante bien ahora, pero no tiene idea de lo que le espera. Va a ser muy, muy duro.

Ellen no encontró qué decir. Se limitó a observar cómo Charles completaba el análisis. Finalmente pudo hablar.

—Charles, ¿qué estás haciendo?

—Tengo un poco de sangre de Michelle. Veré si nuestro método de aislar antígenos cancerosos funciona en sus células leucémicas. Eso me da la sensación, equivocada claro, de que estoy haciendo algo por ella.

—Oh, Charles —exclamó Ellen con simpatía. Había algo muy triste en la manera en que él reconocía su vulnerabilidad. Ellen sabía que era un hombre sumamente activo, y también que durante la enfermedad de Elizabeth lo que más lo había atormentado era su sentimiento de impotencia. Se había visto obligado a cruzarse de brazos mientras veía cómo moría su mujer. ¡Y ahora Michelle!

—He decidido que no interrumpiremos nuestro trabajo —dijo Charles—. Continuaremos mientras trabajemos con el Cancerán. De noche, si es necesario.

—Pero Morrison se muestra muy insistente en que sólo nos concentremos en el proyecto Cancerán —señaló Ellen—. En realidad, ha venido a decirlo cuando tú no estabas. —Durante un momento, Ellen se debatió pensando si debía contar a Charles la verdadera razón por la que había ido Morrison, pero con todo lo ocurrido tuvo miedo de decírselo.

—Me importa un pito lo que dice Morrison. Con la enfermedad de Michelle el cáncer ha vuelto a convertirse en algo más que un concepto metafísico para mí. Nuestro proyecto promete mucho más que el desarrollo de un simple agente quimioterapéutico más. Por otra parte, Morrison no necesita enterarse de lo que hacemos. Trabajaremos con Cancerán, y eso lo pondrá contento.

—No sé si te das cuenta de lo importante que es este proyecto para la administración del instituto —dijo Ellen—. Realmente me parece que no es aconsejable oponerse a ellos en esto, sobre todo cuando la razón es personal.

Durante un momento Charles se quedó helado, luego estalló. Dio un golpe con la mano abierta sobre el mostrador con tanta fuerza que varias redomas cayeron de los estantes superiores.

—Basta ya —grito, acompañando el golpe—. He soportado bastante a los que me dicen lo que tengo que hacer. Si no quieres trabajar conmigo, vete a la mierda.

Bruscamente Charles volvió a ocuparse en lo que estaba haciendo, pasándose los dedos con nerviosismo por el pelo. Durante unos momentos trabajó en silencio, luego, sin volverse, dijo:

—No te quedes ahí sin hacer nada. Alcánzame los nucleótidos marcados radiactivos.

Ellen se dirigió al área donde estaban las sustancias radiactivas. Al abrir la cerradura se dio cuenta de que le temblaban las manos. Era evidente que Charles apenas lograba controlarse. Se preguntó qué le iba a decir al doctor Morrison. Estaba segura de que le quería decir algo, pues a medida que disminuía su temor, aumentaba su furia. Charles no tenía excusa para tratarla de esa manera. No era una sirvienta.

Le alcanzó los productos químicos y los dispuso sobre el mostrador.

—Gracias —dijo él, simplemente, como si nada hubiera sucedido—. En cuanto tengamos unos linfocitos B, quiero incubarlos con los nucleóticos y algunas de las células leucémicas.

Ellen asintió. No podía seguir el paso a esos cambios emocionales tan rápidos.

—Mientras venía en el coche hasta aquí, he tenido una inspiración —prosiguió Charles—. El mayor obstáculo en nuestro trabajo ha sido el factor de bloqueo y nuestra imposibilidad de lograr una reacción de anticuerpos al antígeno canceroso en el animal enfermo. Pues tengo una idea: estaba tratando de pensar en alguna forma de ahorrar tiempo. ¿Por qué no inyectar el antígeno canceroso a un animal emparentado, no canceroso, en el que podemos estar seguros de una reacción de anticuerpos? ¿Qué te parece?

Ellen escrutó la cara de Charles. En cuestión de segundos se había transformado; ya no era un niño furioso, sino un investigador dedicado. Supuso que ésa era la forma en que funcionaba ante la tragedia de Michelle.

Sin esperar respuesta, Charles prosiguió:

—En cuanto el animal no canceroso sea inmune al antígeno canceroso, aislaremos los linfocitos T responsables, purificaremos el factor de transferencia proteico y transferiremos sensibilidad al animal canceroso. Es tan simple, fundamentalmente, que no entiendo cómo no hemos pensado antes en ello. Bueno... ¿cuál es tu impresión?

Ellen se encogió de hombros. En realidad, tenía miedo de hablar. Si bien la premisa básica parecía promisoria, ella sabía que el misterioso factor de transferencia no funcionaba bien en el sistema de los animales que ellos estaban utilizando; funcionaba mejor en las personas. Sin embargo, los problemas técnicos no eran lo que la preocupaba en ese momento. Estaba pensando si sería demasiado obvio excusarse para ir directamente a ver al doctor Morrison.

—¿Por qué no buscas el polietilenglicol? —dijo Charles—. Necesitaremos el equipo para producir un hibridoma con los linfocitos T de Michelle. Llama también al cuarto de animales para decirles que necesitamos una nueva cepa de ratones para inyectarles el antígeno de tumor mamario. Ojalá hubiera más de veinticuatro horas al día.

—Pásame el puré —dijo Jean Paul luego de debatir consigo mismo durante varios minutos si debía romper el silencio que había descendido sobre la mesa de la cena. Nadie había dicho ni una palabra después de su anuncio de que el pato que había puesto en el garaje estaba «más muerto que una piedra». Por fin, el hambre lo decidió a hablar.

—Tú pásame las chuletas de cerdo —dijo Chuck, sacudiendo la cabeza para apartarse el pelo de los ojos.

Los muchachos intercambiaron las fuentes. Se oyó el tintineo de la porcelana.

Gina Lorenzo, la madre de Cathryn, examinó a la familia de su hija. Cathryn era parecida a ella. Ambas tenían la misma prominencia ósea cerca del puente de la nariz y la misma boca grande, expresiva. La diferencia principal, aparte de los veinte años que se llevaban, era la voluminosidad de Gina. Reconocía que tenía diez kilos de más, pero en realidad, eran más de treinta. Las pastas eran la pasión de Gina, y no era de las que se negaban nada.

Levantando la fuente de *fettucini*, hizo un gesto como si fuera a servir más en el plato de Cathryn, que estaba sin tocar.

—Necesitas alimentarte.

Obligándose a sonreír, Cathryn sacudió la cabeza.

—¿Qué te pasa? ¿No te gusta? —preguntó Gina.

—Están exquisitos. Pero no tengo hambre.

—Debes comer —decidió Gina—. Y tú también, Charles.

Charles asintió.

—He traído *cannoli* para el postre —dijo Gina.

—¡Estupendo! —exclamó Jean Paul.

Obedientemente, Charles se llevó a la boca un bocado de *fettucini*, pero su estómago se rebeló. Le costó trabajo tragarlos. La realidad de los desastres del día lo golpeó con la fuerza de un huracán una vez que salió del ambiente agitado que había creado en el laboratorio. El trabajo le había servido de anestesia emocional, y lamentó que llegara el momento de ir a buscar a Chuck para volver a casa. Por otra parte, Chuck no ayudó en nada. Charles esperó a que salieran del pesado tránsito de Boston para decirle a su hijo que su hermana padecía una forma mala de leucemia. La reacción de Chuck fue un «¡Oh!» seguido de silencio. Después preguntó si existía alguna probabilidad de que él se contagiara.

En ese momento, Charles no dijo nada. Simplemente, aferró el volante con más fuerza, maravillado por la insondable profundidad del egoísmo de su hijo. Chuck no preguntó ni una sola vez cómo estaba Michelle. Mientras lo veía engullir las costillas de cerdo, sintió ganas de echarlo a patadas de su casa.

Sin embargo, Charles no se movió. En cambio, empezó a masticar lentamente los *fettucini*, turbado por sus propios pensamientos. Chuck era inmaduro. Jean Paul, al menos, había reaccionado de manera apropiada. Lloró, y luego preguntó cuándo vendría Michelle a casa, y si podía ir a verla. Un buen chico.

Charles miró a Cathryn, que mantenía la cabeza gacha y revolvía la comida con el tenedor, desparramándola sobre el plato para simular ante su madre que comía. Dio gracias por tenerla. No hubiera podido hacer frente solo a la enfermedad de Michelle. Al mismo tiempo, sabía que era muy difícil para ella. Por esa razón no había dicho nada acerca de sus problemas en el instituto, ni pensaba hacerlo. Bastantes preocupaciones tenía ya Cathryn.

—Come otra costilla, Charles —rogó Gina, acercando la fuente y sirviéndole otra, sin ceremonia, en el plato lleno.

Había tratado de decirle que no, pero la costilla

ya estaba en el plato. Cerró los ojos, tratando de conservar la calma. Incluso en las mejores circunstancias, Charles encontraba molesta a Gina, sobre todo debido a que la mujer no había ocultado nunca su desagrado cuando su única hija se casó con un hombre trece años mayor, y con tres hijos. Charles oyó de nuevo el suave sonido y abrió los ojos: la montaña de *fettucini* había crecido.

—Muy bien —dijo Gina—. Te hace falta un poco más de carne alrededor de los huesos.

Charles estuvo a punto de devolver una cucharada de *fettucini* a la fuente, pero se contuvo.

—¿Cómo saben que Michelle tiene leucemia? —preguntó Jean Paul con candidez.

Todos se volvieron hacia Charles. Querían hacer la misma pregunta, pero no se habían atrevido.

—Le hicieron análisis de sangre y de médula.

—¿De médula? —preguntó Chuck con repugnancia—. ¿Cómo se consigue médula para un análisis?

Charles miró a su hijo, sorprendido por la cualidad que tenía de irritarlo. Para los demás, la pregunta de Chuck podía parecer inocente, pero Charles estaba seguro de que la motivaba una curiosidad morbosa y no la preocupación por su hermana.

—Se consigue introduciendo una aguja de calibre grande en el esternón o en el hueso de la cadera, y succionando —dijo Charles con la esperanza de que Chuck compadeciera a su hermana.

—¡Uf! —exclamó Chuck—. ¿Duele?

—Muchísimo —dijo Charles.

Cathryn sintió una punzada imaginaria de dolor y se puso tensa. Recordó que era ella la que había dado el consentimiento para el análisis.

—¡Dios! —volvió a exclamar Chuck—. Yo no permitiré nunca que me saquen médula.

—Yo no estaría tan seguro —dijo Charles, sin pensar—. El médico de Michelle quiere analizar el tipo de tejido que tienen sus dos hermanos. Existe la posibilidad de que uno de vosotros sea compatible con Michelle y pueda ser donante de plaquetas, granulocitos, e incluso de un trasplante de médula.

—¡Yo no! —estalló Chuck, dejando el tenedor—.

¡Nadie me va a clavar una aguja en los huesos! ¡De ninguna manera!

Charles puso los codos sobre la mesa con lentitud y se inclinó hacia Chuck.

—No te estoy preguntando si estás interesado, Chuck. Te estoy comunicando que irás al hospital pediátrico para que examinen tu tipo de tejido. ¿Entendido?

—Este no es tema de discusión para la mesa —interrumpió Cathryn.

—¿Me meterán una aguja en el hueso, en serio? —preguntó Jean Paul.

—¡Charles, por favor! —gritó Cathryn—. ¡Esa no es manera de hablar a Chuck sobre el asunto!

—¿No? Pues estoy harto de su egoísmo —exclamó Charles—. No ha dicho ni una sola palabra que exprese preocupación por Michelle.

—¿Y por qué yo? —gritó Chuck—. ¿Por qué tengo que ser donante? Tú eres el padre. ¿Por qué no eres un donante tú, o es que los grandes figurones no pueden donar médula?

Charles se puso de pie de un salto, cegado por la furia, y señaló a Chuck con su dedo tembloroso.

—¡Eres tan egoísta como ignorante! Se supone que has estudiado biología. El padre sólo dona la mitad de sus cromosomas a sus hijos. De ninguna manera podría yo coincidir con Michelle. Si pudiera, tomaría su lugar.

—¡Seguro, seguro! —dijo Chuck, desafiándolo—. Es fácil hablar.

Charles empezó a caminar alrededor de la mesa, pero Cathryn se puso de pie y lo detuvo.

—¡Charles, por favor! —dijo, echándose a llorar—. Ten calma.

Chuck se quedó helado en su asiento, aferrándose a la silla con las dos manos. Se dio cuenta de que Cathryn se interponía entre él y el desastre.

—En el nombre del Padre, del Hijo y del Espíritu Santo —murmuró Gina, santiguándose—. ¡Charles! Pide perdón al Señor. No incites al diablo.

—¡Por Dios! —gritó Charles—. ¡Ahora me sermonean!

—¡No tientes al Señor! —dijo Gina, con convicción.

—¡Dios se puede ir al diablo! —gritó Charles,
soltándose de las manos de Cathryn—. ¿Qué clase
de Dios envía una leucemia a una inofensiva niña
de doce años?

—No puedes cuestionar la voluntad de Dios —declaró Gina, solemne.

—¡Mamá! —exclamó Cathryn—. Ya es suficiente.

Charles se había puesto colorado. Musitó algunas
palabras ininteligibles y dio media vuelta. Abrió de
un golpe la puerta de atrás, y salió de la casa. La
puerta se cerró con otro golpe, sacudiendo los adornos de la habitación.

Inmediatamente, Cathryn se serenó, por consideración hacia los muchachos, y se ocupó de quitar la
mesa, desviando la cara.

—¡Qué blasfemia! —dijo Gina con voz incrédula.
Se apretaba el pecho con la mano—. Me temo que
Charles se haya entregado al demonio.

—¿Por qué no comemos los *cannoli*? —preguntó
Jean Paul, llevando su plato al fregadero.

Al marcharse su padre. Chuck se sintió regoci-
jado. Ahora sabía que podía hacer frente y ganar.
Mientras observaba cómo Cathryn quitaba la mesa,
trató de atraer su atención. Debía de haber notado
que él no había cedido y, ciertamente, él se daba
cuenta de que ella lo había apoyado. Haciendo hacia
atrás la silla, llevó su plato al fregadero, abrió el
grifo y, servicial, dejó que le cayera el agua.

Charles huyó de la casa con la única finalidad
de escapar de la exasperante atmósfera. Se encaminó hacia la laguna aplastando ruidosamente la
nieve endurecida. Como de costumbre, el tiempo de
Nueva Inglaterra había cambiado por completo. Al
llegar al mar, la tormenta del nordeste había sido
reemplazada por un frente ártico que todo lo congelaba a su paso. A pesar de haber corrido, Charles
sentía un frío terrible, pues no había tenido tiempo
de buscar un abrigo. Sin una decisión consciente,

135

se dirigió a la casa de muñecas de Michelle y notó que, efectivamente, el cambio de viento había eliminado el olor proveniente de la fábrica. ¡Gracias a Dios!

Después de golpear el suelo con los pies para quitarse la nieve, Charles se agachó y entró en la diminuta casa. El interior tenía tres metros de largo. Una arcada central lo dividía en dos: la salita, con un asiento empotrado, tapizado, y la cocina, con una mesita y un fregadero. La casita tenía agua corriente (en verano) y un enchufe eléctrico. Entre los seis y nueve años, Michelle le había preparado el té allí, los domingos por la tarde durante el verano. El calentador eléctrico que usaba con tal propósito funcionaba todavía; Charles lo enchufó para que diera un poco de calor.

Se sentó, estiró las piernas y las cruzó para conservar todo el calor corporal posible. Aun así, pronto empezó a temblar. La casa de muñecas era sólo un refugio contra el viento helado, no contra el frío.

Cuando la soledad comenzó a surtir el efecto deseado, Charles se calmó rápidamente, y reconoció que había tratado mal a Chuck. Sabía que aún no había logrado asimilar los hechos ocurridos ese desastroso día. Se sorprendió al pensar cómo durante los últimos años se había permitido engañarse, infundiéndose un falso sentimiento de seguridad. Pensó en esa mañana, cuando le hizo el amor a Cathryn. En doce horas, nada más, se habían desmoronado los cimientos de su mundo, tan cuidadosamente organizado.

Inclinado hacia delante para poder ver por la pequeña ventana de la fachada, Charles contempló la bóveda del cielo. Era una noche clara, tachonada de estrellas, y se alcanzaba a ver algunas galaxias. La vista era hermosa pero sin vida. De repente, Charles se sintió embargado por una sensación de futilidad y soledad. Se le llenaron los ojos de lágrimas, y se hizo atrás para no ver más la terrible belleza del cielo invernal. Dirigió la vista al paisaje nevado de la laguna. Frente a él se extendía la zona de agua sin congelar acerca de la cual Jean Paul le había estado haciendo preguntas esa mañana.

Charles se quedó alelado al ver la profundidad de su soledad. Era como si ya le hubieran quitado a Michelle. No logró comprender su estado de ánimo, aunque supuso que tenía que ver algo con la culpa. Debería haberse ocupado más de los síntomas de Michelle, de su familia. Es que sus investigaciones habían avanzado tan lentamente...

Ojalá pudiera dejar todo de lado y dedicarse de lleno a su proyecto. Tal vez pudiera descubrir una cura para Michelle. Sabía, sin embargo, que era un objetivo imposible. Por otra parte, no podía oponerse al doctor Ibáñez tan abiertamente. No podía darse el lujo de quedarse sin empleo o sin laboratorio. De repente, Charles comprendió la inteligencia de los directores al ponerlo al frente del proyecto Cancerán. No era popular debido a su falta de ortodoxia, pero se lo respetaba por su habilidad científica. Charles otorgaba al proyecto la legitimidad que necesitaba, y era un chivo expiatorio perfecto si llegaba a fracasar. Había sido una decisión genial por parte de la administración.

Charles oyó en la distancia la voz de Cathryn que lo llamaba. En el aire helado el sonido era casi metálico. No se movió. Un minuto tenía ganas de llorar, casi en seguida se sentía tan débil que cualquier tipo de actividad física le resultaba imposible. ¿Qué haría con respecto a Michelle? Si no había posibilidad de remisión, ¿podría ver cómo sufría a causa del tratamiento?

Se acercó a la ventana y limpió el vidrio, empañado por su aliento. Por la parte despejada podía ver la capa de nieve, azul plateada, y la extensión de agua frente a él. La temperatura era de varios grados bajo cero. Pensó en el agua. Esa mañana le había explicado a Jean Paul que el agua no se congelaba debido a la corriente. Sin embargo, eso podía ocurrir cuando la temperatura estaba un poco por encima del punto de congelación. Ahora estaría unos quince grados por debajo. ¿Habría mucha corriente en esa época del año? En la primavera, cuando se derretía la nieve en la montaña del norte, el río se volvía muy impetuoso y el estanque aumentaba su caudal y crecía casi medio metro. Entonces había corriente, pero ahora no.

De repente, Charles sintió un olor dulce y aromático. Se dio cuenta de que estaba allí desde el principio, sólo que en ese momento penetró en el plano de lo consciente. Un olor vagamente familiar, pero fuera de lugar. Estaba seguro de haberlo olido antes, pero ¿dónde?

Ansioso por distraerse, empezó a olfatear alrededor. Tenía la misma intensidad en las dos habitaciones, y era más fuerte cerca del suelo. Olfateando repetidas veces, Charles trató de localizar el olor en su memoria. De repente, se dio cuenta: ¡venía del laboratorio de química orgánica de sus años de universidad! Se trataba de un solvente orgánico, como benceno, tolueno o xileno. Pero ¿qué hacía en la casa de muñecas?

Charles salió a la noche, desafiando al viento helado, cortante como el filo de un cuchillo. Con la mano derecha apretó el suéter alrededor de su cuello. Afuera el olor disminuyó por el viento, pero al agacharse, a un costado de la casa, se dio cuenta de que provenía del barro parcialmente congelado que estaba alrededor y debajo de la estructura. Se dirigió a la orilla de la laguna, sacó un poco de agua con las dos manos y se la acercó a la nariz. No había ninguna duda: el olor provenía del estanque.

Echó a andar bordeando la curva que trazaba la laguna, hasta llegar al punto donde se juntaba con el brazo del río. Volvió a agacharse y se llevó un poco de agua a la nariz. El olor era más fuerte. Empezó a correr y siguió el brazo hasta su unión con el río Pawtomack. También estaba congelado. Volvió a llevar un poco de agua a la nariz. El olor era más intenso todavía. Procedía del río, indudablemente. Se puso de pie, tiritando y miró corriente arriba. Recycle Ltd., la planta de recuperación de productos de goma y plástico estaba allí. Charles sabía que el benceno se usaba como disolvente para la goma y el plástico.

¡Benceno!

Un pensamiento se apoderó de su mente. El benceno causa la leucemia. En realidad, causa la leucemia mieloblástica. Charles volvió la cabeza y siguió con la vista la senda de agua sin congelar. Llevaba directamente a la casita de muñecas: era allí donde Michelle pasaba la mayor parte del tiempo.

Como enloquecido, rompió a correr hacia la casa. Tropezó en la nieve despareja y se cayó de bruces, con las manos extendidas. No se hizo daño, excepto por un corte en la barbilla. Se puso de pie y siguió corriendo, pero más despacio.

Al llegar, subió los escalones a toda carrera y abrió la puerta de un golpe.

Cathryn, que estaba tensa, dio un alarido involuntario al ver a Charles entrar sin aliento en la cocina. Los platos que tenía en las manos se le resbalaron y se hicieron añicos en el suelo.

—Quiero un frasco —dijo Charles, jadeando. Hizo caso omiso de la reacción de su mujer.

Gina apareció en la puerta que daba al comedor, con el terror pintado en el rostro. Chuck surgio detrás de ella, y le dio un empujón para entrar en la cocina. Se interpuso entre Charles y Cathryn. No le importaba que su padre fuera más grande que él.

Charles respiraba con dificultad. Unos segundos después, pudo repetir su petición.

—¿Un frasco? —preguntó Cathryn, que había recuperado la compostura—. ¿Qué clase de frasco?

—De vidrio —dijo Charles—. Con una tapa hermética.

—¿Para qué? —le preguntó Cathryn. Le parecía una petición absurda.

—Para el agua de la laguna —explicó Charles.

Jean Paul apareció junto a Gina, que extendió el brazo para impedir que entrara en la cocina.

—¿Para qué quieres agua de la laguna? —preguntó Cathryn intrigada.

—¡Por Dios! —logró exclamar Charles—. ¿Se trata de un interrogatorio? —Se dirigió a la nevera.

Chuck intentó impedirle el paso, pero Charles lo

139

apartó de un golpe. Chuck dio un traspiés, y Cathryn lo tomó de un brazo para que no se cayera.

Charles se volvió al sentir la conmoción y vio a Cathryn conteniendo a su hijo.

—¿Qué demonios pasa aquí? —preguntó.

Chuck se debatió un momento, mientras miraba con furia a su padre.

Charles miró los rostros de todos, uno tras otro. Gina y Jean Paul parecían escandalizados; Chuck, furioso, y Cathryn, asustada. Ninguno hablaba. Era como la escena inmóvil de una película. Charles meneó la cabeza con incredulidad y volvió su atención a la nevera.

Sacó un frasco de zumo de naranja y cerró la puerta. Sin un momento de vacilación, vació el contenido en el fregadero, enjuagó el frasco con cuidado y luego descolgó su abrigo de piel de la percha. Al llegar a la puerta, se volvió a mirar a su familia. No se había movido nadie. Charles no tenía idea de lo que estaba pasando, pero como sabía lo que quería hacer, partió, cerrando la puerta tras la extraña escena.

Cathryn soltó a Chuck y miró hacia la puerta, sin expresión. Daba vueltas en su mente la perturbadora discusión que había sostenido con el doctor Keitzman y el doctor Wiley. Había pensado que sus preguntas con respecto a las emociones de Charles eran ridículas, pero ya no estaba tan segura. Salir de la casa, furioso, sin abrigo, y regresar media hora después, preso de gran excitación en busca de un frasco para llenarlo de agua de la laguna era, por lo menos, un proceder extraño.

—No hubiera permitido que te hiciera daño —dijo Chuck. Se echó atrás el pelo con mano nerviosa.

—¿Que me hiciera daño? —repitió Cathryn, sorprendida—. ¡Tu padre no va a hacerme daño!

—Yo me temo que el diablo se ha apoderado de su cuerpo —dijo Gina—. Cuando eso pasa, nunca se sabe lo que puede suceder.

—¡Madre, por favor! —exclamó Cathryn.

—¿Estará al borde de un colapso nervioso? —preguntó Jean Paul, con sorna, desde la puerta.

—Ya lo tiene —respondió Chuck.

—Basta ya —ordenó Cathryn con severidad—. No voy a admitir que le faltéis al respeto a vuestro padre. La enfermedad de Michelle lo ha perturbado.

Cathryn se fijó en los platos rotos. ¿Estaría Charles a punto de tener un colapso nervioso? Decidió discutir esa posibilidad con el doctor Wiley a la mañana siguiente. Era una idea aterrorizante.

Charles se acercó al borde del agua cruzando cautelosamente el barro medio congelado, y llenó el frasco. Cerró con fuerza la tapa de rosca y regresó a la casa.

Aunque lo repentino de su regreso sorprendió a Cathryn, no fue como la vez anterior. Cuando Charles se acercó a la nevera, Cathryn logró reaccionar. Caminó hacia él y lo tomó de un brazo.

—Dime qué estás haciendo, Charles.

—Hay benceno en la laguna —dijo Charles, soltándose de una sacudida. Puso el frasco lleno de agua en la nevera—. Se huele desde la casa de muñecas.

Dio media vuelta y se dirigió a la puerta. Cathryn corrió y pudo tomarlo del brazo.

—Charles, ¿adónde vas? ¿Qué te pasa?

Con innecesaria fuerza, Charles se soltó.

—Voy al edificio de Recycle. ¡Es de allí de donde viene ese benceno de mierda! Estoy seguro.

—Ya lo creo —respondió Chuck.

—Estaba —repuso Kathryn con leyenda—. No voy a admitir que le faltes al respeto a nuestro padre. Las enfermeras de los Michalitis no permitiréis...

Chuck se miró en los platos como pidiendo ayuda. Les a punto de estar un colapso nervioso. La ciudad estuvo con posibilidad con el doctor Winter, a la que quizá apuntaba, fue una idea aterrorizante.

Charles se acercó al borde del agua enrojando cautelosamente, quitándose medio, congelado, y llena al Frasco. Corrió con fuerza la faza de oro en tanto y lo tapó.

Aunque lo que tuvo de su interior sorprendió a Charlie, no le quiso como la ver antes. Cuando Charlie se acercó a la caverna, Chiburo le dio la totora.

Camino hasta ella lo tomó de las brazas.

—Dime qué cosas has leído, Charlie.

—Hay bastante en la lectura —dijo Charles, sin grandes ideas una atención. Pero Chiburo y Kathryn en la caverna—. Se tuerce desde la casa de las horas.

Dio la diavala y se dirigió a la puerta. Kathryn corrió y le pudo tomar la del brazo.

—Charlie, ¿adónde vas? ¿Qué te pasa?

—Es necesario hacer... quisiera saber aquí...

Vio al cabeza de Ricardo, las de alhaja también y vio el secreto de Michaelitis, estaba seguro.

7

Charles detuvo su automóvil frente a la cerca que rodeaba a Recycle Ltd., en la calle Main. El portón estaba sin llave ni candado, y pudo abrirlo con facilidad. Volvió al coche y entró en la zona de estacionamiento.

La tanda de operarios y personal nocturno no parecía muy numerosa, pues sólo había una media docena de coches desvencijados cerca de la entrada del viejo edificio de ladrillo. A la izquierda de la fábrica, las enormes pilas de neumáticos desechados se levantaban como montañas en miniatura, cubiertas de nieve. Entre los neumáticos usados y el edificio vio pilas más pequeñas de desperdicios de material plástico y vinilo. A la derecha de la fábrica había un solar vacío, lleno de desperdicios, interrumpido por una cerca que bajaba hasta el río Pawtomack. Más allá de la cerca, los edificios desiertos de la antigua hilandería se extendían unos cuatrocientos metros hacia el norte.

En cuanto bajó del coche, Charles se sintió envuelto por el mismo hedor que había rodeado la casa esa mañana. Le sorprendía que pudiera haber gente que viviera al oeste de la ciudad, que era la dirección de los vientos predominantes. Cerró el coche con llave y se dirigió a la entrada, cerrada con una sencilla puerta de aluminio. Encima se leía, en letras mayúsculas, RECYCLE LTD. PROHIBIDA LA ENTRADA. Pegada al interior del vidrio había una tarjeta que decía INFORMES, y un número de teléfono local.

Charles abrió la puerta, que no estaba cerrada con llave. Si el olor le había parecido fuerte afuera, dentro era insoportable. El aire pesado, cargado de sustancias químicas, lo hizo toser en el interior de una especie de oficina, un cuarto de paredes cubiertas de madera contrachapada, con un mostrador viejísimo, de formica, sobre el cual se veían un cesto de alambre, para correspondencia, y una campanilla de acero inoxidable, del tipo que se hace sonar con la palma de la mano. Eso fue lo que hizo Charles, pero el ruido apenas se oyó debido a los siseos y rugidos provenientes de la fábrica propiamente dicha.

Charles decidió probar la puerta interior. Al principio no se abría, pero al tirar con fuerza, se abrió hacia dentro. No bien lo hizo, se dio cuenta de por qué estaba aislada. Era como el acceso al mismo infierno. La combinación de hedor y ruido era insoportable.

Charles entró en un enorme recinto de dos pisos, insuficientemente iluminado y dominado por una fila de aparatos con aspecto de ollas a presión. Escalas de metal y andenes subían y se entrecruzaban en caótica confusión. Enormes cintas transportadoras que hacían un ruido infernal traían pilas de desperdicios de plástico y vinilo mezclados con toda suerte de desechos. Las primeras personas que vio fueron un par de hombres sudorosos, en camiseta, con la cara tiznada de negro, como mineros, que sacaban de las pilas objetos de vidrio, pedazos de madera y latas vacías.

—¿Está el gerente aquí? —gritó Charles, tratando de hacer oír su voz por encima del ruido.

Uno de los hombres levantó la mirada un instante, indicó que no oía, y luego volvió a su trabajo de selección. Aparentemente, la cinta transportadora no se detenía, y los operarios debían respetar su ritmo. Al final de la correa había un enorme alimentador

144

que, una vez lleno, se subía, se colocaba sobre una de las ollas a presión disponibles, y descargaba su contenido de desperdicios plásticos. Charles vio a un hombre con una gran cuchilla, en forma de cimitarra, subido a una especie de andén, que hacía un corte en dos bolsas de productos químicos, una blanca y la otra negra. Con un gran esfuerzo (o así parecía), vació el contenido de ambas en los hornos, levantando una enorme nube de humo. Por un momento, el hombre desapareció de la vista. Cuando reapareció, había cerrado la compuerta y activado la presión. Una mezcla de humo, olor y ruido invadió el recinto.

Charles no logró que nadie le prestara atención; sin embargo, nadie le pidió que se fuera, tampoco. Bordeó las cintas transportadoras, sin apartar los ojos del suelo, cubierto de basura y charcos de grasa y aceite. Pasó junto a una pared de bloques de cemento que protegía la maquinaria automática encargada de traer los neumáticos para ser fundidos. Era en esta zona donde se originaba el hedor que Charles asociaba con la fábrica. De cerca era mucho más fuerte.

Más allá de la pared, Charles encontró una jaula grande de alambre cerrada con un fuerte candado. Evidentemente se trataba de un espacio para depósito, pues se veían estantes con repuestos, herramientas y envases de productos químicos. Las paredes estaban hechas del mismo material de la cerca que rodeaba la fábrica. Charles se asió del alambre tejido para leer las etiquetas y rótulos de los envases. Encontró lo que buscaba justo frente a sus ojos. Había dos tambores de metal con la palabra «benceno» en los costados. También tenían las acostumbradas calcomanías de la calavera con los huesos cruzados que advertían que el contenido era venenoso. Al ver los tambores, Charles se sintió furioso nuevamente.

Una mano lo tomó por el hombro y él se volvió, quedando de espaldas contra el alambre tejido.

—¿En qué puedo servirlo? —gritó un hombre enorme, que trataba de hacerse oír por encima del ruido atronador de las máquinas. En cuanto habló, se oyó un silbido procedente de una de las ollas a presión, indicando que se había completado el ciclo. La conversación se hizo imposible. La olla se abrió y vomitó una cantidad enorme de plástico negro, viscoso y depolimerizado. Vertió el líquido caliente en cubas de enfriamiento, que despidieron oleadas de vapores acres.

Charles miró al hombre que tenía enfrente. Le llevaba una cabeza. Su cara gordinflona estaba cubierta de sudor y sus ojos parecían dos pequeños tajos. Estaba vestido igual que los otros hombres que había visto Charles. Su camiseta sin mangas recubría, con el tejido estirado, una panza de enormes dimensiones. Sostenía una herramienta, y Charles se fijó en sus abultados antebrazos en los que se veían tatuajes de bailarinas de hula-hula, hechos por un profesional. En el dorso de la mano izquierda había una svástica, que al parecer se había hecho él mismo.

En cuanto el nivel del ruido volvió a su intensidad normal, el operario volvió a hablar.

—¿Está inspeccionando nuestros productos químicos? —tuvo que gritar.

Charles asintió.

—Creo que necesitamos más carbono.

Charles se dio cuenta de que el hombre pensaba que él trabajaba allí.

—¿Y el benceno? —preguntó Charles a los gritos.

—Benceno tenemos de sobra. Viene en tambores de veinticinco litros.

—¿Qué hacen después de usarlo?

—¿Después de usarlo? Venga. Se lo voy a enseñar.

El hombre apoyó la herramienta contra la jaula de alambre y condujo a Charles a través del recinto principal, entre dos de los hornos gigantescos, donde el calor era intenso. Pasaron debajo de una especie de alero y entraron en un pasillo que los llevó a un comedor donde el ruido era un poco menos fuerte. Había dos mesas con sus bancos, una máquina expendedora de refrescos y otra de cigarrillos, y entre ambas, una ventana. El hombre llevó a Charles a la ventana y señaló afuera.

—¿Ve esos tanques?

Charles ahuecó las manos alrededor de los ojos y miró afuera. A unos quince metros, muy cerca de la orilla del río, había dos tanques cilíndricos. A pesar de la brillante luz de la luna, no alcanzó a ver los detalles.

—¿El benceno cae al agua? —preguntó Charles, volviéndose al operario.

—La mayoría es transportado en camiones Dios sabe dónde. Pero ya conoce a estas compañías de eliminación de desperdicios. Cuando los tanques se llenan, arrojamos lo que sobra al agua. No hay problema. Lo hacemos de noche, y la corriente lo arrastra todo. Va al mar. Si quiere saber la verdad —el hombre se inclinó hacia Charles, como para decirle un secreto— a mí me parece que estas compañías de eliminación de desperdicios también lo tiran todo al río. Y cobran una fortuna.

Charles sintió que se le endurecía la mandíbula. Imaginó a Michelle en la cama del hospital con las sondas.

—¿Dónde está el gerente? —preguntó, evidenciando su enojo.

—¿El gerente? —preguntó el operario. Miró a Charles con curiosidad.

—El capataz, o el encargado. El que esté a cargo —dijo Charles, cortante.

—El superintendente, quiere decir, Nat Archer. Está en la oficina.

—¿Dónde está la oficina? —le preguntó Charles.

El hombre lo miró con curiosidad, luego se volvió y desanduvo el camino hasta el recinto principal, donde le señaló una puerta con mirilla situada al final de un andén, en un nivel superior.

—Allá arriba —dijo simplemente.

Charles corrió a la escalerilla de metal, haciendo caso omiso del operario. El hombre lo observó un momento, luego se volvió y levantó el auricular de un teléfono interno.

Al llegar a la oficina, Charles vaciló un momento, luego puso la mano en el picaporte de la puerta. Esta se abrió fácilmente. Entró. La oficina era como una torre de vigía, con ventanas que daban a todas partes de la fábrica. Cuando Charles traspuso la puerta, Nat Archer se volvió, luego se puso de pie, sonriendo con evidente desconcierto.

Charles estaba a punto de gritarle, cuando se dio cuenta de que lo conocía. Era el padre de Steve Archer, un íntimo amigo de Jean Paul. Los Archer eran una de las pocas familias negras de Shaftesbury.

—¡Charles Martel! —exclamó Nat, extendiendo la mano—. ¡La última persona que esperaba ver cruzar esa puerta! —Nat era un hombre amigable, comunicativo, que se movía de una manera lenta y controlada, como un atleta.

Sorprendido al encontrar a alguien que conocía, Charles respondió, tartamudeando, que no se trataba de una visita de carácter social.

—Está bien —dijo Nat, observándolo con mayor detenimiento—. ¿Por qué no te sientas?

—Permaneceré de pie —dijo Charles—. Quiero saber quién es el propietario de Recycle Limitada.

Nat vaciló. Cuando volvió a hablar, lo hizo con cautela.

—La compañía matriz es Breur Chemical, de Nueva Jersey. ¿Por qué me lo preguntas?

—¿Quién es el gerente aquí?

—Harold Dawson, de Covered Bridge. Charles, me parece que deberías decirme de qué se trata todo esto. A lo mejor te puedo ahorrar alguna molestia.

Charles examinó al superintendente que se había cruzado de brazos, adoptando una postura rígida, a la defensiva, en contraste con la cordialidad inicial.

—Hoy le han diagnosticado leucemia a mi hija.

—Cuánto lo siento —murmuró Nat.

En su tono se mezclaban la confusión y la lástima.

—Eso me extraña —afirmó Charles—. Vosotros habéis estado arrojando benceno en el río. El benceno causa la leucemia.

—¿De qué estás hablando? Nosotros no hemos hecho tal cosa. Lo enviamos a otra parte.

—No me tragaré tus patrañas —contestó Charles, cortante.

—Me parece que lo mejor que puedes hacer es irte inmediatamente de aquí.

—Te diré lo que voy a hacer —contestó Charles, furioso—. Me encargaré de que esta fábrica de mierda sea cerrada.

—¿Qué te pasa? ¿Estás loco? Te he dicho que no arrojamos nada en el río.

—¡Ja, ja! Ese tipo de abajo, el de los brazos tatuados, me lo ha dicho. Muy claramente. Así que no trates de negarlo.

Nat Archer tomó el teléfono. Le dijo a Wally Crab que subiera inmediatamente a la oficina. Colgó el auricular y se volvió a Charles.

—Tienes que hacerte revisar la cabeza. Te metes en la fábrica en la mitad de la noche y empiezas a hablar de benceno. ¿Qué te pasa? ¿No dan nada bueno en la televisión esta noche? Siento mucho lo de tu hija. Pero meterte aquí sin permiso es demasiado.

—Esta fábrica es un peligro para toda la comunidad.

—Ah, ¿sí? No estoy seguro de que la comunidad esté de acuerdo contigo.

Wall Crab entró como si esperara toparse con un incendio. Al detenerse, resbaló.

—Wally, este hombre dice que tú le has dicho que arrojamos benceno en el río.

—¡Diablos, no! —exclamó Wally, sin aliento—. Le he dicho que el benceno se lo lleva la compañía de eliminación Draper Brothers.

—¡Mentiroso de mierda! —gritó Charles.

—A mí nadie me llama mentiroso de mierda —gruñó Wally, dando un paso hacia Charles.

—¡Basta! —gritó Nat, poniendo una mano sobre el pecho de Wally.

—Me ha dicho —gritó Charles, alzando un dedo acusador ante la furiosa cara de Wally— que cuando los tanques están demasiado llenos, los vacían en el río de noche. Eso es todo lo que necesito para hacer clausurar esta fábrica.

—¡Tranquilo! —gritó Nat, soltando a Wally y tomando a Charles de un brazo. Empezó a llevarlo hacia la puerta.

—¡Quítame las manos de encima! —estalló Charles, y se liberó. Luego le dio un empujón a Nat.

Nat recobró el equilibrio y empujó a Charles contra la pared de la pequeña oficina.

—No me vuelvas a tocar jamás —dijo Nat.

Charles tuvo la sensatez intuitiva de quedarse quieto.

—Y te voy a dar un consejo —agregó Nat—. No nos causes problemas. Has entrado sin permiso, y si vuelves a hacerlo, te arrepentirás. Ahora vete a la mierda, antes de que te echemos.

Durante un minuto, Charles dudó entre irse o pelear. Luego, al darse cuenta de que no tenía ninguna probabilidad de triunfo, dio media vuelta, bajó corriendo las escaleras de metal, haciendo un ruido atronador y cruzó el laberinto de pesadilla que era el piso principal. Atravesó la oficina y salió al exterior, donde se sintió agradecido por el aire frío y relativamente puro del estacionamiento. Una vez dentro del coche, pisó el acelerador despiadamente y salió disparado por el portón.

A medida que se alejaba de Recycle Ltd., iba desapareciendo su temor en proporción directa al aumento de su ira y humillación. Aferrado al volante, juró destruir esa planta a cualquier costo, por Michelle. Trató de pensar cómo lo haría, pero estaba demasiado furioso para aclarar su mente. El instituto tenía una asesoría jurídica. Tal vez comenzaría allí.

Salió de la carretera 301 y entró en el sendero de su casa a toda velocidad, levantando grava. El auto patinó primero en una dirección, luego en otra. Por el rabillo del ojo alcanzó a ver que se abrían las cortinas de encaje de una de las ventanas de la sala, y divisó el rostro de Cathryn durante un instante. Detuvo el coche, que volvió a patinar, justo frente a la galería de la parte posterior de la casa y apagó el motor.

Se quedó sentado en el automóvil, aferrado al volante, mientras oía cómo se iba enfriando el motor en el aire helado.

Conducir atolondradamente había servido para

calmarlo, dándole oportunidad para pensar. Quizá había sido una tontería irrumpir en Recycle Ltd. a esa hora de la noche, aunque debía reconocer que algo había logrado: sabía con exactitud de dónde provenía el benceno de la laguna. Sin embargo, pensaba ahora, lo esencial era encargarse de Michelle y decidir el tratamiento. Como científico sabía que la simple presencia de benceno en la laguna no era una prueba de que hubiera causado la leucemia de Michelle. Nadie había probado aún que el benceno causara la leucemia en las personas. Sí la causaba en los animales. Además, Charles reconoció que estaba utilizando a Recycle para desviar la hostilidad y la ira causadas por la enfermedad de su hija.

Bajó lentamente del coche. Pensaba que debía haber trabajado con mayor rapidez esos últimos cuatro o cinco años; entonces, tal vez habría podido tener algo que ofrecer a su hija. Sumido en sus pensamientos, se sobresaltó al toparse con Cathryn, que lo esperaba junto a la puerta. Tenía la cara húmeda de lágrimas, y le temblaba el pecho por el esfuerzo que hacía para controlar los sollozos.

—¿Qué pasa? —preguntó Charles, horrorizado. Pensó que le había ocurrido algo a Michelle.

—Ha llamado Nancy Schonhauser —pudo decir Cathryn—. Tad, pobrecito, ha muerto esta noche. Pobrecito.

Charles estrechó a su mujer entre los brazos, consolándola. Al principio se sintió aliviado, como si eso significara que Michelle se hubiera salvado. Luego recordó que el niño también vivía a orillas del río Pawtomack, igual que ellos, sólo que más cerca del pueblo.

—Quería ir a ver a Marge —prosiguió Cathryn—, pero está hospitalizada. Sufrió un colapso cuando le comunicaron lo de Tad. ¿No te parece que debería ir a su casa, a ver si puedo ayudar en algo?

Charles no la escuchaba. ¡El benceno causaba la anemia aplástica, además de la leucemia! Se había olvidado de Tad. Michelle ya no era un caso aislado de una enfermedad medular. Charles pensó si habría más víctimas entre las familias que vivían a lo largo

151

del Pawtomack. Toda la furia que había sentido antes volvió en una sola oleada de furor, y soltó abruptamente a Cathryn.

—¿Me has oído? —preguntó Cathryn, abandonada en el centro de la habitación. Vio cómo Charles se encaminaba a la guía telefónica, buscaba un número, y marcaba. Parecía haberse olvidado de su presencia—. Charles —dijo Cathryn—. Te he hecho una pregunta.

El la miró sin comprender, hasta que se produjo la conexión telefónica. Entonces dirigió su atención al aparato.

—¿Hablo con Harold Dawson? —preguntó.

—Sí —respondió el gerente.

—Me llamo Charles Martel. He estado en Recycle esta noche.

—Lo sé —contestó Harold—. Hace un rato me ha llamado Nat Archer. Siento mucho que lo hayan tratado con poca cortesía, pero habría sido deseable que hiciera su visita durante las horas de trabajo, en cuyo caso lo habría recibido yo.

—La falta de cortesía no me molesta —dijo Charles, cortante—. Sí me molesta que se arrojen desechos tóxicos, como el benceno en el río.

—Nosotros no vaciamos nada en el río —declaró Harold con énfasis—. Tenemos al día los permisos para operar con tóxicos.

—No me interesan los permisos —retrucó con sorna Charles—. Hay benceno en el río y uno de sus empleados dijo que Recycle vacía benceno en el río. El benceno es muy tóxico. Mi hija ha contraído leucemia y un niño que vive río arriba ha muerto hoy, víctima de anemia aplástica. Eso no es una coincidencia. Pienso clausurarles la planta. Ojalá que tengan buenos seguros.

—Usted está haciendo acusaciones disparatadas e irresponsables —señaló Harold, sin perder la calma—. Debo decirle que Recycle Limitada es una empresa muy poco rentable de la Corporación Breur, de productos químicos, que piensa que con esta planta presta un servicio a la comunidad. Le aseguro que, de lo contrario, ellos mismos la cerrarían.

—Es lo que se debe hacer, de cualquier manera —gritó Charles.

—Hay ciento ochenta trabajadores en su pueblo que no estarían de acuerdo —contestó Harold, perdiendo la paciencia—. Si causa dificultades, señor, le aseguro que se creará problemas.

—Yo... —empezó a decir Charles, pero se dio cuenta de que no había nadie en el otro extremo de la línea. Harold Dawson había colgado.

—¡Por Dios! —gritó Charles, agitando el auricular con furia.

Cathryn le quitó el teléfono y lo depositó en su lugar. Sólo había oído lo dicho por Charles, pero eso la había perturbado. Hizo sentar a su marido a la mesa de la cocina, y cuando apareció su madre, la ahuyentó. Cathryn aún tenía la cara húmeda, pero ya no lloraba.

—Es mejor que me cuentes lo del benceno —le dijo.

—Es veneno —dijo Charles, furioso—. Afecta a la médula ósea.

—¿No hay que ingerirlo para envenenarse?

—No. No es necesario. Basta inhalarlo. Se mete directamente en la corriente sanguínea. ¿Por qué tuve que hacer esa casa de muñecas allí?

—¿Y tú crees que puede haber causado la leucemia de Michelle?

—Por supuesto. Debe de haber estado ingiriendo benceno todo el tiempo, mientras jugaba allí. El benceno causa ese tipo raro de leucemia que tiene ella. Es demasiada coincidencia. Sobre todo, con la anemia aplástica de Tad.

—¿El benceno también puede haberla causado?

—Por supuesto.

—¿Y crees que Recycle ha estado echando benceno en el río?

—Eso lo sé. Lo he descubirto esta noche. Y van a pagar por ello. Haré que clausuren la planta.

—¿Cómo?

—No lo sé todavía. Mañana hablaré con alguien. Con la Dirección de Protección del Medio Ambiente. Alguien me escuchará.

Cathryn observó el rostro de Charles. Pensó en las preguntas que le habían hecho Keitzman y Wiley.

—Charles —dijo, haciendo acopio de valor—. Todo esto es muy interesante, tal vez importante, pero me parece que es inadecuado ocuparse de ello en este momento.

—¿Inadecuado? —repitió Charles, incrédulo.

—Sí —repuso Cathryn—. Acabamos de enterarnos de que Michelle tiene leucemia. Me parece que lo primero es ocuparse de ella y no de clausurar una fábrica. Siempre habrá tiempo para eso, pero Michelle te necesita ahora, en seguida.

Charles miró fijamente a su joven esposa. Era una luchadora, una persona que hacía frente a una situación difícil con un enorme esfuerzo. ¿Cómo podía esperar que ella entendiera que el fondo del asunto era, en realidad, el hecho de que él no podía ofrecer nada a su hija, excepto amor? Como investigador de cáncer sabía demasiado acerca de la enfermedad de Michelle. Como médico, no podía ser engañado por el despliegue de la medicina moderna, ni inducido a abrigar falsas esperanzas. Como padre, se sentía aterrorizado por lo que debería padecer su hija, pues ya había pasado por una situación similar con su primera esposa. Sin embargo, Charles era un hombre de acción. Debía hacer algo, y allí estaba Recycle Limitada y la posibilidad de no tener que afrontar la realidad de la enfermedad de Michelle y su propia situación ingrata en el Instituto Weinburger.

Charles sabía que no podía decirle todo eso a Cathryn porque ella probablemente no lo entendería. En caso de que lo entendiera, sólo conseguiría socavar sus esperanzas. A pesar del gran amor que sentían el uno por el otro, Charles se dio cuenta de que tendría que soportar el peso solo. Era una idea abrumadora. Se dejó caer en brazos de Cathryn.

—Ha sido un día terrible —susurró Cathryn, abrazándolo con todas sus fuerzas—. Ahora es mejor que nos vayamos a la cama y tratemos de dormir.

Charles asintió. Pensaba: «Si hubiera trabajado más rápido...»

154

Mediante un proceso tan gradual como imperceptible, Michelle tomó conciencia de que había más luz en su cuarto. La sombra que había encima de la ventana aparecía oscura, con un borde claro, en vez de blanca con borde oscuro. Junto con el incremento gradual en la iluminación, el día era anunciado por una mayor actividad en el corredor. La puerta de Michelle estaba entreabierta unos quince centímetros y el rayo de luz amarillenta que entraba llegó a ser un consuelo, aunque débil, durante la interminable noche.

¿Cuándo vendrían Charles o Cathryn? Ojalá fuera pronto, porque lo que más quería en el mundo era volver a su casa, a su dormitorio. No entendía por qué había tenido que quedarse en el hospital, pues después de la comida, que apenas probó, nadie le hizo nada, excepto mirarla y comprobar que estaba bien.

Michelle se sentó en el borde de la cama, balanceando las piernas. Cerró los ojos y se preparó para un mareo. El movimiento exacerbó la náusea que había sentido toda la noche. En una oportunidad había alcanzado a levantarse, pero se le formó tanta saliva debajo de la lengua que temió estar a punto de vomitar. Llegó al baño, se aferró a ambos lados del inodoro, pero no pasó nada. Después tuvo que recurrir a todas sus fuerzas para poder regresar a la cama.

Michelle estaba segura de no haber dormido nada. Además de las náuseas, sentía escalofríos y dolores en las articulaciones y en el abdomen. La fiebre se le había ido la tarde anterior, pero ahora le estaba subiendo de nuevo.

Lentamente, Michelle se deslizó de la cama hasta ponerse de pie, y se aferró al poste del suero. Tomándolo como bastón, empezó a arrastrarse hacia el baño. Todavía tenía el tubo de plástico en el brazo izquierdo, que mantenía lo más quieto posible. Sabía que había una aguja en el extremo del tubo y temía que, si movía el brazo, la aguja le hiciera daño.

Después de ir al cuarto de baño, Michelle volvió a la cama. No podía sentirse más triste y sola.

—Bueno, bueno —dijo, radiante, una enfermera pelirroja al entrar apresuradamente en el cuarto—. Ya estás despierta. ¡Qué niña más activa! —subió la persiana de un golpe, mostrando el nuevo día.

Michelle la observó sin decir nada.

La enfermera fue al otro lado de la cama y sacó un termómetro de un recipiente de acero inoxidable.

—¿Qué te pasa, se te ha comido la lengua el gato? —Agitó el termómetro, lo examinó, se inclinó y se lo metió en la boca—. Vuelvo en seguida.

Michelle esperó a que saliera la enfermera; entonces se sacó el termómetro de la boca. No quería que nadie supiera que todavía tenía fiebre, pues en ese caso la dejarían en el hospital. Mantuvo el termómetro en la mano derecha cerca de la cara, de modo que cuando volviera la enfermera pudiera metérselo en la boca rápidamente.

La siguiente persona que entró resultó ser una falsa alarma. Michelle se metió el termómetro en la boca, pero era un hombre con una chaqueta blanca sucia y montones de lápices en el bolsillo. Llevaba un cesto de alambre lleno de frasquitos con tapas de distintos colores. Unos tubos de goma salían por los agujeros del alambre. Michelle sabía lo que quería: sangre.

Lo observó, aterrorizada, mientras él hacía sus preparativos. Le rodeó el brazo con un tubo de goma, que apretó con tanta fuerza que a Michelle le dolieron los dedos. Con torpeza le pasó un algodón por la parte interior del codo, raspándole la zona sensible donde el día anterior le habían pinchado la aguja para sacarle sangre. Michelle tenía ganas de gritar, pero se limitó a volver la cabeza para esconder las lágrimas silenciosas. Sintió que le aflojaba la goma del brazo, lo que le causó tanto dolor como cuando se la puso. Oyó el ruido que hacía un tubo de vidrio al caer en el cesto de alambre. Luego sintió un nuevo dolor cuando le extrajeron la aguja. El hombre puso un algodón en el lugar del pinchazo, le dobló el brazo para que hiciera presión sobre el algodón, y recogió sus cosas. Partió sin decir ni una sola palabra.

Con un brazo que sostenía el algodón, y el otro con el tubo del suero, Michelle se sentía totalmente inmovilizada. Lentamente extendió el brazo. El algodón rodó, revelando un inocente puntito rojo rodeado por una zona negra azulada.

—Muy bien —dijo la enfermera pelirroja, entrando en el cuarto—. Veamos la temperatura.

Michelle recordó, con pánico, que aún tenía el termómetro en la boca.

La enfermera lo extrañó con destreza, anotó la temperatura y luego puso el termómetro en el recipiente de metal que había dejado sobre la mesita de noche.

—En seguida vendrá el desayuno —dijo alegremente, sin mencionar la temperatura de Michelle. Partió tan de repente como había venido.

«Papá, por favor, ven a sacarme de aquí —se dijo Michelle—. Date prisa.»

Charles sintió que lo sacudían de un hombro. Trató de no hacer caso, pues quería seguir durmiendo, pero continuaron sacudiéndolo. Al abrir los ojos vio a Cathryn, vestida ya con su bata, de pie junto a la cama, con una humeante taza de café. Charles se incorporó sobre un codo para recibir el café.

—Son las siete —dijo Cathryn con una sonrisa.

—¿Las siete? —Charles miró la esfera del reloj, pensando que dormir no era la mejor manera de acelerar el ritmo de sus investigaciones.

—Dormías tan profundamente que no me he atrevido a despertarte más temprano. —Cathryn lo besó en la frente—. Hay un inmenso desayuno aguardando abajo.

Charles se dio cuenta de que ella se esforzaba por mostrarse alegre.

—Disfruta de tu café —le dijo. Se encaminó a la puerta—. Gina se ha levantado y lo ha preparado todo antes de que yo me despertara.

Charles miró su taza de café. El hecho de que

157

Gina estuviera en casa ya era causa suficiente de fastidio. No quería sentirse agradecido hacia ella desde que abría los ojos, pero sabía que la mujer le preguntaría cómo estaba el café y sentiría una satisfacción triunfal por haberse levantado a prepararlo cuando todos los demás dormían todavía.

Meneó la cabeza. Ese tipo de pensamientos no eran los más adecuados para iniciar el día. Probó el café. Estaba caliente, aromático, estimulante. Reconoció que le gustaba y decidió decírselo a Gina antes de que ella pudiera preguntárselo. Luego le agradecería que se hubiera levantado antes que los demás, para no darle oportunidad a que ella lo dijera.

Con la taza de café en la mano, Charles recorrió el pasillo hasta el dormitorio de Michelle. Se detuvo junto a la puerta, luego la abrió lentamente. Había tenido el asomo de una ilusión de verla dormida en su cama, pero, por supuesto, su cama estaba hecha, sus libros y sus cosas arreglados. Todo perfectamente en orden. «Muy bien —se dijo, como si estuviera cerrando un trato con un árbitro poderoso—, tiene leucemia mieloblástica. Sólo pido que su caso reaccione al tratamiento corriente. Nada más.»

El desayuno resultó tenso, ensombrecido por el entusiasmo forzado de Gina y la reserva de Charles. Gina terminó hablando sin parar, y Charles en perfecto silencio. Cathryn interrumpía con planes complicados de lo que iba a hacer para arreglar esto o aquello. Charles se mantuvo fuera de las decisiones domésticas, concentrándose en su trabajo del instituto para ese día. Lo primero que quería hacer era inspeccionar los ratones inyectados con el antígeno canceroso para ver si presentaban señales de actividad inmunológica. Lo más probable era que no hubiera reacción, dado lo pequeña que había sido la dosis, por lo que se prepararía para darles otra esa tarde. Luego inspeccionaría los ratones a los que les habían inyectado Cancerán, y volvería a inyectarles otra dosis. A continuación empezaría a trabajar con una simulación computada de la manera en que suponía que funcionaba el factor de bloqueo.

—Charles, ¿te parece bien? —preguntó Cathryn.

—¿Qué? —preguntó él. No había escuchado la conversación.

—Yo iré contigo en el Pinto esta mañana, y me dejas en el hospital. Chuck llevará a Jean Paul en la camioneta, y seguirá viaje a la universidad. Gina se quedará a preparar la comida.

—Haré tu comida favorita —anunció Gina, entusiasmada—. *Gnocchi.*

¡Gnocchi! Charles ni siquiera sabía de qué se trataba.

—Si quiero volver antes —prosiguió Cathryn, dirigiéndose a Charles—, iré a la universidad a buscar la camioneta. Si no, te esperaré. ¿Qué te parece?

Charles no entendía cómo esos planes tan complicados podrían servir para mejorar las cosas. El viejo sistema, según el cual él llevaba a los muchachos y Cathryn se quedaba con la camioneta le parecía más sencillo, pero no dijo nada. En realidad, si quería quedarse a trabajar esa noche, era mejor que Chuck tuviera la camioneta, porque Cathryn podía volver con él por la tarde.

—Me parece bien —contestó, y se puso a observar a Chuck, que había adoptado su pose acostumbrada de los desayunos, y estudiaba la caja de cereales como si fuera la Biblia. Llevaba la misma ropa que el día anterior y tenía el mismo desagradable aspecto.

—Ayer me llamaron de la administración —dijo Charles.

—Sí, yo les di tu número —explicó Chuck, sin levantar la vista.

—Pedí un préstamo en el banco. Estará listo dentro de un par de días, y entonces pagaré la cuenta.

—Bien —dijo Chuck, dando la vuelta a la caja para poder estudiar los valores nutritivos del otro lado.

—¿Es eso todo lo que puedes decir? ¿«Bien»? —Charles volvió la mirada a Cathryn, como diciéndole «¿No te parece increíble?»

Chuck hizo como que no había oído la pregunta.

—Me parece que ya deberíamos irnos —señaló Cathryn, poniéndose de pie y levantando la leche y la mantequilla para guardarlas en la nevera.

—Déjalo todo —dijo Gina, magnánima—. Yo me encargaré de ello.

Charles y Cathryn fueron los primeros en salir. Un pálido sol invernal brillaba en el cielo, hacia el sudeste. Por más que dentro del coche hacía frío, Cathryn se alegró de resguardarse del penetrante viento.

—Maldición —exclamó Charles—, me he olvidado del agua de la laguna.

Para que Cathryn no se congelara, Charles encendió el motor, lo que no le resultó fácil, y luego volvió corriendo a la cocina a buscar el frasco con agua.

Antes de entrar y ponerse el cinturón de seguridad, colocó cuidadosamente el envase detrás de su asiento.

Cathryn observó todo el procedimiento seguido con el agua de la laguna con cierto recelo. Después de lo que le había dicho la noche anterior, esperaba que Charles se concentrara en Michelle.

Sin embargo, él se había comportado de forma extraña desde que ella lo despertara esa mañana. Cathryn tuvo la alarmante sensación de que su familia se estaba desintegrando.

Mientras observaba el silencioso perfil de su marido que conducía el coche, Cathryn empezó un sinfín de conversaciones que fue abandonando por razones diferentes, pero sobre todo porque temía una discusión que pudiera hacer perder la paciencia a Charles.

Cuando la ruta 301 se fusionó con la carretera interestatal 93, Cathryn finalmente se obligó a hablar:

—¿Cómo te encuentras hoy, Charles?

—¿Cómo? Oh, bien. Muy bien.

—Estás tan callado... Tú no eres así.

—Estoy pensando, eso es todo.

—¿En Michelle?

—Sí, y también en mi trabajo.

—Sigues pensando en Recycle, ¿no es así?

Charles la miró un instante, luego volvió a dirigir la atención a la carretera.

—Un poquito. Me parece que esa fábrica es una amenaza, si es a eso a lo que te refieres

—Charles, me ocultas algo, ¿verdad?

—No —contestó él, demasiado rápido—. ¿Por qué me lo preguntas?

—No lo sé —reconoció Cathryn—. Pareces tan distante desde que te enteraste de lo de Michelle... Cambias de humor con tanta facilidad... —Cathryn lo observó para ver su reacción ante su último comentario, pero él siguió conduciendo. Si hubo una reacción Cathryn no la notó.

—Supongo que tengo muchas cosas en qué pensar —dijo Charles.

—Las compartirás conmigo, ¿verdad, Charles? Para eso estoy. Por eso quise adoptar a los niños, para que lo compartiéramos todo. —Cathryn extendió una mano y la apoyó sobre el muslo de su marido.

Charles se concentró en la carretera. Cathryn había expresado una convicción que él había hecho suya hasta el día anterior. Ahora se daba cuenta de que no era posible compartirlo todo. Su formación de médico le había proporcionado experiencias que Cathryn no podía comprender. Si le decía lo que sabía acerca del curso de la enfermedad de Michelle, Cathryn se sentiría devastada.

Apartó una mano del volante y cubriendo con ella la mano de Cathryn, dijo:

—Los chicos no se dan cuenta de lo afortunados que son.

Anduvieron en silencio un rato. Cathryn no estaba satisfecha, pero no se le ocurría qué más podía decir. En la distancia, alcanzó a ver la parte superior del edificio Prudential.

El tráfico empezó a aumentar, y tuvieron que disminuir la velocidad a cincuenta y cinco kilómetros.

—No sé nada del examen del tipo de tejido y todas esas cosas —señaló Cathryn, rompiendo el silencio—. Sin embargo, me parece que no debemos obligar a Chuck a que haga algo que no quiere hacer.

Charles la miró furioso un instante.

—Estoy segura de que terminará aceptando —prosiguió ella al darse cuenta de que Charles no iba a decir nada—. Pero debe decidirlo él.

Charles quitó la mano de encima de la de Cathryn y tomó el volante con fuerza. La mera mención de Chuck era como atizar el fuego. Sin embargo, lo que decía Cathryn era verdad.

—No puedes obligar a nadie a que sea altruista —advirtió Cathryn—. Especialmente a Chuck, porque en su caso eso sólo serviría para fortalecer las preocupaciones que tiene con respecto a sí mismo, a su identidad.

—Lo único que le importa es él mismo —dijo Charles—. No dijo ni una sola palabra de preocupación por el estado de Michelle. Ni una sola.

—Siente, sin embargo —afirmó Cathryn—, sólo que le cuesta expresar sus sentimientos.

Charles se rió con cinismo.

—Ojalá pudiera creerlo. Es un maldito egoísta. ¿No has notado su reacción cuando le he dicho que había solicitado un préstamo para costear sus estudios?

—¿Qué esperabas que hiciera? ¿Que diera saltos de alegría? —preguntó Cathryn—. Esa matrícula tendría que haber sido pagada hace meses.

Charles apretó la mandíbula. «Muy bien —se dijo—. Quieres darle la razón a ese pequeño hijo de puta. Perfectamente.»

Cathryn se arrepintió inmediatamente de haber dicho eso, por más que fuera verdad. Extendió la mano y la puso sobre el hombro de Charles. Quería acercarlo, no ahuyentarlo.

—Lamento haber dicho eso, pero debes comprender que Chuck no tiene la misma personalidad que tú. No es competitivo ni tampoco muy apuesto. Sin embargo, en el fondo es un buen chico. Sólo que es muy difícil crecer bajo tu sombra.

Charles miró de soslayo a su mujer.

—Aunque no lo sepas —dijo Cathryn—, no es fácil seguirte. Has triunfado en todo lo que has emprendido.

Charles no compartía esa opinión. Podría haberle enumerado fácilmente una docena de episodios en los que había fracasado miserablemente. Pero no se trataba de eso, sino de Chuck.

162

—Ese chico es egoísta y holgazán, y estoy cansado de él. La forma en que ha reaccionado ante la enfermedad de Michelle era predecible.

—Tiene derecho a ser egoísta —afirmó Cathryn—. La universidad es una experiencia egoísta.

—Pues la está aprovechando, entonces.

Llegaron a un lugar donde debían ceder el paso antes de avanzar, donde la carretera 93 se encontraba con la autopista del sudeste y el paseo Storrow. Ninguno de los dos habló mientras avanzaban lentamente.

—No deberíamos preocuparnos por eso —señaló Cathryn por fin.

—Tienes razón —dijo Charles, con un suspiro—. Y tienes razón también en no obligar a Chuck. Pero si no lo hace, tendrá que esperar mucho hasta que vuelva a pagar la próxima cuota de la universidad.

Cathryn miró fijamente a su marido. Si eso no era coacción, no sabía entonces qué era.

Aunque a esa hora de la mañana había pocos visitantes, el hospital ya estaba en plena actividad, y Charles y Cathryn tuvieron que esquivar muchas sillas de ruedas que transportaban a pequeños pacientes, llevándolos a someterse a distintos análisis. Cathryn se sentía infinitamente más tranquila con Charles a su lado. Le traspiraban las palmas de las manos, como siempre: era el síntoma de su nerviosismo.

Cuando pasaron frente al bullicioso puesto de las enfermeras del sexto piso, la enfermera encargada los vio y los saludó con la mano. Charles se acercó al mostrador.

—Perdón —dijo Charles—. Soy el doctor Martel. Quiero saber si han empezado a suministrarle el tratamiento de quimioterapia a mi hija. —Logró mantener un tono natural e inexpresivo.

—Creo que sí —contestó la enfermera—, pero voy a comprobarlo.

El empleado, que había oído la conversación, le entregó la ficha de Michelle.

—Se le dio daunorubicina ayer por la tarde —ex·

plicó la enfermera—. Esta mañana le suministraron la primera dosis oral de cilarabina.

Los nombres le causaron impacto, pero Charles se obligó a seguir sonriendo. Conocía perfectamente los efectos secundarios de esas drogas, y la información parecía hacerle eco en la cabeza. «Por favor —se dijo—, que entre en remisión, por favor.» Charles sabía que, si eso iba a suceder, sucedería de inmediato. Le dio las gracias a la enfermera, se volvió, y se encaminó hacia el cuarto de Michelle. Cuanto más se acercaba, más nervioso se sentía. Se aflojó la corbata y se desabrochó el botón superior de la camisa.

—Qué bonito que han arreglado el hospital, para hacerlo más alegre —comentó Cathryn, que notaba por primera vez las calcomanías de animales.

Charles se detuvo un momento ante la puerta, haciendo un esfuerzo por tranquilizarse.

—Es éste —dijo Cathryn, que creía que Charles no estaba seguro del número del cuarto. Abrió la puerta y entró, casi arrastrando a Charles detrás de ella.

Michelle estaba sentada, recostada sobre varias almohadas. Al ver a Charles, se le contorsionó la cara, y se le saltaron unas lágrimas. Su aspecto impresionó a Charles. No podía creerlo, pero estaba más pálida aún que el día anterior. Tenía los ojos hundidos en las órbitas y rodeados por círculos negros, como amoratados por un golpe. Había un olor rancio a vómito.

Charles quería correr a abrazarla, pero no lograba moverse. El dolor lo tenía como clavado en el suelo. Michelle le extendía los brazos, y él no se podía mover.

La enfermedad de su hija era devastadora, y Charles no podía ofrecerle nada, igual que había pasado con Elizabeth hacía ocho años. La pesadilla había vuelto. En una avalancha de terror, Charles sintió que Michelle no mejoraría. De repente supo, sin el menor asomo de duda, que ningún tratamiento paliativo en el mundo podría retrasar el avance inevita·

ble de su enfermedad. Abrumado por el peso de esa certeza, se tambaleó, dando un paso hacia atrás.

Cathryn no entendía lo que estaba sucediendo, pero se dio cuenta de ello y corrió a llenar los brazos extendidos de Michelle. Esta, mirando por encima del hombro de Cathryn, clavó los ojos en los de su padre. Charles sonrió débilmente; Michelle pensó, sin embargo, que estaba enfadado con ella.

—Qué alegría verte —dijo Cathryn, mirándole la cara—. ¿Cómo estás?

—Bien —contestó Michelle, conteniendo las lágrimas—. Sólo quiero irme a casa. ¿Puedo ir a casa, papá?

Con manos temblorosas, Charles se acercó, se asió a los pies de la cama para serenarse.

—A lo mejor —dijo Charles, evasivo. A lo mejor la sacaba del hospital, la llevaba a casa, para que estuviera cómoda. Quizá eso era lo que debía hacer.

—Michelle, debes quedarte aquí hasta que estés mejor —explicó apresuradamente Cathryn—. El doctor Wiley y el doctor Keitzman se encargarán de que mejores lo antes posible. Sé que es difícil para ti, y nosotros te echaremos muchísimo de menos, pero debes portarte como una niña grande.

—Por favor, papá —pidió Michelle.

Charles se sentía impotente e indeciso, algo a lo que no estaba acostumbrado.

—Michelle —dijo Cathryn—. Debes quedarte en el hospital. Lo siento.

—¿Por qué?, papá —suplicó Michelle—. ¿Qué tengo?

Charles miró a Cathryn, buscando ayuda. En vano. Su mujer guardó silencio. El médico era él.

—Ojalá lo supiéramos —contestó Charles, odiándose por mentir, pero incapaz de decir la verdad.

—¿Es lo mismo que tuvo mi verdadera mamá? —preguntó Michelle.

—No —dijo rápidamente Charles—. De ninguna manera. —Eso, incluso, era una mentira a medias. Si bien Elizabeth tenía un linfoma, había muerto de leucemia terminal. Charles se sentía acorralado. Debía salir de allí para poder pensar.

—¿Qué es, entonces? —quiso saber Michelle.

—No lo sé —contestó Charles, sintiéndose culpable, y consultó su reloj—. Por eso estás aquí. Para que podamos averiguarlo. Cathryn se quedará a acompañarte. Yo tengo que ir al laboratorio. Volveré.

Sin ninguna advertencia, Michelle se sacudió con una náusea, de repente. Su cuerpecito delgado se alzó con un esfuerzo, y devolvió una pequeña cantidad del desayuno que acababa de comer. Cathryn intentó ponerse a salvo, pero parte del vómito le ensució la manga izquierda.

Charles reaccionó inmediatamente, saliendo al pasillo y pidiendo a gritos una enfermera. Una ayudante, que estaba a dos puertas de distancia, corrió inmediatamente. Esperaba una crisis, y al ver que era una falsa alarma, se alegró.

—No te preocupes, princesa —la tranquilizó la mujer en tono informal, mientras le quitaba la sábana de arriba, que estaba sucia—. La limpiaremos en un segundo.

Charles apoyó el dorso de la mano sobre la frente de Michelle. Estaba húmeda y caliente. Seguía la fiebre. Charles sabía lo que causaba el vómito: las drogas. Sintió una oleada de ansiedad. El cuarto le daba claustrofobia.

Michelle le tomó la mano y la sostuvo, como si se estuviera aproximando al borde de un precipicio y Charles fuera su única salvación. Fijó sus ojos en los ojos azules de su padre, espejos de los propios, pero creyó ver firmeza en vez de asentimiento, irritación en vez de comprensión. Le soltó la mano y volvió a recostarse sobre las almohadas.

—Volveré más tarde, Michelle —dijo Charles, preocupado porque la droga ya le estuviera produciendo efectos secundarios peligrosos. Dirigiéndose a la ayudante, le preguntó:

—¿Le han prescrito algo para la náusea y los vómitos?

—Desde luego —dijo la enfermera—. Compazine PRN. Se la traeré en seguida.

—¿Inyecciones? —preguntó Michelle.

—No, son píldoras —respondió la ayudante—. Si

166

es que tu estómago aguanta. Si no, tendremos que utilizar el pompis. —Le dio un pellizco en el pie.

—Voy a acompañar a Charles hasta el ascensor, Michelle —dijo Cathryn al ver que Charles se encaminaba a la puerta. Lo alcanzó en el pasillo y lo tomó de un brazo—. Charles, ¿qué te pasa?

Charles no se detuvo.

—¡Charles! —exclamó Cathryn, forzándolo a que la mirara—. ¿De qué se trata?

—Tengo que salir de aquí —contestó Charles, nervioso—. No puedo verla sufrir. Tiene un aspecto espantoso. No sé qué hacer. No estoy seguro de que deban darle esas drogas.

—¿Cómo? —preguntó Cathryn, sorprendida, y recordó de inmediato que tanto Wiley como Keitzman temían que Charles pudiera interrumpir el tratamiento de Michelle.

—Los vómitos —afirmó Charles, enojado— no son más que el comienzo. —Estuvo a punto de decir que creía que no se produciría la remisión, pero se contuvo. Ya habría tiempo para las malas noticias, y por el momento no quería destruir las esperanzas de Cathryn.

—Pero las drogas no son la única oportunidad que tiene —dijo Cathryn, en tono de súplica.

—Debo irme. Llámame si hay algún cambio. Estaré en el laboratorio.

Cathryn lo vio correr por el pasillo atestado de gente. Ni siquiera esperó el ascensor; bajó por la escalera. Cuando el doctor Wiley le dijo que dependerían de la fortaleza de ella, no tenía idea de qué quería decir. Empezaba a entenderlo.

8

Charles entró en el estacionamiento del instituto, saltó del coche y sacó de detrás del asiento el frasco con agua de la laguna. Corrió y golpeó en la puerta de vidrio para que le abriera la recepcionista. En el vestíbulo principal dobló a la derecha en vez de a la izquierda, y corrió al laboratorio de análisis. Uno de los técnicos, a quien Charles respetaba, estaba sentado sobre el mostrador con una taza de café.

—Quiero que se analice este agua en busca de contaminantes —dijo Charles, sin aliento.

—¿Un trabajo urgente? —preguntó el técnico, que notó la excitación de Charles.

—Más o menos. Estoy especialmente interesado en disolventes orgánicos, pero cualquier cosa que puedan decirme sobre el agua me será útil.

El técnico destapó el frasco, lo olió y parpadeó.

—Caramba. Espero que no le ponga esto al whisky.

Charles se encaminó rápidamente a su laboratorio. Tenía en su mente una confusión de pensamientos que se cruzaban como relámpagos con sorprendente velocidad.

Reconocía que no había forma de resolver racionalmente el dilema al que se enfrentaba en relación al tratamiento de la enfermedad de Michelle. Decidió

169

por lo tanto intensificar sus propias investigaciones, con la fútil esperanza de poder lograr algo extraordinario a tiempo para salvarla; a la vez, se ocuparía de hacer clausurar Recycle Ltd. La venganza era una emoción poderosa, y su presencia reducía la ansiedad que sentía respecto a Michelle. Cuando llegó a la puerta de su laboratorio, vio que tenía los puños crispados. Se detuvo, recordando su promesa de usar la inteligencia y no las emociones, en las que no podía confiar y, dominándose, abrió la puerta con serenidad.

Ellen, que estaba ocupada leyendo el informe de Cancerán en el escritorio de Charles, dejó lentamente el libro. Había una deliberación estudiada en sus movimientos, lo que molestó a Charles, aun en el estado de perturbación en que se encontraba.

—¿Le has dado el antígeno de cáncer de mama a toda la cepa de ratones? —preguntó.

—Sí —respondió Ellen—, pero...

—Bien —la interrumpió Charles, dirigiéndose a la pizarra. Tomó una tiza y luego de borrar lo que estaba escrito empezó a anotar el método que usarían para examinar las reacciones del linfocito T en los ratones inoculados, y así hacer gráficos de su reacción inmunológica. Cuando terminó, la pequeña pizarra estaba cubierta de una serie progresiva de pasos.

—Además —dijo Charles, dejando la tiza— intentaremos algo diferente. No se trata de nada científico. Tiene el propósito de conseguir una escpecie de examen rápido. Quiero hacer una gran cantidad de soluciones del antígeno canceroso e inyectar una distinta a cada ratón. Sé que no tendrá ninguna significación estadística. Será un examen precipitado, pero tal vez sirva de algo. Ahora, mientras tú examinas a los ratones de ayer y les inoculas una segunda dosis del antígeno canceroso, yo tengo unas llamadas que hacer. —Charles se sacudió la tiza de los pantalones y se dirigió al teléfono.

—¿Puedo decir algo ahora? —preguntó Ellen, ladeando la cabeza como diciendo «te previne».

170

—Por supuesto —afirmó Charles, con el tubo en la mano.

—He examinado los ratones a los que dimos la primera dosis de Cancerán —dijo Ellen. Hizo una pausa.

—¿Sí? —preguntó Charles, sin saber qué vendría a continuación.

—Casi todos murieron anoche.

El rostro de Charles adoptó una expresión de incredulidad.

—¿Qué sucedió? —Colgó el teléfono.

—No sé —reconoció Ellen—. No hay ninguna explicación, excepto el Cancerán.

—¿Has comprobado si está bien la solución?

—Sí —dijo Ellen—. Era correcta.

—¿Hay señales de que murieran a causa de un agente infeccioso?

—No. Se los llevé al veterinario. No les ha hecho la autopsia, pero cree que murieron de un ataque cardíaco.

—La droga es tóxica —dijo Charles, meneando la cabeza.

—Eso me temo.

—¿Dónde está el informe original? —preguntó Charles, cada vez más preocupado.

—Allí en tu escritorio. Lo estaba mirando cuando has llegado.

Charles tomó el volumen y buscó en la sección toxicidad. Luego buscó el informe preliminar que habían hecho ellos el día anterior. Leyó los números. Cuando terminó, dijo:

—Ese hijo de puta...

—Esa debe de ser la explicación —convino Ellen.

—Brighton debe de haber falseado los datos de toxicidad también. Por Dios, eso quiere decir que el estudio de Cancerán, al que Brighton le dedicó dos años enteros, no sirve para nada. El Cancerán debe de ser mucho más tóxico que lo que informó Brighton. ¡Menuda broma! ¿Sabes cuánto ha invertido el Instituto Nacional del Cáncer en esta droga?

—No, pero me lo imagino.

—Millones de millones de dólares. —Charles se golpeó en la frente.

—¿Qué vamos a hacer?

—¿Nosotros? ¿Qué harán ellos? Ahora es necesario empezar todo el proyecto de nuevo, lo que quiere decir tres años más de trabajo.

Charles sentía que su decisión de mantener una distancia desapasionada empezaba a disolverse. Terminar el proyecto era una cosa, pero empezarlo desde el principio, otra muy distinta. El no lo haría, especialmente en ese momento, pues con Michelle enferma, debía acelerar el ritmo de su propio trabajo.

—Tengo la impresión de que querrán que nosotros nos ocupemos del Cancerán —dijo Ellen.

—Pues me importa un comino —exclamó Charles, cortante—. Hemos terminado el Cancerán. Si Morrison e Ibáñez nos crean dificultades, les daremos la prueba de que el estudio de toxicidad no vale absolutamente nada, ni siquiera el papel en que está escrito. Los amenazaremos con informar a la prensa. Si se produce un escándalo, hasta el Instituto Nacional del Cáncer empezará a preguntarse en qué invierte su dinero.

—A mí no me parece que sea tan fácil —dijo Ellen—. Creo que deberíamos...

—¡Basta, Ellen! —gritó Charles—. Quiero que empieces a probar los anticuerpos en la primera cepa de ratones, y que luego vuelvas a inocularlos. Yo me encargaré del Cancerán con las autoridades.

Ellen le volvió la espalda, enfadada. Como de costumbre, Charles había ido demasiado lejos. Comenzó a trabajar, haciendo mucho ruido con los instrumentos.

El teléfono, al lado de Charles, empezó a sonar. Levantó el auricular en seguida. Era el técnico del laboratorio de análisis.

—¿Quiere un informe preliminar? —le preguntó.

—Sí, por favor —contestó inmediatamente Charles.

—El contaminante principal es el benceno. Está en grandes cantidades. También hay tolueno, en proporciones más pequeñas, lo mismo que tricloroetileno

172

y tetracloruro de carbono. ¡Cosas repugnantes! Una solución como para limpiar los pinceles de pintura. Tendré el informe completo esta tarde.

Charles le dio las gracias y colgó. El informe no le sorprendía, pero se sentía satisfecho de tener una prueba documentada. Involuntariamente apareció delante de él la imagen de Michelle. Hizo un esfuerzo para borrarla. Tomó la guía de Boston del estante que había sobre su escritorio y buscó la sección Gobierno Federal. Allí encontró una serie de números pertenecientes a la Dirección de Protección del Medio Ambiente. Marcó el número de información general. Oyó una voz grabada que le informó que la PMA estaba abierta de nueve a cinco. Todavía no eran las nueve.

Luego buscó la sección Gobierno de Massachusetts. Quería averiguar la incidencia de leucemia y linfoma a lo largo del curso del Pawtomack. No encontró una oficina de registro de tumores o de cáncer, aunque sí una de «Estadísticas Vitales». Marcó el número, pero nuevamente se encontró con una voz grabada. Miró el reloj. Faltaban unos veinte minutos para que abrieran las oficinas.

Se acercó a Ellen y empezó a ayudarla en los preparativos para descubrir si alguno de los ratones a los que les habían inoculado el antígeno de cáncer de mama mostraba síntomas de incremento de la actividad inmunológica. Ellen no decía ni una palabra. Charles se dio cuenta de que estaba enfadada, y sintió que ella se estaba aprovechando de la familiaridad existente entre ellos.

Mientras trabajaba, Charles se permitió tejer fantasías acerca del enfoque de sus investigaciones. ¿Y si los ratones a los que les habían inoculado el antígeno reaccionaban con rapidez y la sensibilidad adquirida podía transferirse a los ratones cancerosos por medio del factor de·transferencia? En ese caso, los ratones cancerosos se curarían. «Era así de simple..., tal vez demasiado simple», pensó Charles. Ojalá resultara. Ojalá pudiera acelerar el proyecto, por Michelle.

Cuando volvió a consultar el reloj, eran más de

las nueve. Alejándose de Ellen, que seguía malhumorada, Charles fue a su escritorio y marcó el número de Información General de la PMA. Esta vez le contestó una mujer con acento bostoniano y tono de aburrimiento.

Charles dijo quién era, y agregó que quería denunciar un caso serio de descarga de sustancias venenosas en el río.

La mujer no se impresionó. Dijo a Charles que no colgara.

Oyó la voz de otra mujer, tan parecida a la de la primera que se sorprendió cuando le pidió que repitiera lo que ya había dicho.

—Le han comunicado mal —dijo la mujer—. Esta es la sección Agua, y no nos ocupamos de las descargas de basura. Debe hablar con la sección Sustancias Tóxicas. No cuelgue.

De nuevo esperó. Se oyó un clic, seguido de un tono de línea libre. Charles colgó y volvió a tomar la guía. Buscó el número de la sección Sustancias Tóxicas de la PMA y marcó.

Respondió una voz idéntica a las anteriores. Charles se preguntó si en la PMA utilizarían un método de reproducción asexual para obtener una serie de empleados idénticos. Repitió su historia, pero le informaron que la sección Sustancias Tóxicas no se ocupaba de las infracciones, por lo que debía llamar a la sección Derramamiento de Petróleo y Sustancias Peligrosas. Le dio el número y colgó antes de que Charles pudiera decir nada.

Volvió a marcar con tanta fuerza que le dolieron las yemas de los dedos.

¡Otra mujer! Charles repitió su historia, sin tratar de disimular su fastidio.

—¿Cuándo tuvo lugar la descarga? —preguntó la mujer.

—Se trata de una descarga continua, no de algo que haya sucedido una vez.

—Lo siento —dijo la mujer—. Sólo nos ocupamos de descargas únicas.

—¿Puedo hablar con su supervisor? —preguntó Charles, con un gruñido.

—Un momento —contestó la mujer con un suspiro.

Charles aguardó, impaciente. Se pasó la mano por la cara. Estaba traspirando.

—¿En qué puedo servirle? —preguntó la voz de otra mujer en la línea.

—Espero que en algo —dijo Charles—. Llamo para informar de que una fábrica vacía regularmente benceno en el río. Es un veneno.

—Bueno, nosotros no nos encargamos de eso —lo interrumpió la mujer—. Deberá llamar al departamento estatal que corresponda.

—¿Cómo? —gritó Charles—. ¿De qué diablos se ocupa la PMA, entonces?

—Somos una agencia reguladora —respondió la mujer con calma—, encargada de regular el ambiente.

—Yo creía que el vaciamiento de veneno en un río era algo que podría interesarles.

—Podría ser —convino la mujer—, pero sólo después de que el asunto haya sido estudiado por el estado. ¿Quiere el número adonde debe llamar?

—Démelo —pidió Charles, cansado. Cuando colgó, vio que Ellen lo estaba mirando fijamente. La fulminó con la mirada y ella volvió a su trabajo.

Esperó la señal. Volvió a marcar.

—Muy bien —dijo la mujer, después de escuchar cuál era el problema—. ¿De qué río se trata?

—Del Pawtomack —contestó Charles—. Por Dios, ¡no me diga que estoy hablando con quien corresponde!

—Así es —afirmó la mujer, tranquilizándolo—. ¿Dónde está la fábrica de la que sospecha?

—Está en Shaftesbury —dijo Charles.

—¿Shaftesbury? Eso queda en Nueva Hampshire, ¿no?

—Así es, pero...

—Nosotros no nos ocupamos de Nueva Hampshire.

—Pero el río está en Massachusetts, en casi todo su curso.

—Eso podría ser —dijo la mujer—, pero nace en Nueva Hampshire. Tendrá que hablar con ellos.

175

—Dios, dame fuerzas —musitó Charles.

—¿Qué ha dicho?

—¿Tiene el número?

—No. Tendrá que solicitarlo a Información Telefónica.

Se hizo un silencio absoluto.

Charles llamó a Información y obtuvo el número de Servicios del Estado. No había ninguna sección llamada Control de Contaminación de las Aguas, pero después de llamar al número general, consiguió la extensión correspondiente. Volvió a repetir su historia, pensando que estaba convirtiéndose en un disco.

—¿Quiere hacer la denuncia anónimamente? —preguntó la mujer.

Sorprendido por la pregunta, Charles tardó un momento en responder.

—No, soy el doctor Charles Martel —y dio su dirección.

—Está bien —dijo la mujer lentamente, como si estuviera tomando nota—. ¿Dónde tiene lugar la supuesta descarga?

—En Shaftesbury. Se trata de una fábrica llamada Recycle Limitada. Arrojan benceno en el Pawtomack.

—Muy bien. Muchas gracias.

—Espere un minuto —dijo Charles—. ¿Qué hará con esto?

—Entregaré la información a uno de nuestros ingenieros —informó la mujer— y él se ocupará del asunto.

—¿Cuándo?

—Eso no se lo puedo decir.

—¿Puede darme una idea?

—Estamos bastante ocupados con varios derramamientos de petróleo que han ocurrido en Portsmouth de modo que probablemente se tarde varias semanas.

Eso no era lo que esperaba Charles.

—¿Está alguno de los ingenieros?

—No. Han salido los dos. ¡Espere! Aquí llega uno ¿Querría hablar con él?

176

—Sí, por favor.

Luego de una breve espera, el hombre cogió el teléfono.

—Habla Larry Spencer —dijo.

Charles le explicó en pocas palabras la razón por la que llamaba. Agregó que quería que alguien se ocupara del asunto inmediatamente.

—Tenemos una tremenda escasez de personal en el departamento.

—Pero esto es muy serio. El benceno es un veneno, y mucha gente vive a orillas de ese río.

—Todo es serio —repuso el hombre.

—¿No puedo hacer nada para acelerar esto? —preguntó Charles.

—En realidad, no —contestó el ingeniero—. Aunque podría ir a la PMA, a ver si les interesa.

—Ya he llamado, y me han mandado a ustedes.

—Así es —afirmó el ingeniero—. Nunca se puede decir qué casos les interesarán. Generalmente ayudan una vez que nosotros nos hemos encargado del trabajo sucio; algunas veces intervienen desde el principio. Es un sistema disparatado e ineficaz. Pero el único que tenemos.

Charles le dio las gracias y colgó. Le pareció que el hombre era sincero; por lo menos le había dicho que la PMA podría llegar a interesarse, después de todo. Charles vio que la PMA estaba ubicada en el edificio John Fitzgerald Kennedy, en el centro gubernamental de Boston. No volvería a hacer llamadas telefónicas. Iría personalmente. Inquieto, se puso de pie y buscó el abrigo.

—En seguida vuelvo —le dijo a Ellen.

Ellen no contestó. Esperó varios minutos después que se hubo cerrado la puerta, y se asomó al pasillo, para asegurarse. No se lo veía por ninguna parte. Volvió a su escritorio y llamó al doctor Morrison. Ya estaba convencida de que Charles se comportaba de una manera irresponsable. La enfermedad de su hija no era suficiente disculpa. No era justo que pusiera en peligro los empleos de ambos. Morrison la escuchó seriamente, y le dijo que iría a su laboratorio de inmediato. Antes de colgar, le dijo

177

también que la ayuda que brindaba en ese difícil asunto no pasaría inadvertida.

Al salir del Weinburger, Charles sintió desesperación. Todo le salía mal, incluso su idea de venganza. Después del tiempo que había perdido en el teléfono, ya no estaba tan seguro de que pudiera lograr algo respecto a Recycle Ltd., salvo dirigiéndose allí personalmente, escopeta en mano. La imagen de Michelle en la cama de hospital volvió a atormentarlo. No sabía por qué estaba tan seguro de que no reaccionaría ante la quimioterapia. Tal vez sólo se trataba de una manera disparatada de prepararse para hacer frente a lo peor, pues reconocía que la quimioterapia era la única esperanza que tenía su hija. «Si tenía que tener leucemia —se dijo, aferrándose al volante—, ¿por qué no ha sido linfocítica, que responde a la quimioterapia?»

Sin darse cuenta, Charles estaba conduciendo a menos de sesenta, enfureciendo a los demás conductores de la carretera. Se oía un estruendo de bocinas y los que lo pasaban lo amenazaban con el puño.

Después de estacionar en el garaje municipal, Charles caminó entre la inmensa pared de ladrillos del edificio John Fitzgerald Kennedy y el geométrico Ayuntamiento. Los edificios formaban un túnel de viento, y Charles tenía que luchar contra las ráfagas para avanzar. En ese momento, el sol brillaba débilmente, aunque un gran banco de nubes grises se acercaba desde el oeste. La temperatura era de cuatro grados bajo cero.

Charles empujó la puerta giratoria y buscó el tablero de informaciones. A la izquierda había una exposición de fotos de Kennedy y frente a él, junto al ascensor, un pequeño bar donde servían café y rosquillas.

Una de las camareras le indicó el tablero escondido detrás de una serie de fotos de Kennedy adolescente y sonriente. Vio que la PMA estaba en el piso veintitrés. Charles entró en el ascensor justo antes de que se cerraran las puertas. Al mirar a los demás ocupantes le llamó la atención la extraña preponderancia del poliéster verde.

Bajó en el piso veintitrés y se encaminó a la oficina del director. Le pareció un buen lugar para comenzar.

Al abrir la puerta vio un gran escritorio de metal detrás del cual estaba parapetada una mujer enorme que tenía el pelo lleno de rizos. Una boquilla con falsas piedras preciosas engastadas sostenía un cigarrillo extralargo que sobresalía de una de las comisuras de su boca. Competía en llamar la atención con el prodigioso pecho, que ponía a prueba la resistencia a la tensión de su vestido. Al aproximarse Charles, ella se arregló los rizos de las sienes, observándose en un espejito de mano.

—Perdón —dijo Charles, preguntándose si sería una de las mujeres con las que había hablado por teléfono—. Vengo a denunciar a una planta de recuperación de materiales que descarga benceno en un río local. ¿Con quién debo hablar?

La mujer, sin dejar de dar suaves golpecitos a su pelo, examinó a Charles con recelo.

—¿Se trata de una sustancia peligrosa? —preguntó.

—Muy peligrosa.

—Podría ir al Departamento de Sustancias Peligrosas, en el piso diecinueve —dijo la mujer en un tono que sugería «so ignorante».

Después de bajar ocho tramos de escaleras, Charles llegó al piso diecinueve, que tenía una atmósfera totalmente distinta. Casi no había paredes, de modo que se podía ver de un extremo al otro del edificio. El piso estaba cubierto de un laberinto de divisiones de metal que se levantaban hasta la altura del pecho y separaban el área en cubículos diminutos. En el ambiente flotaba una bruma de humo de cigarrillo y se oía el rumor ininteligible de cientos de voces.

Charles entró en el laberinto, y vio que había postes con señales, como en la calle, que designaban los distintos departamentos. Por suerte, el Departamento de Sustancias Peligrosas estaba cerca de la escalera por la que había bajado. Empezó a mirar las señales que indicaban las subdivisiones. Pasó junto al Programa de Ruidos, al Programa del Aire, al de

179

Pesticidas y al de Radiación. Más allá del de Desperdicios Sólidos vio el Programa de Desperdicios Tóxicos. Se encaminó hacia allí.

Tras doblar por el pasillo principal, dio con un escritorio que hacía las veces de barrera protectora del interior. Era un escritorio mucho más pequeño que el anterior y estaba ocupado por un negro delgado que al parecer había hecho un esfuerzo tremendo para cepillarse hacia atrás el pelo rizado. Tuvo el mérito de prestarle atención inmediata. Estaba vestido atildadamente, y al hablar, hizo gala de un acento casi inglés.

—Me temo que no está en la sección apropiada —dijo el joven después de oír a Charles.

—¿Su departamento no se encarga del benceno?

—Sí, nos encargamos del benceno —contestó el hombre—, pero sólo de los permisos y licencias para sustancias peligrosas como ésa.

—¿Adónde puedo ir? —preguntó Charles, controlándose.

—Hum —murmuró el hombre, llevándose un dedo de uñas cuidadosamente arregladas a la punta de la nariz—. No tengo ni la menor idea. Esto no ha ocurrido nunca. Espere, voy a preguntar a alguien.

El hombre se puso de pie de un saltito, muy ágil, sonrió a Charles y desapareció en el interior del laberinto. Tenía chapitas de metal en los zapatos, y Charles pudo oír el ruidito que hacían, pues era distinto al de las máquinas de escribir. Esperó, impaciente. Tenía la sensación de que todos sus esfuerzos serían absolutamente vanos.

El joven negro regresó.

—Nadie sabe, en realidad, adónde hay que dirigirse —reconoció—. Pero sugieren que vaya al Departamento de Programas del Agua, en el piso veintidós. Tal vez ellos puedan ayudarlo.

Charles le dio las gracias. Apreciaba, por lo menos, su buena voluntad al tratar de ayudarlo. Regresó a la escalera. Deprimido, pero enfadado, trepó los seis tramos de escaleras hasta el piso veintidós. En el veintiuno tuvo que hacerse a un lado para pasar junto a un grupo de tres hombres jóvenes que estaban fumando un cigarrillo de marihuana. Miraron a Charles con atrevida arrogancia.

El piso veintidós era una mezcla de oficinas de paredes convencionales y áreas abiertas con divisores que llegaban a la altura del pecho. Cerca de una fuente, Charles averiguó dónde estaba el Departamento de Programas de Agua.

Encontró el escritorio de recepción, sólo que no había nadie. Un cigarrillo humeante indicaba que su ocupante estaba en las inmediaciones pero, después de una corta espera, no apareció nadie. Exasperado, Charles pasó al otro lado del escritorio y entró en la oficina interior. Había varios cubículos con personas hablando por teléfono o escribiendo a máquina. Charles siguió hasta dar con un hombre cargado de folletos publicados por el gobierno federal.

—Perdón —dijo Charles.

El hombre puso la pila de folletos sobre el escritorio y miró a Charles, quien repitió su historia, ya de manera automática. El hombre enderezó la pila de publicaciones mientras pensaba, y luego se volvió a Charles.

—Este no es el departamento apropiado para hacer denuncias.

—¡Por Dios! —estalló Charles—. Este es el Departamento del Agua. Yo vengo a denunciar un envenenamiento de agua.

—Eh, no se enfurezca conmigo —dijo el hombre, a la defensiva—. Nosotros sólo nos encargamos de inspeccionar servicios de tratamiento de agua y de alcantarillado.

—Lo siento —se disculpó Charles, con cierta comprensión—. No tiene idea de lo frustrante que es esto. Vengo con una simple queja. Conozco una fábrica que está descargando benceno en un río.

—Tal vez debería intentar en el Departamento de Sustancias Peligrosas.

—De ahí vengo.

—Oh —exclamó el hombre—. ¿Por qué no intenta en el Departamento de Cumplimiento de la ley, en el veintitrés?

Charles miró al hombre un momento, confundido.

—¿El Departamento de Cumplimiento de la ley? —repitió—. ¿Y por qué no se le ocurrió antes a nadie?

—No tengo ni idea —dijo el hombre.

Charles buscó la escalera musitando obscenidades, y subió al piso veintitrés. Pasó junto a la Administración, al Departamento de Personal y al de Creación y Desarrollo de Programas. Justo después del servicio de hombres estaba el departamento que buscaba. Entró.

Una muchacha negra de grandes gafas con reflejos purpúreos en las lentes, levantó la mirada. Estaba leyendo la última novela de Sidney Sheldon. Debía de estar en una parte buena, pues no escondió su irritación al ser molestada

Charles le dijo lo que quería.

—Yo no sé nada de eso —dijo la muchacha.

—¿Con quién debería hablar? —preguntó lentamente Charles.

—No sé —contestó la muchacha, volviendo a su libro.

Charles se apoyó en el escritorio con la mano izquierda, y con la derecha le arrancó el libro. Lo depositó con fuerza sobre el escritorio, de tal manera que la muchacha dio un salto.

—Siento haber perdido la página —dijo Charles—. Quiero hablar con su jefe.

—¿Con la señorita Stevens? —preguntó la muchacha, que no sabía qué podría hacer Charles a continuación.

—Sí, con ella.

—Hoy no ha venido.

Charles tamborileó sobre el escritorio, resistiendo la tentación de sacudir a la muchacha.

—Está bien. Con quien siga en el orden jerárquico, y que esté presente.

—¿La señora Amendola? —preguntó la muchacha.

—No me importa como se llame.

Sin apartar los ojos de Charles, la joven se puso de pie y desapareció.

Al reaparecer, cinco minutos después, lo hizo

acompañada por una mujer con aire de preocupación, de unos treinta y cinco años.

—Soy la señora Amendola, jefe de grupo. ¿En qué puedo servirle?

—Espero que en algo. Soy el doctor Charles Martel y estoy tratando de denunciar a una fábrica que está descangando sustancias químicas venenosas en un río. He ido de departamento en departamento, hasta que por fin alguien me ha dicho que había un Departamento de Cumplimiento de la ley. Al llegar aquí, la recepcionista demostró ser muy poco servicial, por lo que he solicitado hablar con su jefe.

—Le he dicho que yo no sabía nada de la descarga de sustancias químicas —explicó la muchacha negra.

La señora Amendola consideró la situación un momento y luego invitó a Charles a que la siguiera.

Después de pasar junto a una docena de cubículos, entraron en una oficina diminuta, sin ventanas, decorada con carteles de turismo. La señora Amendola le indicó un sillón y se colocó tras el escritorio.

—Debe entender —dijo la mujer— que no hay muchas personas que entran de la calle con su tipo de queja. Aunque, naturalmente, eso no es excusa para la cortesía.

—¿A qué diablos se dedican ustedes entonces, si no es a impedir la polución ambiental? —preguntó Charles con hostilidad. La mujer lo había llevado hasta su oficina para aplacarlo, y ahora lo iba a enviar a otro departamento.

—Nuestra tarea principal —explicó la mujer— es asegurarnos de que las fábricas que tienen desperdicios peligrosos cuenten con todos los permisos y licencias necesarios. Es una ley, y nosotros la hacemos cumplir. Algunas veces tenemos que ir a juicio y multarlas.

Charles se llevó la cara a las manos y se frotó el cuero cabelludo. Al parecer, la señora Amendola no se percataba de que estaba haciendo algo absurdo.

—¿Se encuentra bien? —preguntó la mujer, inclinándose hacia adelante en su silla.

—Permítame asegurarme de que entiendo lo que

me está diciendo —dijo Charles—. La tarea principal del Departamento de Cumplimiento de la ley de la PMA es asegurarse de que los papeles estén en orden. No se ocupa de asegurar el cumplimiento de las reglamentaciones para preservar la pureza de las aguas.

—Eso no es del todo correcto —señaló la señora Amendola—. Debe recordar que la preocupación por el medio ambiente es algo bastante reciente. En realidad, todavía no se han redactado las reglamentaciones. El primer paso es hacer el registro de todos los que utilizan sustancias peligrosas, e informarles de cuál es la ley. Entonces estaremos en posición de ocuparnos de los que la violen.

—Mientras tanto, las fábricas sin escrúpulos pueden hacer lo que se les antoja —dijo Charles.

—Eso tampoco es del todo correcto. Tenemos un Departamento de Inspección, que forma parte de nuestro laboratorio de análisis. Bajo el actual gobierno se nos ha reducido el presupuesto, lamentablemente, y ese departamento es pequeño, pero allí es donde debe dirigir su queja. Después que ellos documentan la violación, nos la envían a nosotros, y asignamos el caso a uno de los abogados de la PMA. Dígame, doctor Martel, ¿cómo se llama la fábrica?

—Recycle Limitada. Está en Shaftesbury.

—Revisaremos sus papeles —dijo la señora de Amendola, poniéndose de pie.

Charles la siguió. Salieron de la diminuta oficina y recorrieron un largo pasillo. La mujer se detuvo ante una puerta cerrada y metió una tarjeta de plástico en una ranura.

—Estamos directamente conectados con una procesadora de datos bastante sofisticada —explicó la señora Amendola, manteniendo la puerta abierta para que pasara Charles—, de manera que debemos observar medidas estrictas de seguridad.

Dentro de la habitación, el aire era más fresco y puro. No había olor a humo de cigarrillo. Al parecer, el bienestar de la terminal de la computadora era mucho más importante que la salud de los empleados. La señora Amendola se sentó frente a una terminal libre y marcó en las teclas RECYCLE LIMITADA, SHAFTESBURY, N. H. Hubo una espera de diez segundos, y después el tubo de rayos catódicos cobró vida. Recycle Limitada fue descrita en detalle; hasta surgió el hecho de que era propiedad de Breur Chemicals de Nueva Jersey. Luego apareció una lista de todas las sustancias químicas peligrosas que se utilizaban en la planta, seguida de las solicitudes de permiso y sus respectivas fechas, las licencias y las fechas en que habían sido otorgadas.

—¿En qué sustancias químicas está interesado? —preguntó la señora Amendola.

—Sobre todo en benceno.

—Aquí está. Es la sustancia química peligrosa número UO 19 de la PMA. Todo está en orden. No parecen estar quebrantando ninguna ley.

—¡Pero descargan la sustancia directamente en el río! —exclamó Charles—. Eso es contrario a la ley.

Los demás ocupantes del cuarto levantaron la mirada, escandalizados al oír el estallido de Charles. En esa habitación, la ley no escrita ordenaba que se hablara como en la iglesia.

Charles bajó la voz.

—¿Podemos volver a su oficina?

La señora Amendola asintió.

De regreso a la diminuta oficina, Charles se sentó en el borde de la silla.

—Señora Amendola, le voy a contar toda la historia, porque creo que usted podría ayudarme.

Charles procedió a informarla de la leucemia de Michelle, de la muerte de Tad Schonhauser de anemia aplástica, su descubrimiento y confirmación de la existencia de benceno en la laguna y su visita a Recyle Limitada.

—¡Dios mío! —dijo la mujer, cuando Charles hizo una pausa.

—¿Tiene usted hijos? —le preguntó Charles.

—¡Sí! —repuso la señora Amendola, con temor en la voz.

—Entonces podrá comprender lo que esto me está haciendo —dijo Charles—. Y tal vez comprenda por qué quiero hacer algo respecto a Recycle Limitada.

185

Estoy seguro de que muchos niños viven a lo largo del Pawtomack. Es obvio, sin embargo, que necesito ayuda.

—Usted quiere que trate de implicar a la PMA —dijo la señora Amendola. Era una aseveración, no una pregunta.

—Exactamente —afirmó Charles—. O que me diga cómo puedo hacerlo yo.

—Sería mejor que presentara su queja por escrito. ¡Diríjamela a mí!

—Eso es fácil —dijo Charles.

—¿Y pruebas documentales? ¿Puede conseguir alguna?

—Ya tengo el análisis del agua de la laguna —contestó Charles.

—No, no. Algo de la fábrica misma: una declaración de un ex empleado, historiales clínicos, fotos mientras hacen la descarga. Algo así.

—Es posible conseguirlas, supongo —dijo Charles. El tenía una Polaroid...

—Si pudiera darme alguna prueba, creo que podría conseguir que la confirmara el Departamento de Inspección, y que se autorizara una investigación a fondo. De usted depende. De lo contrario, tendrá que esperar que le llegue el turno.

Charles salió del edificio con un sentimiento de depresión. Ahora tenía menos confianza en poder convencer a alguna autoridad para que hiciera algo respecto a Recycle Limitada. Por eso, la idea de ocuparse personalmente del asunto empezó a tomar proporciones fantásticas.

Cuanto más pensaba en Breur Chemicals, más se enfurecía. ¿Qué derecho tenía un grupo de aburridos hombres de negocios sentados alrededor de una mesa en una sala de conferencias, en Nueva Jersey, a destruir su felicidad y robarle lo que más quería? Al llegar al Weinburger, Charles decidió llamar a la compañía matriz para hacerles saber lo que sentía.

Desde que el escándalo de Brighton era noticia, se habían tomado medidas de seguridad más estrictas en el Weinburger, y Charles tuvo que golpear sobre la puerta de cristal grueso, para que le abrieran. Lo saludó Roy, el guardián, quien exigió ver su tarjeta de identificación.

—Soy yo, Roy —dijo Charles, agitando la mano ante la cara de Roy—. El doctor Martel.

—Tengo órdenes —le explicó Roy, extendiendo la mano para recibir la tarjeta.

—Tonterías administrativas —dijo Charles, mientras buscaba su tarjeta de identificación—. ¿Qué se les ocurrirá después?

Roy se encogió de hombros, esperó ver la tarjeta que Charles le puso a cinco centímetros de la cara, y luego, ceremoniosamente se hizo a un lado. Hasta la tímida señorita Andrews desvió la mirada sin dedicarle la acostumbrada sonrisa de invitación a que se acercara a charlar con ella.

Charles dejó el abrigo, marcó el número de Información, y cuando le dieron el número que deseaba llamó a Breuer Chemicals. Mientras esperaba, miró por el laboratorio, preguntándose si Ellen seguiría ofendida. No la vio por ningún lado. Supuso que estaría en el cuarto de los animales. En ese momento Breur Chemicals respondió a su llamada.

Más tarde, Charles reconoció que no debería haber hecho esa llamada. Ya había tenido bastantes experiencias desagradables esa mañana, lo que debería de haberlo preparado para lo que significaría tratar de hablar a una corporación gigantesca para quejarse. Lo pusieron con un empleado menor en el Departamento de Relaciones Públicas.

En lugar de tratar de aplacarlo, el hombre lo acusó de ser un loco antipatriótico cuya estúpida preocupación ambiental era responsable de que los Estados Unidos estuvieran en una situación inferior de competencia con las compañías extranjeras. La conversación degeneró hasta convertirse en gritos. Charles hacía acusaciones, mientras el otro las negaba.

Cortó de un golpe y se volvió, hecho una furia, en busca de algo en que descargar su rabia.

Se abrió la puerta y entró Ellen.

187

—¿Lo has notado? —preguntó Ellen con irritante indiferencia.

—Notado, ¿qué? —preguntó Charles.

—Los libros del laboratorio —dijo Ellen— ya no están.

Charles se puso de pie de un salto, inspeccionó su escritorio y luego su mostrador.

—No tienes por qué buscarlos. Están arriba.

—¿Para qué diablos están arriba?

—Esta mañana, después que te has marchado, ha venido Morrison para ver cómo íbamos con Cancerán. Me ha sorprendido trabajando con los ratones y el antígeno canceroso. No necesito decirte que se ha escandalizado al ver que seguíamos con el otro trabajo. Se supone que en cuanto llegues debo decirte que vayas al despacho del doctor Ibáñez.

—Pero ¿por qué se han llevado los libros? —preguntó Charles. Había miedo e ira en su tono de voz. Odiaba la autoridad administrativa, pero también la temía. Era así desde sus días de la universidad, cuando se había enterado que una decisión arbitraria que emanara del despacho del decano era capaz de afectar el resto de su vida. Y, de pronto, la administración invadía su mundo, llevándose arbitrariamente sus libros de laboratorio. Eso, para Charles, era como llevarse un rehén. Asociaba en su mente los contenidos de esos libros con la ayuda que podía brindarle a Michelle, aunque en realidad era algo muy rebuscado.

—Me parece que es mejor que le hagas esa pregunta al doctor Morrison y al doctor Ibáñez —contestó Ellen—. Francamente, yo sabía que iba a pasar algo así.

Suspiró y meneó la cabeza, como diciendo: «Te lo advertí.» Charles la observó, sorprendido de su actitud. Esta hacía aumentar su sentimiento de soledad.

Salió del laboratorio, trepó cansadamente las escaleras de incendio hasta llegar al segundo piso, caminó junto a la fila de secretarias y se presentó ante la señorita Verónica Evans por segunda vez en dos días. Aunque evidentemente estaba sin hacer nada, se tomó su tiempo antes de mirar a Charles por encima de sus gafas.

—¿Sí? —preguntó, como si Charles fuera un sirviente. Luego le dijo que tomara asiento en uno de los sillones de cuero, y esperara. Charles estaba seguro de que la espera estaba destinada a hacerle comprender que él era un peón. Mientras pasaba el tiempo, no sabía cuál era la emoción más fuerte que lo embargaba: ira, miedo o pánico. Sin embargo, la necesidad de recuperar sus libros lo mantenía allí. No tenía idea si, técnicamente, eran propiedad del instituto o propios.

Cuanto más esperaba allí sentado, menos seguro se sentía acerca de que los libros, que contenían una descripción detallada de su trabajo reciente, pudieran llegar a ser una base para pactar. Empezó a preguntarse si Ibáñez lo despediría. Trató de pensar qué haría si le costaba conseguir otro puesto en la investigación. Se sentía tan desligado de la medicina clínica que no le parecía posible volver a practicarla. Sintió pánico al preguntarse si, una vez despedido, seguiría gozando de cobertura médica. Eso era una verdadera fuente de preocupación, porque las cuentas del hospital de Michelle serían astronómicas.

Se oyó un zumbido discreto en el panel intercomunicador. La señorita Evans se volvió con aire imperioso a Charles y le anunció:

—El director lo recibirá ahora.

El doctor Carlos Ibáñez se puso de pie tras su escritorio antiguo al ver entrar a Charles. Su silueta estaba iluminada desde atrás, por la luz de las ventanas, haciendo que su cabello y su barbita brillaran como plata pulida.

Frente a su escritorio estaban Joshua Weinburger, padre, y Joshua Weinburger, hijo, a quienes Charles conocía de reuniones sociales poco frecuentes y de asistencia obligatoria. Aunque rayaba en los ochenta, el viejo parecía más animado que el joven, con sus vivaces ojos azules. Miró a Charles con gran interés.

Joshua Weinburger, hijo, era el hombre de negocios estereotipado, impecablemente ataviado, obviamente reservado en extremo. Miró a Charles con una mezcla de desdén y hastío, volviendo casi inmediatamente la atención hacia el doctor Ibáñez.

Sentado a la derecha del escritorio estaba el doctor Morrison, cuyo atavío imitaba al de Joshua Weinburger, hijo, en su atención al detalle. Un pañuelo de seda, cuidadosamente doblado, y luego abierto de manera casual, asomaba del bolsillo superior del traje.

—¡Adelante, adelante! —ordenó con amabilidad Ibáñez.

Charles se acercó al enorme escritorio del doctor Ibáñez. Notó la ausencia conspicua de una cuarta silla. Terminó de pie entre los Weinburger y Morrison. Charles no sabía qué hacer con las manos, de modo que se las metió en los bolsillos. Parecía fuera de lugar entre esos hombres de negocios, con su gastada camisa de algodón, su corbata ancha pasada de moda y sus pantalones mal planchados.

—Me parece que debemos ir directamente al grano —dijo el doctor Ibáñez—. Los Weinburger, como copresidentes de la Junta Directiva han tenido la amabilidad de venir a ayudarnos a resolver la crisis actual.

—Así es —dijo Weinburger, hijo, volviéndose levemente en la silla para levantar la mirada hacia Charles. Le temblaba la cabeza, que rotaba rápidamente, trazando un corto arco—. Doctor Martel, la Junta Directiva no tiene la política de interferir en el proceso creativo de las investigaciones. Sin embargo, de vez en cuando hay ocasiones en que nos vemos obligados a romper esa regla, y esto sucede en la actual crisis. Creo que usted debería saber que el Cancerán es una droga de potencial importancia para los laboratorios Lesley. Para ser franco, le diré que Lesley está en una situación financiera precaria. Estos últimos años sus patentes en la línea de antibióticos y tranquilizantes han caducado, y están desesperados por lanzar una nueva droga al mercado. Han destinado sus escasos recursos a desarrollar una línea en quimioterapia, y el Cancerán es el producto de esa investigación. Tienen la patente exclusiva de

Cancerán, pero deben ponerla en el mercado. Cuanto antes, mejor.

Charles estudió las caras de los hombres. Era obvio que no lo despedirían sumariamente. La idea era ablandarlo, hacerle comprender las realidades financieras y luego, finalmente, convencerlo de que recomenzara las investigaciones sobre Cancerán. Se sintió levemente esperanzado. Los Weinburger no podían haber ascendido a su posición de poder sin inteligencia, y Charles empezó a formular en la mente la forma de convencerlos de que el Cancerán era una mala inversión, que era una droga tóxica que probablemente nunca sería lanzada al mercado.

—Ya estamos enterados de que usted descubrió la toxicidad de Cancerán —dijo el doctor Ibáñez, dando una chupada corta a su cigarro y, sin saberlo, socavando las esperanzas de Charles—. Sabemos que las estimaciones del doctor Brighton no son del todo exactas.

—Esa es una forma generosa de expresarlo —señaló Charles, dándose cuenta con consternación de que le habían arrebatado la carta de triunfo—. Al parecer, todos los datos de los estudios del Cancerán hechos por el doctor Brighton son falsos. —Observó la reacción de los Weinburger por el rabillo del ojo, pero no halló ninguna.

—Muy lamentable —convino el doctor Ibáñez—. La solución es salvar lo que se pueda, y seguir adelante.

—Pero mis cálculos indican que esa droga es extremadamente tóxica —dijo Charles, desesperado—. Tan tóxica, en realidad, que tendría que ser administrada en dosis homeopáticas.

—Eso no es asunto nuestro —dijo Joshua Weinburger, hijo—, sino de la comercialización. Ese es el mejor departamento de los laboratorios Lesley. Excepcional. Son capaces de vender hielo a los esquimales.

Charles estaba atónito. Ni siquiera simulaban tener el menor asomo de ética. Que el producto curara a la gente no era importante. Se trataba de un negocio, un negocio en gran escala.

—¡Charles! —dijo el doctor Morrison, hablando por primera vez—. Queremos preguntarte si puedes llevar a cabo al mismo tiempo los estudios de eficacia y de toxicidad.

Charles desvió la mirada a Morrison, cargada de desprecio.

—Esa clase de enfoque reduciría la investigación inductiva a un mero empirismo.

—No nos importa cómo lo llame —dijo el doctor Ibáñez con una sonrisa—. Queremos saber, simplemente, si es posible.

Joshua Weinburger, padre, rió. Le gustaba la gente joven con ideas emprendedoras.

—Y no nos importa la cantidad de animales que uses en tus pruebas —agregó, generoso, Morrison.

—Eso es —convino Ibáñez—. Aunque le recomendamos que utilice ratones porque son considerablemente más baratos. De modo que puede usar cuantos quiera. Le estamos sugiriendo que haga estudios de eficacia con una amplia gama de dosificación. Al finalizar el experimento, podrían extrapolarse nuevos valores de toxicidad para que reemplacen los datos falsos del estudio original hecho por el doctor Brighton. Es así de sencillo, pero ahorraríamos muchísimo tiempo. ¿Qué dice, Charles?

—Antes de que contestes —interrumpió Morrison—, creo que debo advertirte que, si rehúsas, por el progreso del instituto nos veremos obligados a despedirte y a buscar a otra persona que dé a Cancerán la atención que se merece.

Charles miró las caras, una tras otra. Su temor y su pánico habían desaparecido. Sólo le quedaban la ira y el desprecio.

—¿Dónde están mis libros de laboratorio? —preguntó con voz cansada.

—Bien guardados en la cámara de seguridad —dijo el doctor Ibáñez—. Son propiedad del instituto, pero le serán devueltos en cuanto termine el trabajo del Cancerán. Queremos que se concentre en el Cancerán, y pensamos que tener los libros será una gran tentación.

—No tenemos forma de hacerle ver lo importante

192

9

Al volver del hospital Beth Israel, donde había ido a visitar a Marge Schonhauser, Cathryn tuvo la sensación de que estaba llegando a los límites de lo que podía soportar. La visita había sido un fracaso. Sabía que Marge debía de estar muy mal, pues de lo contrario no habría sido hospitalizada, pero aun así no estaba preparada para el cuadro con que se encontró. Al parecer, con la muerte de Tad, en el cerebro de Marge se había cortado una hebra vital, pues estaba sumida en una apatía total; se negaba a comer, e incluso a dormir. Cathryn le hizo compañía, en silencio, hasta que, abrumada por la tensión nerviosa, tuvo que irse. La depresión de Marge parecía contagiosa. Cathryn volvió al Hospital Pediátrico, huyendo de una tragedia que había concluido con una muerte para encaminarse hacia el comienzo de otra.

Mientras ascendía al sexto piso en el atestado ascensor, se preguntaba si lo que le había sucedido a Marge podía sucederle a ella, o incluso a Charles. El era médico, y debía estar más capacitado para enfrentarse a esa clase de realidad, pero sin embargo su comportamiento distaba mucho de ser tranquilizador. Por más rechazo que sintiese hacia los

195

hospitales y las enfermeras, Cathryn trató de prepararse para lo que podía venir.

El ascensor llegó al sexto piso y Cathryn tuvo que abrirse paso a empujones para poder llegar a la puerta antes de que se cerrara. Estaba impaciente por regresar junto a Michelle, porque como la niña no quería que ella se marchara, le prometió volver en media hora. Lamentablemente, había pasado casi una hora.

Esa mañana, después de marcharse Charles, Michelle se aferró a Cathryn. Insistía en que Charles estaba enfadado con ella y, aunque lo intentó por todos los medios, Cathryn no logró hacerle cambiar de parecer.

Abrió la puerta del cuarto de Michelle, con la esperanza de que la niña estuviera durmiendo. Al principio se lo pareció, porque no se movía, pero luego notó que había echado a un lado las mantas, se había deslizado hacia los pies de la cama y tenía una pierna doblada debajo del cuerpo. Desde la puerta, Cathryn vio que su pecho se agitaba con violencia y, lo que era peor, que tenía la cara de un horrendo tono azulado y los labios oscuros, casi marrones.

Corrió a la cama y tomó a Michelle de los hombros.

—Michelle —gritó, sacudiéndola—. ¿Qué pasa?

La niña movió los labios y separó los párpados, pero sólo mostró la parte blanca de los ojos.

—¡Socorro! —gritó Cathryn, y corrió al pasillo—. ¡Socorro!

La enfermera encargada corrió, seguida por otra. De un cuarto contiguo al de Michelle salió una tercera. Todas convergieron rápidamente en el cuarto de Michelle, e hicieron a un lado a la aterrorizada Cathryn. Una fue al pie de la cama, y las otras dos se colocaron a ambos lados.

—Llamen al servicio de urgencias.

La enfermera que estaba al pie de la cama corrió al intercomunicador y ordenó que el empleado del puesto de enfermeras solicitara el servicio de urgencias.

196

Mientras tanto la enfermera encargada le tomó el pulso a la niña. Lo sintió rápido y débil.

—Parece una taquicardia ventricular —dijo—. El corazón late tan rápidamente que es difícil distinguir los latidos individuales.

—Tienes razón —convino la otra enfermera, poniendo alrededor del brazo de Michelle la banda elástica del aparato para tomar la presión.

—Respira, pero está cianótica. ¿Le hago la respiración boca a boca? —preguntó la enfermera encargada.

—No sé —contestó la segunda enfermera, mientras bombeaba el aparato de tomar la presión—. Podría ser conveniente.

La tercera enfermera regresó a la cama y enderezó la pierna de Michelle mientras la enfermera encargada se inclinaba y, apretando con los dedos la nariz de Michelle, iniciaba la respiración boca a boca.

—La presión sanguínea —dijo la segunda enfermera— es 60/40, aunque variable.

La enfermera encargada seguía practicando la respiración boca a boca, pero el rápido ritmo respiratorio de Michelle lo hacía difícil. La enfermera se enderezó.

—Me parece que la estoy obstaculizando en vez de ayudarla. Es mejor que lo deje.

Cathryn permanecía pegada a la pared, aterrorizada por la escena, con miedo de moverse, pues podía estorbar. No tenía ni idea de lo que estaba pasando, aunque se daba cuenta de que era malo. ¿Dónde estaría Charles?

Una médica residente fue la primera en llegar. Venía tan rápido por el pasillo que tuvo que sostenerse del marco de la puerta para no caerse en el suelo pulido. Corrió directamente a la cama y cogió la muñeca de Michelle para tomarle el pulso.

—Parece una taquicardia ventricular —dijo la enfermera—. Tiene leucemia. Mieloblástica. Es el segundo día en que se intenta una inducción.

—¿Tiene antecedentes cardíacos? —preguntó la médica, mientras se acercaba y levantaba los párpados de Michelle—. Por lo menos tiene las pupilas bajas.

Las tres enfermeras se miraron.

—No creemos que tenga antecedentes cardíacos. No había nada de eso en el historial clínico —dijo la enfermera encargada.

—¿Presión arterial? —preguntó la residente.

—La última vez era 60/40, aunque variable —contestó la enfermera.

—Taquicardia ventricular —confirmó la residente—. Hágase atrás un momento.

La residente cerró la mano en un puño y lo descargó sobre el tórax estrecho de Michelle con un ruido sordo que hizo que Cathryn diera un respingo.

Un médico, jefe de residentes, de aspecto muy joven, llegó seguido de otros dos, que empujaban un carro cubierto de un conjunto de artefactos y accesorios médicos, coronado por un aparato electrónico.

La médica residente explicó brevemente la condición de Michelle mientras las enfermeras rápidamente colocaban electrodos en las extremidades de la niña.

La enfermera jefa se acercó a una de las otras y le dijo que ordenara buscar al doctor Keitzman.

La caja electrónica de la parte superior del carro empezó a vomitar una tira interminable de papel en el cual Cathryn pudo ver los garabatos rojos de un electrocardiograma. Los médicos se agruparon alrededor del aparato, olvidando momentáneamente a Michelle.

—Sí, taquicardia ventricular —confirmó el residente jefe—. Con la disnea y la cianosis, está claro que tiene un compromiso homodinámico. ¿Qué significa eso, George?

Uno de los residentes levantó la mirada, asustado.

—Significa que debemos hacer una cardioversión inmediata.

—Tienes razón —dijo el jefe de residentes—. Prepararemos lidocaína. Veamos, la chica debe pesar unos cincuenta kilos, ¿no?

—Un poco menos —sugirió la mujer residente.

—Muy bien, cincuenta miligramos de lidocaína. Preparen también un miligramo de atropina en caso de que se produzca una bradicardia.

El equipo funcionaba eficientemente. Uno de los residentes se encargaba de la medicación, otro de los electrodos, mientras que el tercero se ocupaba de Michelle. Puso un electrodo debajo de la espalda de Michelle, el otro sobre el pecho.

—Muy bien, aléjense un poco —dijo el jefe de residentes—. Usaremos una descarga de cincuenta vatios por segundo para comenzar, programada para que coincida con la inscripción de la onda R.

Oprimió un botón y después de un momento el cuerpo de Michelle se contrajo, y brazos y piernas se elevaron de la cama.

Cathryn observaba, horrorizada, cómo los médicos permanecían inclinados sobre el aparato, no haciendo caso de la reacción violenta de Michelle. Cathryn vio que la niña abría los ojos, atónita, y levantaba la cabeza de la almohada. Por suerte, el color de su cara volvió a la normalidad.

—¡No ha estado mal! —gritó el jefe de residentes, examinando la tira de papel que salía del aparato.

—John, lo haces cada vez mejor —dijo la mujer residente—. Podrías muy bien dedicarte a ello.

Todos los médicos rieron y se volvieron hacia Michelle.

El doctor Keitzman llegó, sin aliento, con las manos metidas en los bolsillos de su guardapolvo blanco. Se dirigió a la cama. Tras las lentes, sus ojos examinaron rápidamente el cuerpo de Michelle. Le levantó la mano para sentirle el pulso.

—¿Estás bien, chiquilla? —le preguntó, tomando el estetoscopio.

Michelle asintió, pero no dijo nada. Parecía aturdida.

Cathryn observó cómo John, el jefe de residentes, hacía un resumen de lo sucedido en una jerga médica que le resultaba incomprensible.

El labio superior del doctor Keitzman se levantó

en un espasmo característico; se inclinó sobre Michelle y le auscultó el pecho. Satisfecho, examinó el papel del electrocardiograma que le acercó John. En ese momento vio a Cathryn, apoyada contra la pared. Keitzman miró a la enfermera jefa con una expresión interrogativa. La mujer se encogió de hombros.

—No sabíamos que estaba aquí —dijo a la defensiva.

El doctor Keitzman se acercó a Cathryn y le puso una mano en el hombro.

—¿Qué tal, señora Martel? —le preguntó—. ¿Está usted bien?

Cathryn trató de hablar, pero la voz no cooperó, de modo que asintió, igual que Michelle.

—Lamento que haya tenido que presenciar esto —dijo Keitzman—. Michelle parece estar bien, e indudablemente no sintió nada. Sé, sin embargo, que estas cosas resultan impresionantes. Salgamos al pasillo un momento. Me gustaría hablar con usted.

Cathryn estiró el cuello para poder ver a Michelle por encima del hombro del médico.

—Estará bien —le aseguró Keitzman. Luego, volviéndose a la enfermera encargada, le dijo:

—Estoy fuera. Traigan un monitor cardíaco. Quiero una consulta con un especialista en corazón. Ocúpese de que la doctora Brubaker la vea de inmediato.

Suavemente, el doctor Keitzman llevó a Cathryn al pasillo.

—Vamos al puesto de enfermeras. Allí podremos hablar.

Keitzman llevó a Cathryn por el pasillo hasta el cuarto de historiales clínicos. Había dos mesas de formica, sillas, dos dictáfonos y unos estantes llenos de representaciones gráficas. El doctor Keitzman sacó una silla para Cathryn, que se sentó, agradecida.

—¿Le traigo algo de beber? ¿Un vaso de agua?

—No, gracias —logró decir Cathryn, nerviosa. El modo extremadamente serio en que se comportaba Keitzman era una nueva causa de preocupación. Le escrutó el rostro en busca de indicios, pero era difícil ver tras las gruesas lentes de las gafas del médico.

La enfermera jefe asomó la cabeza por la puerta.

—La doctora Brubaker quiere saber si puede ver a la paciente en su consultorio.

La cara de Keitzman se contorsionó un instante mientras pensaba.

—Dígale que acaba de hacer un cuadro de taquicardia ventricular y que yo preferiría que ella la viera antes de moverla.

—Está bien —dijo la enfermera.

El doctor Keitzman se volvió a Cathryn y suspiró.

—Señora Martel, pienso que tengo la obligación de hablar francamente con usted. Michelle no está nada bien. Y no me refiero específicamente a lo que acaba de ocurrir.

—¿A qué se refiere? —preguntó Cathryn, a quien no le gustaba el tono de la conversación.

—Se le ha acelerado el corazón —dijo el doctor Keitzman—. Generalmente es la parte superior del corazón la que inicia el latido. —Keitzman gesticulaba torpemente con las manos, tratando de ilustrar lo que estaba diciendo—. Pero por alguna razón, la parte inferior del corazón de Michelle fue la que se hizo cargo. ¿Por qué? No lo sabemos todavía. De todos modos, el corazón empezó a latir tan de prisa, que no había tiempo para que se llenara correctamente, de manera que bombeaba de modo ineficaz. Ya está bien ahora. Lo que me preocupa es que no reacciona a la quimioterapia.

—¡Pero si acaba de empezar! —exclamó Cathryn. Lo que menos quería era que socavaran sus esperanzas.

—Eso es verdad —convino Keitzman—. Sin embargo, el tipo de leucemia que tiene Michelle por lo general reacciona los primeros días. Por otra parte, es el caso más violento que conozco. Ayer le dimos una droga muy fuerte y eficaz, llamada daunorubicina. Esta mañana, cuando le hemos hecho el recuento globular, me he sorprendido al ver que casi no causó efecto en las células leucémicas. Esto es muy raro, aunque sucede algunas veces. He inten-

201

tado probar algo distinto. Por lo general damos una segunda dosis de este remedio al quinto día. Yo le he dado otra dosis hoy, junto con la tioguanina y la citabina.

—¿Por qué me dice todo esto? —preguntó Cathryn, segura de que el doctor Keitzman sabía que ella no entendería mucho.

—Debido a la reacción de su marido, ayer —explicó Keitzman—. Y debido a lo que el doctor Wiley y yo le dijimos. Temo que las emociones de su marido interferirán, y que querrá interrumpir las dosis.

—Pero si no resultan, tal vez deberían interrumpirlas —dijo Cathryn.

—Señora Martel, Michelle está muy, muy enferma. Estos medicamentos son la única posibilidad que tiene para sobrevivir. Sé que es decepcionante que no hayan surtido efecto todavía. Su marido tiene razón al decir que la niña no tiene muchas posibilidades. Pero sin quimioterapia, no tiene ninguna, en absoluto.

Cathryn sintió un aguijón de culpa: debería haber llevado a Michelle al hospital hacía tiempo.

El doctor Keitzman se puso de pie.

—Espero que comprenda lo que le digo. Michelle necesita su fortaleza. Ahora quiero que llame a su marido, y le diga que venga. Hay que informarle de lo que ha sucedido.

Aun antes de que el contador automático de radioactividad empezara a registrar los electrones que emanaban de la serie de redomas, Charles sabía que los nucleótidos radioactivos habían sido absorbidos e incorporados en el cultivo de tejido de las células leucémicas de Michelle. Estaba ahora en las últimas etapas de la preparación de una solución concentrada de una proteína de superficie que diferenciaba las células leucémicas de las normales. Era una proteína extraña al cuerpo de Michelle, pero no era rechazada debido al misterioso factor de bloqueo que estaba en el sistema de Michelle, como Charles sabía. Era este factor de bloqueo el que Charles quería investigar. Ojalá supiera algo del método de acción del factor de bloqueo, pues entonces tal vez lograría inhibirlo. Se sentía frustrado al estar tan cerca de la solución y verse obligado a interrumpir la investigación. Al mismo tiempo, se daba cuenta de que probablemente se trataba de un proyecto de cinco años, sin ninguna garantía de éxito.

Cerró la incubadora del cultivo del tejido y se dirigió a su escritorio. Era raro que Ellen no hubiera vuelto. Quería discutir el proyecto de Cancerán con alguien que entendiera, y ella era la única en quien podía confiar.

Se sentó, tratando de no pensar en el humillante encuentro que había tenido con Ibáñez y los Weinburger. Se puso a pensar en la frustrante visita a las oficinas de la PMA, lo que no contribuyó a tranquilizarlo. Sin embargo, le pareció cómica su propia ingenuidad al creer que podía entrar en una oficina del gobierno esperando lograr algo. Tal vez habría alguna manera de conseguir una prueba fotográfica de que Recycle descargaba sustancias químicas en el río. Era dudoso, pero lo intentaría.

Si conseguía la prueba, tal vez sería mejor demandar directamente a Recycle en lugar de esperar la acción de la PMA. Charles sabía muy poco de los aspectos legales, pero recordó que tenía a su disposición una fuente de información. El Instituto Weinburger tenía una asesoría jurídica.

El cajón inferior izquierdo era el lugar donde Charles guardaba toda clase de circulares informativas. Cerca del fondo encontró lo que buscaba: un folleto rojo, finito, titulado *Bienvenido a bordo del Instituto Weinburger*. En la parte de atrás había una lista de números de teléfono importantes. Allí encontró Hubbert, Hubbert, Garachnik & Pearson, calle State núm. 1, seguido de varios números. Marcó el primero.

Charles dijo quién era, e inmediatamente lo conectaron con el despacho del doctor Garachnik. Su secretaria resultó ser muy amable y en cuestión de minutos se encontró hablando con el señor Garachnik en persona. Al parecer, el Instituto Weinburger era un cliente bien considerado.

—Necesito informarme —dijo Charles— de cómo poner un pleito a una compañía que está descargando desperdicios venenosos en un río.

—Lo mejor sería —opinó Garachnik— que uno de nuestros abogados especialistas en leyes ambientales se ocupara del asunto. Sin embargo, si sus preguntas son generales, tal vez yo puedo ayudarlo. ¿Se está interesando el Instituto Weinburger en temas del medio ambiente?

—No —dijo Charles—. Lamentablemente, no. Es algo que me interesa personalmente.

—Ya veo —dijo el señor Garachnik, en tono más frío—. Nuestra firma no se encarga de los problemas legales de los empleados del Instituto Weinburger, a menos que se haga algún arreglo especial con el interesado.

—Eso es posible —dijo Charles—. Pero ya que estamos, quizá usted pudiera darme una idea general acerca del procedimiento.

Se hizo una pausa. El señor Garachnik quería que Charles se diera cuenta de que él estaba, por su posición en la firma, muy por encima de una consulta.

—Puede demandarlos individualmente o en grupo. Si se trata de una demanda individual, necesitará daños específicos, y si...

—¡Eso es lo que tengo! —lo interrumpió Charles—. Mi hija ha contraído leucemia.

—Doctor Martel —señaló el señor Garachnik con irritación—. Como médico usted debe saber que es extremadamente difícil establecer relación entre la descarga de sustancias en el río y la enfermedad. Por otra parte, en una demanda de grupo destinada a causar una acción judicial contra la fábrica, no es necesario tener daños específicos. Se necesita la participación de treinta o cuarenta personas. Si requiere mayor asesoramiento, le sugiero que se comunique con Thomas Wilson, uno de nuestros abogados más jóvenes. El está especialmente interesado en temas ambientales.

—¿Tiene importancia que la fábrica esté en Nueva Hampshire? —preguntó rápidamente Charles.

—No, excepto que la demanda deberá presentarse en un juzgado de Nueva Hampshire —dijo Garachnik, en un tono que indicaba su deseo de terminar la conversación.

—¿Qué pasa si el dueño es una corporación de Nueva Jersey?

—Eso puede complicar las cosas, o tal vez no —contestó Garachnik, de repente más interesado—. ¿A qué fábrica se está refiriendo?

—A una llamada Recycle Limitada, que está en Shaftesbury —dijo Charles.

—Que es de Breur Chemicals, de Nueva Jersey —agregó rápidamente el señor Garachnik.

—Eso es —dijo Charles, sorprendido—. ¿Cómo lo sabe?

—Porque en ocasiones hemos representado indirectamente a Breur Chemicals. Para su información, le diré que Breur Chemicals es dueña también del Instituto Weinburger, sólo que ésta es una organización no lucrativa.

Charles quedó aturdido.

Garachnik prosiguió:

—Breur Chemicals fundó el Instituto Weinburger cuando incorporó la industria de medicamentos, al comprar los laboratorios Lesley. Yo no era partidario de la idea en ese momento, pero el señor Weinburger, padre, se mostró muy entusiasta. Yo temía que se nos presentara una demanda antimonopolio, pero no fue posible, gracias a la fachada que presentaba el Instituto de organismo no lucrativo. De todos modos, usted trabaja para Breur Chemicals y en ese sentido es mejor que lo piense dos veces antes de demandar a nadie.

Charles colgó el teléfono muy lentamente. Parecía imposible lo que acababa de oír. Nunca se había interesado en el aspecto financiero del instituto. Sólo le interesaba que se le proporcionaran facilidades para investigar y equipo. De pronto se enteraba de que trabajaba para un grupo empresarial que en última instancia era responsable de descargar en un río desperdicios que producían cáncer, que al mismo tiempo administraba un instituto de investigaciones que estaba presuntamente interesado en curar el cáncer. En cuanto al Cancerán, la compañía matriz controlaba tanto el laboratorio dueño de la patente como el instituto de investigaciones elegido para comprobar su eficacia.

¡No era extraño que el Weinburger estuviera interesado en Cancerán!

El teléfono sonó de manera discordante bajo su mano extendida, poniéndolo más tenso todavía. Por ser la causa de una reciente revelación horrible, Charles pensó en no contestar. Sin duda llamaba algún funcionario administrativo del instituto para presionarlo y engañarlo nuevamente.

De repente, Charles pensó en Michelle. La llamada podía tener que ver con su hija. Levantó el auricular rápidamente y se lo llevó al oído.

Estaba en lo cierto. Era Cathryn, y su voz tenía la misma rigidez del día anterior. Le dio un vuelco el corazón.

—¿Va todo bien?

—Michelle no está muy bien. Ha surgido una complicación. Es mejor que vengas.

Charles tomó el abrigo y salió corriendo del laboratorio. En la entrada principal, golpeó la puerta de vidrio, impaciente por que la abrieran.

—¡Está bien, está bien! —dijo la señorita Andrews, tocando el botón de debajo de su escritorio para abrir la puerta.

Charles salió antes de que la puerta se terminara de abrir del todo, y desapareció de la vista.

—¿Qué le pasa? —preguntó la señorita Andrews, apretando el botón para cerrar la puerta—. ¿Ha enloquecido?

Roy se acomodó la gastada funda de la pistola, y se encogió de hombros.

Charles se concentró en conducir con rapidez para no tener que tratar de imaginar qué le pasaría a Michelle. Sin embargo, después de cruzar el río, en la avenida Massachusetts, entró en el tráfico lento. A medida que avanzaba centímetro a centímetro, no lograba dejar de preocuparse, pensando con qué se encontraría al llegar al Hospital Pediátrico. Las palabras de Cathryn le rondaban por la cabeza: «Michelle no está muy bien. Ha surgido una complicación.» Charles sintió el miedo como un nudo en el estómago.

Al llegar al hospital, corrió al interior y empujó para entrar en el ascensor, repleto de gente. El maldito aparato se detuvo en todos los pisos. Por fin llegó al sexto, donde Charles salió a empellones. Corrió por el pasillo hasta el cuarto de Michelle. La puerta estaba cerrada casi completamente. Entró sin llamar.

Una mujer elegante, de pelo rubio, que se inclinaba sobre Michelle, se incorporó. Había estado auscultando a la niña. Al otro lado de la cama había un joven residente, de guardapolvo blanco.

Charles miró un instante a la mujer y luego inmediatamente a su hija. El cariño fue el sentimiento dominante entre todos los que lo embargaron. Quería abrazarla y protegerla, pero tenía miedo de que estuviera demasiado frágil. Sus ojos avezados la inspeccionaron rápidamente, detectando un empeoramiento de su condición desde esa mañana. Tenía la cara verdosa, y ése era un cambio que, durante su largo entrenamiento médico, él asociaba con la muerte próxima. Se le habían hundido las mejillas y tenía la piel tirante sobre los pómulos. Aunque le habían colocado sondas intravenosas en los dos brazos, parecía deshidratada a causa de los vómitos y la alta temperatura.

Estaba acostada de espaldas. Levantó los ojos cansados para mirar a su padre. A pesar de sus molestias, sonrió débilmente y durante un instante sus ojos se iluminaron con un brillo increíble.

—Michelle —dijo Charles suavemente, inclinándose hasta aproximar su cara a la de ella—. ¿Cómo te encuentras? —No sabía qué otra cosa decir.

A Michelle se le nublaron los ojos y echó a llorar.

—Quiero irme a casa, papá.

No quería reconocer lo mal que se encontraba.

Charles se mordió los labios. Levantó los ojos y

miró a la mujer que estaba a su lado, turbado por la emoción que lo embargaba. Volvió a mirar a Michelle, le puso la mano en la frente y le alisó el cabello negro. Tenía la frente caliente y húmeda. Le había subido la fiebre. Michelle lo tomó de la mano.

—Ya hablaremos de eso —prometió Charles. Le temblaban los labios.

—Perdón —dijo la mujer—. Usted debe de ser el doctor Martel. Yo soy la doctora Brubaker. El doctor Keitzman me pidió que viera a Michelle. Soy cardióloga. Le presento al doctor John Hershing, jefe de residentes.

Charles no se molestó en formalidades:

—¿Qué ha sucedido?

—Sufrió un cuadro agudo de taquicardia ventricular —contestó el doctor Hershing.

Charles miró a la doctora. Era una mujer alta, bonita, de rasgos definidos. Llevaba el pelo rubio peinado hacia arriba, sujeto en un moño flojo.

—¿Qué ocasionó la arritmia? —preguntó Charles, sin soltar la mano de Michelle.

—Todavía no lo sabemos —dijo la doctora Brubaker—. Se me ocurre que se debió a una reacción idiosincrática ante la dosis doble de daunorubicina, o bien una manifestación de su problema básico, alguna especie de miopatía. Pero me gustaría terminar el examen, de ser posible. El doctor Keitzman y su esposa están en el cuarto de historiales clínicos, en el puesto de enfermeras. Tengo entendido que lo están esperando.

Charles bajó los ojos para ver a Michelle.

—Vuelvo en seguida, tesoro.

—No te vayas —suplicó Michelle—. Quédate conmigo.

—No estaré lejos —dijo Charles, soltándose suavemente de la mano de Michelle. Estaba preocupado ahora que se había enterado, por la doctora Brubaker, de que Michelle había recibido una dosis doble de daunorubicina. Eso no era normal.

Cathryn vio a Charles antes que él a ella, y se puso de pie de un salto. Lo abrazó.

—Me alegro tanto de que estés aquí, Charles. —Es-

208

condió la cara contra el cuello de su marido—. Esto es demasiado difícil para mí sola.

Abrazado a Cathryn, Charles paseó la vista por el pequeño cuarto. El doctor Wiley estaba apoyado contra una mesa, mirando el suelo. El doctor Keitzman, sentado frente a Wiley, con las piernas cruzadas y las manos entrelazadas sobre una rodilla, parecía estar examinando la tela de sus pantalones. Nadie hablaba. Charles estaba nervioso. Miró a uno de los médicos, luego al otro. La escena parecía artificial, teatral. Tenían algo preparado, y Charles aborrecía el dramatismo.

—Muy bien. ¿Qué está sucediendo? —preguntó, desafiante.

Wiley y Keitzman empezaron a hablar al mismo tiempo, luego se detuvieron.

—Se trata de Michelle —empezó finalmente Keitzman.

—Eso suponía —dijo Charles.

El nudo del estómago se puso más tenso.

—No reacciona como esperábamos —explicó el doctor Keitzman con un suspiro y mirando a Charles por primera vez—. Los miembros de la familia de un médico siempre son los más difíciles. Es como una ley. La ley de Keitzman.

Charles no estaba de humor para bromas. Miró al oncólogo, y observó detenidamente uno de sus tics característicos.

—¿Qué es esto de una dosis doble de daunorubicina?

Keitzman tragó saliva.

—Le dimos la primera dosis ayer, pero no reaccionó. Le hemos dado otra hoy. Hay que disminuir las células leucémicas circulantes.

—Eso no es lo acostumbrado, ¿no? —preguntó Charles, cortante.

—No —respondió, vacilante Keitzman—, pero Michelle no es un caso común y corriente. Yo quería probar...

—¡Probar! —gritó Charles—. Oigame bien, doctor Keitzman —dijo Charles, señalándolo con un dedo acusador—. Mi hija no está aquí para que usted haga pruebas. En realidad, usted me está diciendo que la leucemia de Michelle tiene tan pocas posibilidades de remisión que usted está dispuesto a realizar cualquier tipo de experimentos.

—¡Charles! —exclamó Cathryn—. Eso no es justo.

Charles no le hizo caso.

—Lo que pasa, doctor Keitzman, es que usted está tan seguro de que es un caso terminal que ha abandonado la quimioterapia ortodoxa. Pues yo no estoy seguro de que sus experimentos no le estén restando posibilidades. ¿Qué hay de este problema cardíaco? Nunca había tenido nada en el corazón. ¿Acaso la daunorubicina no ocasiona trastornos cardíacos?

—Sí —convino Keitzman—, pero por lo general no tan pronto. No sé qué pensar con respecto a esta complicación, y por eso pedí la consulta de un especialista.

—Pues yo creo que es el medicamento —afirmó Charles—. Acepté quimioterapia, pero supuse que usted le administraría las dosis normales. No sé si acepto que se dupliquen.

—Si es así, tal vez debería hacerla tratar por otro oncólogo —dijo Keitzman fatigadamente. Se puso de pie y recogió sus cosas—. O es mejor que se ocupe usted mismo.

—¡No! ¡Por favor! —exclamó Cathryn, soltando a Charles y tomando del brazo al doctor Keitzman—. Por favor, Charles está trastornado. Por favor, no nos abandone. —Cathryn se volvió hacia Charles, frenética—. Charles, ese medicamento es la única posibilidad que tiene Michelle. —Se volvió hacia el doctor Keitzman—: ¿No es así?

—Así es —repuso el doctor Keitzman—. Aumentar la quimioterapia, aunque no sea lo acostumbrado, es la única esperanza de remisión que tiene, y hay que obtener una remisión pronto si queremos que Michelle sobreviva.

—¿Qué propones tú, Charles? —preguntó el doctor Wiley—. ¿Que no se haga nada?

—No obtendremos una remisión —dijo Charles, furioso.

—No puedes decir eso —señaló Wiley.

—Es su única oportunidad, Charles —dijo Cathryn.

Charles se hizo atrás, observando a los demás, como si fueran a obligarlo a algo, a someterlo.

—¿Qué tratamiento crees que debería dársele? —preguntó el doctor Wiley.

—No podemos hacer nada, Charles —suplicó Cathryn.

Charles quería marcharse de allí. Dentro del hospital, cerca de Michelle, no podía pensar racionalmente. La idea de ocasionarle más dolores a su hija le resultaba insoportable, pero igualmente aborrecible era el pensamiento de dejarla morir sin hacer nada. No tenía alternativa. El doctor Keitzman tenía razón, si es que existía una posibilidad de remisión. Pero de no existir esa posibilidad, lo que estaban haciendo era torturar a la niña. ¡Por Dios!

De pronto, Charles dio media vuelta y salió del cuarto. Cathryn corrió tras él.

—¡Charles! ¿Adónde vas? ¡Charles, no te vayas! Por favor. No me dejes.

Al llegar a la escalera él se volvió, por fin, y apretó a Cathryn por los hombros.

—Aquí no puedo pensar. No sé lo que conviene. Una alternativa es peor que la otra. Ya he pasado por todo esto, pero la familiaridad no lo hace más llevadero. Tengo que serenarme. Perdóname.

Con un sentimiento de impotencia, Cathryn observó cómo desaparecía por la puerta. Se sintió sola en el pasillo atestado de gente. Sabía que, de ser imprescindible, ella resolvería la situación. Debía hacerlo, por Michelle. Volvió al cuarto de historiales clínicos.

—Lo curioso del caso —observó Cathryn con voz trémula— es que ustedes dos me previnieron que esto sucedería.

—Desgraciadamente, tenemos experiencia con enfermos que son parientes de médicos —dijo el doctor Keitzman—. Siempre resulta difícil.

—Aunque no tan difícil como en este caso —agregó Wiley.

—Hemos estado hablando en su ausencia —dijo

Keitzman—. Creemos que se debe hacer algo para asegurar la continuidad en el tratamiento de Michelle.

—Se necesita una especie de garantía —explicó Wiley.

—Sobre todo, porque el factor tiempo es importante —agregó Keitzman—. Interrumpir el tratamiento, aunque fuera un día o dos, podría significar la diferencia entre el éxito y el fracaso.

—No queremos decir que la preocupación de Charles sea infundada —le aseguró el doctor Wiley.

—De ninguna manera —convino el doctor Keitzman—. En el caso de Michelle, con células leucémicas circulantes, que no reaccionan a la daunorubicina, las perspectivas no son óptimas. Pero yo creo que merece una oportunidad, sean cuales sean las posibilidades. ¿No está usted de acuerdo, señora Martel?

Cathryn miró a ambos médicos. Estaban tratando de sugerir algo, pero ella no caía en la cuenta.

—Por supuesto —dijo. ¿Cómo no estar de acuerdo? Por supuesto que Michelle merecía todas las oportunidades del mundo.

—Hay formas de asegurarnos para que Charles no interrumpa arbitrariamente el tratamiento —explicó el doctor Wiley.

—Y sólo recurriríamos a ellas de ser necesario —agregó el doctor Keitzman—. Pero conviene estar preparados, por si acaso.

Se hizo una pausa.

Cathryn tenía la impresión de que los médicos esperaban que ella respondiera, pero no tenía ni idea de qué hablaban.

—Permítame que le dé un ejemplo —dijo Wiley, inclinándose hacia delante en su silla—. Suponga que un niño necesita desesperadamente una transfusión. Si no se le da, morirá. Suponga, además, que el padre o la madre del niño es un testigo de Jehová. Habrá un conflicto entre ellos con respecto al tratamiento adecuado. Los médicos, por supuesto, reconocen la necesidad de la transfusión para salvar al niño. ¿Qué hacen? Hacen que un juez conceda la tutoría al progenitor que consentirá que se haga la transfusión. Cualquier juez lo hace para garantizar los derechos del niño. No es que no se respete la creencia del otro progenitor, sino que es injusto que una persona prive a otra de un tratamiento para salvarle la vida.

Cathryn miró fijamente a Wiley. Estaba consternada.

—¿Me está pidiendo que asuma la tutoría de Michelle a espaldas de Charles?

—Sólo con el propósito específico de que no se interrumpa el tratamiento —dijo el doctor Keitzman—. Podría salvarse la vida de la niña. Por favor, comprenda, señora Martel, que podríamos hacerlo sin su ayuda. Podemos pedir que la corte nombre a un tutor, que es lo de práctica cuando ambos padres se niegan a un tratamiento. Pero sería mucho más sencillo si usted colaborara.

—Pero ustedes no le están dando el tratamiento normal a la niña —observó Cathryn, recordando las palabras de Charles.

—No se aparta mucho de lo considerado normal —dijo Keitzman—. En realidad, estoy escribiendo un estudio sobre el aumento de las dosis quimioterapéuticas en casos extremos, como el de su hija.

—Y debe reconocer que Charles se ha estado comportando de una manera extraña —agregó Wiley—. Debe de estar bajo una gran presión. Tal vez es incapaz de tomar una decisión sensata. En realidad, me quedaría más tranquilo si consiguiéramos convencer a Charles de que hablara con un profesional.

—¿Que vaya al psiquiatra, quiere decir? —preguntó Cathryn.

—Podría ser una buena idea —afirmó el doctor Wiley.

—Compréndanos, por favor, señora Martel. Estamos tratando de hacer todo lo posible, y como médicos de Michelle lo que más nos interesa es su bienestar. Sentimos que debemos hacer todo lo que podamos —aseguró Keitzman.

—Agradezco sus esfuerzos —señaló Cathryn—, pero...

—Sabemos que suena drástico, pero una vez que consigamos la autorización legal para la tutoría, no será necesario invocarla a menos que la situación lo haga imprescindible. En ese caso, si Charles intenta interrumpir el tratamiento, o incluso llevarse a la niña del hospital, estaremos en condiciones de poder hacer algo al respecto —explicó el doctor Keitzman.

—Más vale prevenir que curar —dijo Wiley.

—No me siento cómoda con la idea —señaló Cathryn—. Pero Charles ha estado muy raro últimamente. Me parece increíble que se haya ido, como hace un momento.

—Yo lo entiendo —afirmó Keitzman—. Me doy cuenta de que Charles es un hombre de acción, y el hecho de que no pueda hacer nada por Michelle debe de enloquecerlo. Está bajo una gran carga emotiva, y por eso creo que sería conveniente conseguir ayuda profesional.

—No creerán que puede tener una crisis nerviosa, ¿verdad? —preguntó Cathryn con creciente ansiedad.

El doctor Keitzman miró al doctor Wiley para ver si quería contestar, luego habló él:

—Yo no me considero capacitado para responder esa pregunta. Tensión hay, desde luego. Habría que ver si son fuertes sus reservas.

—Creo que existe una posibilidad —dijo Wiley—. En realidad, me parece que ya manifiesta ciertos síntomas. Parece no controlar las emociones, y su ira es excesiva.

Cathryn se sentía confundida. La idea de interponerse entre Charles, el hombre a quien amaba, y la hija de él, a quien había aprendido a amar también, era inconcebible. Pero, sin embargo, si la tensión resultaba excesiva para Charles e interrumpía el tratamiento de Michelle, ella tendría que compartir la culpa por no haber tenido la valentía de ayudar a los médicos de la niña.

—Si hiciera lo que me piden —preguntó Cathryn—, ¿cuál sería el procedimiento?

—Aguarde un minuto —dijo el doctor Keitzman, alargando el brazo para tomar el teléfono—. Creo que el abogado del hospital podrá responder a esa pregunta mejor que yo.

Antes de que Cathryn se diera cuenta, la reunión con el abogado del hospital ya había concluido, e iba caminando tras él en los tribunales de Boston. Se llamaba Patrick Murphy. Tenía pecas y pelo castaño claro, de tono indeterminado, que alguna vez debía de haber sido rojizo. Sin embargo, su característica más distintiva era su personalidad. Se trataba de una de esas raras personas que caen bien a todo el mundo en el acto de conocerlas, y Cathryn no fue una excepción. Incluso en el estado de preocupación en que se encontraba, se sintió cautivada por los modales suaves y directos de aquel hombre, y por su cautivadora sonrisa.

Cathryn no estaba segura de en qué momento había cambiado la conversación, trocándose, de discusión de una situación hipotética, en la de una real. Le resultaba muy difícil decidirse a solicitar la tutoría de Michelle a espaldas de Charles. Patrick le aseguró, igual que el doctor Keitzman, que el poder real no tendría que utilizarse, excepto en el caso improbable de que Charles intentara interrumpir el tratamiento de Michelle.

Aun así, Cathryn se sentía inquieta, sobre todo porque no había tenido tiempo de ver a Michelle, con la prisa de tratar de llegar a los tribunales antes de las cuatro.

—Por aquí, por favor —dijo Patrick, indicando una escalera angosta. Cathryn nunca había estado en los tribunales, pero no eran ni parecidos a cómo se los imaginaba. Pensaba que le resultarían imponentes de alguna manera simbólica, pues representaban el concepto de la justicia. Sin embargo, los tribunales de Boston, ubicados en un edificio de más de cien años, le resultaron sucios y deprimentes, sobre todo porque, por razones de seguridad, había que entrar por el sótano.

Después de subir por la angosta escalera de hierro, que servía como único acceso, cosa que a Cathryn le resultó increíble, llegaron al antiguo salón principal. Allí había una sombra del viejo esplendor, reflejado en el cielo raso abovedado, las columnas de mármol y los suelos del mismo material. Sin embargo, la pintura de las paredes estaba agrietada y descascarillada y las trabajadas molduras daban la impresión de estar a punto de desmoronarse.

Cathryn tuvo que correr para mantenerse al lado de Patrick cuando éste entró en el juzgado de legalizaciones. Era un recinto largo y estrecho, con aspecto polvoriento y opresivo, sobre todo debido a los cientos de viejos volúmenes apoyados sobre estantes bajos, a la derecha. A la izquierda había un mostrador largo, rayado y estropeado, detrás del cual el grupo de empleados parecía reavivarse de pronto de su somnolencia diurna por la proximidad de la hora de salida.

Al estudiar la habitación, Cathryn no sintió la confianza y seguridad que esperaba. Por el contrario, el estado ruinoso del lugar le daba la sensación de estar atrapada en una ciénaga de burocracia y expedientes. Sin embargo, Patrick no le permitió que se detuviera. La llevó a un mostrador más pequeño situado al final de la habitación.

—Quiero hablar con uno de los asistentes de legalizaciones —dijo Patrick a una de las aburridas empleadas. Tenía un cigarrillo colgando de una de las comisuras de la boca, lo que le obligaba a torcer la cara para que no le entrara el humo en los ojos. Señaló a un hombre que estaba de espaldas.

Al oír a Patrick, el hombre se volvió. Estaba hablando por teléfono, pero les indicó con la mano que esperaran. Después de terminar la conversación, se acercó a Cathryn y Patrick. Era un hombre de mediana edad, con exceso de peso. Una espesa capa de grasa fláccida se agitaba cuando caminaba. Su cara era toda papada, carnosidades y profundas arrugas.

—Es urgente —le explicó Patrick—. Queremos ver a un juez.

—¿Se trata de un caso de tutoría para el hospital, señor Murphy? —preguntó el asistente.

—Exactamente —afirmó Patrick—. Ya tenemos todos los formularios llenos.

—Debo decir que son ustedes muy eficientes —dijo Mark, el asistente. Miró la esfera del reloj oficial—. Aunque les queda muy poco tiempo. Son casi las cuatro. Voy a ver si el juez Pelligrino no se ha ido.

Traspuso una puerta con andares de pato y los brazos casi perpendiculares al cuerpo.

—Problema glandular —murmuró Patrick. Puso la cartera sobre el mostrador y la abrió.

Cathryn miró a aquel hombre atractivo vestido como un típico abogado, con un traje a rayas de corte perfecto. Los pantalones estaban ligeramente arrugados, sobre todo detrás de las rodillas, y eran un poco cortos; dejaban asomar los calcetines negros. Con esmerada atención, se puso a arreglar los papeles que había firmado Cathryn.

—¿Le parece que hago bien? —preguntó Cathryn de repente.

—Por supuesto —afirmó Patrick, dedicándole una de sus sonrisas cálidas y espontáneas—. Lo hace por la niña.

Cinco minutos más tarde estaban en el despacho del juez. Ya era demasiado tarde para echarse atrás.

El juez Louis Pelligrino distaba tanto de la idea que tenía Cathryn de un magistrado como el edificio de los tribunales de lo que ella había creído. En lugar de un hombre mayor, con toga, una figura socrática, Cathryn se encontró frente a un hombre perturbadoramente apuesto, que lucía un traje hecho a medida. Después de ponerse unas elegantes gafas de lectura, recibió los papeles de manos de Patrick, diciendo:

—Por Dios, señor Murphy. ¿Por qué aparece siempre a las cuatro?

—Los casos de urgencia, Su Señoría, se rigen por el reloj biológico, y no el legal.

El juez Pelligrino miró a Patrick por encima de las gafas, aparentemente tratando de decidir si se

217

trataba de una respuesta inteligente o atrevida. Se inclinó por lo primero y apareció una lenta sonrisa en sus labios.

—Muy bien, señor Murphy. Lo acepto. ¿Por qué no me explica la petición?

Mientras Patrick hábilmente resumía las circunstancias que rodeaban el caso de Michelle, su enfermedad y tratamiento, así como también la conducta de Charles, el juez Pelligrino examinaba las solicitudes, al parecer sin prestar atención al joven abogado. Sin embargo, cuando Patrick cometió un pequeño error gramatical, levantó la cabeza inmediatamente, y lo corrigió.

—¿Dónde están las declaraciones juradas de los doctores Wiley y Keitzman? —preguntó el juez Pelligrino cuando Patrick terminó.

El abogado se inclinó hacia delante y, nervioso, buscó entre los papeles que tenía el juez ante sí. Abrió su portafolios, y con gran alivio encontró los documentos. Se los entregó al magistrado con una disculpa.

El juez leyó todos los papeles detalladamente.

—Esta señora es la madre adoptiva, supongo —dijo, atrayendo la atención de Cathryn.

—Así es —confirmó Patrick—, y está muy preocupada, lógicamente, porque se mantenga el tratamiento adecuado para la niña.

El juez Pelligrino escrutó el rostro de Cathryn. Esta sintió que se ruborizaba, a la defensiva.

—Creo que es importante destacar —agregó Patrick— que no existe una discordia matrimonial entre Charles y Cathryn Martel. La única cuestión es el deseo de mantener el método establecido de tratamiento ordenado por las autoridades médicas correspondientes.

—Eso lo entiendo —dijo el juez Pelligrino—. Lo que no entiendo, ni apruebo, es que el padre bioló gico no esté presente para poderlo interrogar.

—Pero precisamente por eso la señora Martel solicita una tutoría temporal, como medida de emergencia —explicó Patrick—. Hace unas pocas horas, Charles Martel salió corriendo en medio de una reunión que sostenía con los médicos de Michelle y con la señora Martel. El señor Martel expresó la creencia de que el tratamiento de Michelle, que es la única oportunidad de supervivencia con que cuenta la niña, debe interrumpirse, y luego, de improviso, se fue. Quiero aclarar, pero sin que conste en acta, que los médicos que tratan a la niña están preocupados por la estabilidad mental del padre.

—Me parece que eso debería constar en acta —dijo el juez.

—Estoy de acuerdo —convino Patrick—, pero lamentablemente, en ese caso, el señor Martel debería ver a un especialista. Tal vez podríamos arreglarlo para la audiencia.

—¿Le gustaría agregar algo, señora Martel? —preguntó el juez, volviéndose hacia Cathryn.

Cathryn dijo que no, con voz apenas audible.

El juez arregló los papeles sobre su escritorio. Evidentemente, estaba meditando. Se aclaró la garganta antes de hablar:

—Concederé la tutoría temporal, como medida de emergencia, con el solo propósito de que se mantenga el tratamiento médico establecido. —Firmó y rubricó la solicitud—. Igualmente, nombraré un tutor *ad litem* que cumpla sus funciones hasta que se establezcan los detalles en la audiencia, que deberá ser dentro de tres semanas.

—Eso será difícil —informó el asistente, que hablaba por primera vez—. Tiene todas las horas ocupadas.

—Al diablo con los horarios —dijo el juez Pelligrino, mientras firmaba el segundo documento.

—Será difícil preparar todo para dentro de tres semanas —protestó Patrick—. Tendremos que obtener un testimonio médico de un experto. Y hay que hacer algunas investigaciones legales. Necesitamos más tiempo.

—Ese es problema suyo —dijo el juez, despiadadamente—. Estará ocupado, de todos modos, con la audiencia preliminar sobre la tutoría temporal. Por ley, deberá tener lugar dentro de tres días. Así que es mejor que empiece a trabajar. Igualmente, quiero que se informe de estos procedimientos al padre cuanto antes. Quiero que se lé dé una citación, a más tardar mañana, ya sea en el hospital o en el lugar de trabajo.

Cathryn se enderezó en su silla, aturdida.

—¿Informarán a Charles acerca de esto?

—Por supuesto —dijo el juez, poniéndose de pie—. No me parece justo privar al padre de sus derechos de patria potestad sin informarle de ello. Ahora, tendrán que excusarme.

—Pero... —tartamudeó Cathryn. No pudo terminar. Patrick le dio las gracias al juez y sacó rápidamente a Cathryn del despacho. La llevó de nuevo al salón principal de los tribunales.

Cathryn se sentía perturbada.

—Usted me había dicho que no usaríamos esto a menos que Charles se opusiera al tratamiento.

—Así es —confirmó Patrick, confundido por la reacción de Cathryn.

—Ahora, Charles se enterará de lo que he hecho —exclamó Cathryn—. Eso no me lo habían dicho. ¡Dios mío!

10

A pesar de que el sol se había puesto de acuerdo con el horario previsto, a las cuatro y media, nadie pudo ver el ocaso en Nueva Inglaterra. En ese momento Charles estaba estacionando el coche en la calle Main de Shaftesbury. Una gruesa capa de nubes se había desplazado desde los Grandes Lagos. Los meteorólogos de Nueva Inglaterra intentaban establecer cuándo iba a chocar el frente con un avance de aire tibio del Golfo de México. Todos estaban de acuerdo en que nevaría, pero nadie podía decir cuánto o en qué momento habría de suceder.

A las cinco y media, Charles seguía al volante del Pinto, detenido junto a los desiertos edificios de la antigua hilandería. De vez en cuando limpiaba la escarcha del parabrisas para poder ver. Estaba esperando que estuviera completamente oscuro. Para mantenerse en calor ponía en marcha el motor del Pinto cada quince minutos, y lo dejaba unos cinco minutos encendido. Pasadas las seis vio que el cielo estaba uniformemente negro, por lo que abrió la portezuela y salió.

Recycle Limitada, se encontraba a unos doscientos metros, como se veía por la única luz encendida cerca de la puerta de las oficinas. Había empezado a

221

nevar. Los copos, grandes, se posaban como plumas, y trazaban arcos al caer.

Charles abrió el maletero y recogió su equipo: una cámara Polaroid, una linterna y unos cuantos frascos para muestras. Luego atravesó la nieve hasta llegar a la pared de la vieja hilandería y empezó a avanzar hacia Recycle Limitada. Después de dejar a Cathryn en el hospital, había tratado de aclarar sus confusos pensamientos. No pudo llegar a ninguna conclusión con respecto al tratamiento de Michelle, aunque la intuición le decía que no se produciría la remisión. No podía interrumpir el tratamiento, pero tampoco soportaba verla sufrir más de lo necesario. Se sentía atrapado. En consecuencia, le pareció un alivio dirigirse a Shaftesbury con la esperanza de conseguir pruebas de que se volcaba benceno en el río. Eso, al menos, satisfacía su necesidad de acción.

Al llegar al final del edificio, se detuvo en la esquina a mirar. Alcanzaba a ver toda la fábrica, que ocupaba el último edificio de las hilanderías alineadas.

Con la Polaroid y la linterna en los bolsillos del abrigo y los frascos en las manos, Charles volvió la esquina en dirección al río Pawtomack, desplazándose paralelamente a la cerca. Cuando ya no pudo ver la luz a la entrada de la fábrica, cortó diagonalmente por la zona de estacionamiento que se encontraba vacía, y llegó a la cerca que estaba junto al río. Primero arrojó la linterna al suelo, al otro lado de la cerca, luego los frascos. Con la cámara colgando del hombro, Charles trepó por el alambre tejido. Al llegar arriba lo traspuso y dio un salto. Cayó de pie, pero en seguida rodó de espaldas. Temeroso de que lo vieran, alzó sus pertenencias y corrió al refugio de la sombra del viejo edificio.

Esperó unos instantes. Del interior provenían los ruidos que ya conocía y, desde donde estaba, alcanzaba a ver el río Pawtomack, en su mayor parte congelado, y los árboles de la margen opuesta. En ese punto, el río tenía unos cincuenta metros de ancho. Cuando recobró el aliento, avanzó a lo largo del edificio en dirección a la esquina que daba al río. Era difícil caminar, porque la nieve cubría toda clase de basura y escombros.

Al llegar a la esquina más cercana al río, protegiéndose los ojos de los copos de nieve, los fijó en su objetivo: los dos tanques de metal. Desgraciadamente, estaban próximos al extremo opuesto del edificio. Luego de una breve pausa, Charles echó a andar sobre los restos herrumbrados y retorcidos de maquinaria desechada, pero pronto encontró cortado el paso por un canal de granito de unos tres metros de ancho. Procedía de un arco abierto en la parte inferior del edificio y corría hasta la orilla del río, donde estaba obstruido por unos tablones de madera. A mitad de la pared opuesta, de mampostería, había un conducto que conectaba con la laguna. El líquido que corría por el canal y el de la laguna no estaban congelados y tenían el olor inconfundible y acre de las sustancias químicas desechadas.

Charles vio que, junto a la fábrica, había dos gruesas tablas de madera sobre el canal. Dejó los frascos y volvió las tablas para quitarles la capa de nieve y hielo que las cubría. Luego, con mucho cuidado, cruzó por el puente que formaban las tablas, con los frascos bajo el brazo derecho. Usaba el izquierdo para apoyarse contra el edificio.

Al otro lado del canal, el terreno bajaba. Charles pudo acercarse hasta llegar al nivel de la laguna. Por el aspecto provisional que tenía todo, especialmente la presa, Charles se dio cuenta de que las sustancias químicas que se descargaban en la laguna continuamente llegaban al río. Quería una muestra de ese líquido, con consistencia de jarabe. Se inclinó sobre el borde y llenó uno de los frascos de medio litro con el burbujeante líquido. Lo tapó, y lo dejó para luego recogerlo a la vuelta. Mientras tanto, quería sacar una foto de la presa que evitaba que esa inmunda letrina química se vaciara totalmente en el río.

Wally Crabb hizo un descanso para comer antes de tiempo, y se apartó de los hornos con los dos hombres con quienes jugaba al póquer: Angelo de Jesus y Giorgio Brezowski. Sentados a una de las mesas del comedor, se pusieron a jugar al *black-jack* mientras se comían, distraídamente, los bocadillos. No le iba muy bien a Wally. A las seis y veinte perdía trece dólares, y su suerte no parecía tener visos de cambiar. Y, para colmo, Brezowski lo fastidiaba, burlándose de él con su sonrisa desdentada al final de cada mano, cuando le ganaba. Brezo había perdido los dientes delanteros en una pelea que había tenido lugar en un bar de Lowell, Massachusetts, hacía dos años.

Brezo le dio una figura y un cuatro de espadas. Wally pidió otro naipe, y Brezo le dio otra figura, de modo que Wally se pasó de veintiuno.

—¡Qué mierda! —gritó Wally, tirando los naipes sobre la mesa. Se puso de pie y se dirigió pesadamente a la máquina expendedora de cigarrillos.

—¿No juegas más, muchacho? —se burló Brezo, siguiendo el juego con Angelo.

Wally no respondió. Puso las monedas en la ranura de la máquina, apretó el botón correspondiente a la marca elegida, y esperó. Nada. Es decir, no pasó nada en la máquina, pues dentro de la cabeza de Wally había tanta tensión como cuando se estira una cuerda de piano hasta el límite de su resistencia. Dio una fuerte patada a la máquina, y la sacudió sobre sus soportes. Puso la mano para recibir las monedas que le devolvía la máquina, y de repente vio un resplandor por la ventana.

Brezo y Angelo se sintieron decepcionados, pues esperaban ver la destrucción de la máquina de cigarrillos. En cambio, vieron que Wally se dirigía a la ventana y apoyaba la cara contra el vidrio.

—¿Qué coño pasa, vamos a tener una tormenta eléctrica también? —preguntó Wally. Entonces vio el resplandor otra vez, sólo que ahora advirtió de dónde provenía. Durante un instante vio una figura de piernas separadas, con los brazos en la cara—. Es el flash de una cámara fotográfica —dijo Wally, atónito—. Alguien está sacando fotos en la laguna.

Wally se acercó al teléfono y marcó el número de la oficina de Nat Archer. Informó al superintendente de lo que había visto.

—Debe de ser ese loco de Martel —dijo Nat Archer—. ¿Con quién estás, Wally?

—Con Brezo y Angelo.

—¿Por qué no vais los tres a ver quién es? Si es Martel, dadle una lección. El señor Dawson me dijo que si volvía a aparecer, nos aseguráramos de que fuera su última visita. Recordad que ese tipo ha entrado en forma ilegal. Es un intruso.

—Perfectamente —contestó Wally al colgar el teléfono. Se volvió a sus compañeros y haciendo sonar los nudillos, dijo—: Vamos a divertirnos un poco. Coged los abrigos.

Después de sacar fotos a la presa, Charles se dirigió a los tanques de metal donde se almacenaban las sustancias de desecho. Iluminó con la linterna para tratar de distinguir entre la profusión de tuberías y válvulas. Una tubería llevaba directamente a un área perfectamente cercada, junto a la zona de estacionamiento. Obviamente hacía las veces de sitio de descarga. Otro tubo salía de los tanques y por medio de un conector en T se unía al conducto de desagüe del techo en su camino hacia la orilla del río. Con gran cuidado, para no resbalarse por el terraplén, Charles logró llegar al borde que estaba a unos seis metros por encima de la superficie del río. El desagüe del techo terminaba en forma abrupta, vaciando su contenido en el río. El olor a benceno era intenso. Debajo del caño se veía el agua, sin congelar. El resto del río estaba sólidamente helado y cubierto de nieve. Después de sacar varias fotos del caño, Charles se inclinó con un segundo frasco y lo llenó con el líquido que salía de él. Cuando pensó que tenía bastante, tapó el frasco y lo dejó junto al primero. Casi había terminado: su misión había sido

225

más productiva de lo que había creído. Sólo le faltaba fotografiar el conector en T que unía el caño a los tanques de depósito y el conducto de desagüe, y también la tubería de alimentación que salía de los tanques y que iba hacia la fábrica.

Se había levantado un poco de viento, y los copos de nieve, que antes caían pesadamente al suelo, ahora le mojaban la cara. Antes de sacar la foto, limpió la nieve de los tubos, luego miró por el visor. No estaba satisfecho. Quería sacar el conector en T y los tanques de depósito en la misma foto, de modo que se subió a las tuberías, se puso en cuclillas y volvió a mirar por el visor. Satisfecho, apretó el obturador. No pasó nada. Miró la cámara y se dio cuenta de que no había activado el mecanismo del flash. Lo hizo. Volvió a mirar por el visor. Alcanzaba a ver el tanque de depósito, el tubo que salía del tanque y la unión con el caño de desagüe del techo. Perfecto. Apretó el obturador.

Al fogonazo de la cámara siguió inmediatamente un tirón repentino y poderoso, y la cámara Polaroid voló de entre sus dedos. Levantó la mirada desde donde estaba en cuclillas y vio a tres hombres que vestían chaquetones con capucha, cuyas siluetas se recortaban contra el cielo oscuro. Lo tenían acorralado contra los tanques de depósito. Antes de que Charles pudiera moverse, vio que arrojaban su cámara a la laguna negra.

Charles se incorporó, tratando de ver las caras debajo de las capuchas. Sin una palabra, los dos hombres más pequeños se lanzaron hacia delante y lo agarraron de los brazos. El movimiento repentino lo tomó desprevenido. No se resistió. El tercer hombre, el grandote, le registró los bolsillos y encontró la colección de fotos. Con un pequeño movimiento de muñeca, las mandó tras la cámara, al centro de la laguna. Parecían hostias en la superficie oscura.

Los hombres soltaron a Charles y se hicieron atrás. Charles no les podía ver la cara, lo que hacía más aterrador su aspecto. Sintió pánico, y trató de huir entre uno de los hombres y el tanque. El hombre reaccionó al instante, y le dio un puñetazo en la nariz. El golpe aturdió a Charles. Un chorro de sangre le empezó a caer por la barbilla.

—Buen golpe, Brezo —dijo Wally, riendo.

Charles reconoció la voz.

Los hombres lo empujaron en dirección a la laguna. Tropezó con las tuberías del suelo. Mientras tanto, le pegaban en la cabeza con la mano abierta, y le daban cachetes en las orejas. Charles trataba de protegerse, en vano, de los golpes.

—Entrando sin permiso, ¿eh? —se burló Brezo.

—Busca problemas, ¿eh? —dijo Angelo.

—Bueno, ya los tiene —dijo Wally.

Lo llevaron hasta el borde mismo del sumidero de sustancias acres. De un golpe le quitaron el sombrero, arrojándolo al líquido.

—¿No tienes ganas de darte una zambullida? —preguntó Wally, burlándose.

Mientras se protegía la cara con un brazo, con el otro Charles sacó la linterna y trató de descargarla sobre el que estaba más cerca.

Brezo eludió el golpe fácilmente, apartándose.

Charles, que esperaba hacer contacto, al fallar se resbaló en la nieve hecha hielo y cayó sobre manos y rodillas en el fango. La linterna se estrelló contra el suelo duro.

Brezo, que había eludido el golpe, se encontró haciendo equilibrios al borde de la laguna. Para no caer de lleno, se vio obligado a meterse en el líquido espe o hasta media pierna. Wally lo agarró del chaquetón y lo sacó.

—¡Mierda! —gritó Brezo, al sentir las sustancias corrosivas que le chamuscaban la piel. Sabía que tenía que meter las piernas en agua lo antes posible. Angelo se pasó el brazo de Brezo por encima del hombro para ayudarlo, y lanzándose en una carrera, ambos hombres se encaminaron hacia la entrada de Recycle Limitada.

Charles logró ponerse de pie y corrió hacia las dos tablas suspendidas sobre el canal. Wally trató de agarrarlo, pero falló, y con el esfuerzo se resbaló, cayendo sobre manos y rodillas. A pesar de su corpulencia, se puso de pie casi en el acto. Charles corrió sobre las tablas. Ya había olvidado su anterior prudencia. Pensó en la conveniencia de hacerlas caer, pero vio que Wally lo seguía demasiado cerca.

Con miedo de caerse en la laguna de sustancias químicas, Charles iba lo más rápido posible, pero avanzaba con dificultad. Tuvo que trepar por la maquinaria desechada, luego correr por el suelo cubierto de nieve y lleno de basuras hasta llegar a la cerca. Wally también tenía que salvar los mismos escollos, pero avanzaba más rápidamente, pues estaba acostumbrado a ellos.

Charles trepó la cerca, pero lamentablemente escogió un lugar entre dos postes. La falta de apoyo, sobre todo cerca de la parte superior, dificultaba el ascenso.

Wally Crabb llegó a la cerca y empezó a sacudirla con violencia. Charles hizo lo posible por mantenerse, por lo que no pudo seguir trepando. Entonces, Wally alargó la mano y le agarró el pie derecho. Charles trató de librarse con un puntapié, pero Wally lo había asido con fuerza, de modo que no pudo.

El esfuerzo le hizo perder el equilibrio, y cayó, directamente encima de Wally. Desesperado, Charles buscó en la nieve algún objeto con que defenderse. Encontró un zapato viejo. Lo arrojó a la cara de Wally, y aunque no dio en el blanco, le permitió ponerse de pie y echar a correr junto a la cerca en dirección al río. Era como estar dentro de una jaula con un animal enfurecido.

Correr junto a la cerca sobre la nieve era casi imposible. En algunas partes la nieve era dura, y soportaba su peso, pero otras zonas eran blandas, y se hundía, de modo que no tenía manera de asegurarse antes de dar un paso. Debajo de la nieve había toda clase de escombros y basuras, neumáticos y chatarra. Con miedo de que lo alcanzaran en cualquier momento, miró hacia atrás por encima del hombro. Le bastó una mirada para ver que el camino era igualmente difícil para Wally. Charles llegó primero al río.

Su descénso hacia el agua fue casi una caída, controlada apenas. Con las manos a los costados, Charles se deslizó por el terraplén hasta llegar a un lugar donde el hielo se había acumulado, a la orilla del río. Allí se detuvo su caída. Charles buscó la zona helada del río evitando el lugar donde el agua no estaba congelada y tratando de mantener el equilibrio. Wally bajó por el terraplén con un poco más de cuidado, por lo que se quedó atrás. Charles había rodeado la parte de la cerca que se extendía desde la orilla y ya subía por el terraplén, al otro lado de la cerca, cuando Wally llegó al borde del río.

Casi en la parte superior del terraplén, Charles se resbaló de repente. Aterrorizado, buscó un sostén. En el último instante encontró un arbusto y logró detener el resbalón, que lo impulsaba hacia abajo. Trató de incorporarse, pero no lograba moverse. Wally ya había llegado a la orilla y se dirigía hacia él, trasponiendo la escasa distancia que los separaba.

Wally estiró el brazo para agarrarlo de una pierna. Estaba a centímetros de distancia, pero de repente pareció que empezaba a moverse con extremada lentitud. Endureció las piernas, pero sin resultado. Despacio primero, luego rápidamente, se resbaló hacia atrás.

Con nuevo vigor, Charles trató de trepar haciendo fuerza con los dedos de los pies contra el terraplén el metro y medio que le faltaba para llegar arriba. Descubrió que podía sostenerse precariamente. De esta manera fue avanzando hasta que pudo llegar al borde. Dificultosamente logró ponerse de pie, con la ayuda de las manos y las rodillas. Tocó piedras y ladrillos rotos bajo la nieve. Aflojó estos escombros a puntapiés y se llenó la mano con ellos. Wally había iniciado un nuevo asalto, y estaba a menos de dos metros.

Charles arrojó las piedras. Una piedra dio a Wally en el hombro, y lanzó un gruñido de dolor. Trató de aferrarse con la mano al terraplén, pero volvió a resbalarse. Rápidamente, Charles juntó más piedras y se las tiró. Wally se protegió la cara con las dos manos, y retrocedió hacia el hielo.

Charles aprovechó para correr hacia la fila de edificios desiertos, con el propósito de doblar en la primera esquina y tratar de llegar al Pinto, que estaba estacionado a unos cincuenta metros. Al dirigir·se hacia allá, vio de repente la luz de varias linternas que se acercaban por el extremo opuesto de la cerca. La luz lo cegó momentáneamente. Se dio cuenta de que lo habían descubierto. No le quedaba alternativa. Corrió al edificio vacío.

Al trasponer una abertura sin puerta, Charles se vio inmediatamente envuelto por una impenetrable oscuridad. Con los brazos extendidos para explorar, avanzó hasta encontrar una pared. Como en un laberinto, caminó trabajosamente junto a la pared hasta llegar a una puerta. Se agachó, buscó unos escombros y los tiró por la puerta. Sintió que pegaban contra otra pared y caían al suelo. Sin soltarse del marco de la puerta, extendió el brazo en la oscuridad. Con la punta de los dedos, tocó la pared que había detenido los escombros que arrojara. Se soltó del marco de la puerta y echó a andar junto a la nueva pared.

Al oír gritos a sus espaldas, sintió una oleada de pánico. Tenía que encontrar un lugar donde escon·derse. Estaba convencido de que la gente de Recycle estaba loca, y pensaban matarlo. Tenía la seguridad de que habían tenido la intención de arrojarlo a la letrina de sustancias químicas, tal vez con la esperanza de que pareciera un accidente. Después de todo, él era un intruso, y era concebible que pudiera resbalarse en la oscuridad. Y para gente que vaciaba veneno en un río, la moralidad no encabezaba su lista de prioridades.

Charles llegó al rincón de la pared que seguía. Se esforzó para ver algo, pero sólo alcanzó a distinguir su propia mano. Agachándose, juntó unas piedritas y las tiró en dirección a la otra pared que formaba el rincón, para ver hasta dónde llegaba. Esperó oír que dieran contra una nueva pared, y luego cayeran al suelo. Nada. Luego de una larga espera, Charles oyó un chapoteo de agua. Se hizo atrás. En alguna parte, tal vez delante de él, había un pozo, tal vez el hueco de un ascensor.

Supuso que estaba en un pasillo. Arrojó unas piedras en sentido perpendicular a la pared que estaba siguiendo. Dieron contra algo inmediatamente. Alargando el brazo, tocó la pared opuesta.

Con el pie, Charles empezó a lanzar escombros por delante de él hasta asegurarse de haber pasado el hueco del ascensor. Así pudo seguir avanzando, ahora con cierta confianza. No tenía forma de apreciar la distancia que había recorrido, pero sabía que era considerable. Su mano dio con otro marco de puerta. Con la otra tocó la madera de la puerta en sí, que estaba abierta unos treinta centímetros. Faltaba el picaporte. Charles empujó la puerta, que se abrió dificultosamente por los escombros del suelo. Charles avanzó con mucho cuidado, con el pie derecho extendido. Había un olor asqueroso a humedad. Dio con un fardo de tela; se dio cuenta de que era una alfombra vieja, podrida.

Detrás de él oyó gritos destemplados, provenientes de la cavernosa oscuridad.

—Queremos hablar con usted, Charles Martel. —Las voces hicieron eco en la oscuridad. Luego oyó pisadas y voces que hablaban entre sí. Aterrorizado, soltó la puerta y avanzó por el nuevo espacio, extendiendo las manos con la esperanza de encontrar un escondite. Casi inmediatamente tropezó con otra alfombra, y luego encontró un objeto bajo, de metal. Tocó la parte superior y se dio cuenta de que era una especie de armario, volcado. Caminó a su alrededor, y de pronto dio con un montón de alfombras malolientes. Se metió debajo de ellas como pudo. Sintió un movimiento de patitas. Tuvo la esperanza de que hubiera perturbado a unos ratones, y no a algún espécimen de mayor tamaño.

Charles sólo alcanzaba a ver la esfera luminosa de su reloj. Esperó. Su respiración se oía claramente en medio del silencio, y los latidos de su corazón repercutían con fuerza en sus oídos. Estaba atrapado. No tenía adónde huir. Podían hacerle lo que se les antojara. Nadie encontraría su cadáver. Podían arrojarlo al hueco del viejo ascensor. Nunca había sentido un terror tan absoluto.

Una luz iluminó el pasillo, enviando reflejos al cuarto donde estaba Charles. Las linternas avanzaban por el pasillo, se dirigían hacia él. Durante un momento desaparecieron, y volvió la oscuridad total. Oyó un chapoteo lejano, como si un objeto grande hubiera caído por el hueco del ascensor, seguido de risas.

Los rayos de luz de las linternas volvieron al pasillo, balanceándose, buscando. Sus perseguidores se acercaban. Alcanzaba a oír cada pisada. Con un ruido repentino, un crujido, la vieja puerta de madera se abrió de un golpe, y un fuerte rayo de luz penetrante surcó la oscuridad del cuarto.

Charles hundió la cabeza como una tortuga, con la esperanza de que sus perseguidores se satisfacieran con un vistazo. Eso, sin embargo, no sucedió. Charles oyó que un hombre daba un puntapié a una vieja alfombra, y vio la luz que escudriñaba el suelo, palmo a palmo. Sintió una puñalada de pánico al darse cuenta de que estaba a punto de ser descubierto.

De un salto, Charles corrió hacia la puerta. Su perseguidor hizo girar la linterna rápidamente, iluminando la silueta de Charles, recostada contra la puerta.

—¡Aquí está! —gritó el hombre.

Con la intención de desandar el camino, Charles avanzó por el pasillo, pero se topó con otro de los perseguidores, que lo agarró. Al hacerlo, se le cayó la linterna. Charles empezó a lanzar golpes a ciegas, tratando desesperadamente de librarse. Luego, casi antes de sentir el dolor, se le doblaron las piernas. El hombre lo había golpeado con un palo en la parte de atrás de las rodillas.

Charles cayó al suelo, y su atacante buscó la linterna. El otro hombre salió del cuarto en que había estado escondido, e iluminó la escena. Por primera vez, Charles pudo ver al hombre que lo había atacado. Sorprendido, comprobó que era Frank Neilson, el jefe de policía de Shaftesbury. Nunca le había impresionado tanto el uniforme de sarga azul, lleno de placas y medallas, ni la pistolera con su revólver.

—¡Muy bien, Martel, ya ha terminado el juego! ¡De pie! —dijo Neilson, guardando la porra en su funda. Era un hombre corpulento, de pelo rubio, peinado hacia atrás y una gran panza que se le juntaba con el pecho y luego descendía hasta terminar donde empezaban los pantalones. Tenía el cuello del espesor de uno de los muslos de Charles.

—Me alegro tanto de verlo —dijo Charles, con absoluta sinceridad, a pesar del golpe que le había propinado.

—Más se alegrará luego —dijo Neilson, levantándolo del cuello del abrigo.

Charles se tambaleó un momento. Sentía pesados los músculos de las piernas.

—¿Lo esposamos? —preguntó el agente de policía. Se llamaba Bernie Crawford. A diferencia de su jefe, era alto y desgarbado, como un jugador de baloncesto.

—¡No! —dijo Neilson—. Salgamos de este agujero de mierda.

Bernie abrió camino, seguido de Charles. Neilson cerraba la marcha. Así el trío salió de la fábrica desierta. Al pasar junto al hueco del ascensor, Charles se estremeció al pensar lo cerca que había estado de caer en él. De pronto, se puso a pensar en lo que había dicho Bernie acerca de esposarlo. Era obvio que Recycle había llamado a la policía.

Nadie habló mientras avanzaban en fila india por el solar vacío hasta llegar al Dodge Aspen de la policía. Obligaron a Charles a sentarse en el asiento posterior. Neilson encendió el motor y empezó a alejarse del bordillo.

—Yo tengo el coche allí —dijo Charles, haciéndose hacia delante para hablar tras el alambre tejido que lo separaba del asiento delantero.

—Ya sabemos dónde está su automóvil —dijo Neilson.

Charles trató de serenarse. Le latía fuertemente el corazón y le dolían muchísimo las piernas. Miró por la ventanilla, preguntándose si lo llevarían a la comisaría de policía. Sin embargo, no dieron la vuelta. Se dirigían hacia el sur, y entraron por el portón de Recycle Limitada, hacia la zona de estacionamiento.

Charles volvió a inclinarse hacia delante.

—Escuchen. Necesito su ayuda. Necesito pruebas para demostrar que Recycle Limitada está descargando veneno en el Pawtomack. Eso estaba haciendo cuando me asaltaron y me rompieron la cámara.

—Escuche usted, amigo —dijo Neilson—. Nos han llamado, avisándonos de que usted había entrado ilegalmente, que había atacado a uno de los obreros, empujándolo a un depósito de ácido. Anoche dio un empujón a Nat Archer, el capataz.

Charles se hizo atrás. Sabía que tendría que obedecer. Probablemente, Neilson quería que lo identificaran. Ahora la exasperación reemplazaba el sentimiento de alivio, pero se resignó a tener que ir a la comisaría de policía.

Se detuvieron a cierta distancia de la entrada principal. Frank hizo sonar la bocina tres veces, y esperó. Al rato se abrió la puerta de aluminio y Charles vio aparecer a Nat Archer seguido de un individuo más bajo que tenía la pierna izquierda envuelta en vendajes, de la rodilla para abajo.

Neilson salió de detrás del volante y abrió la portezuela del asiento posterior.

—Afuera —ordenó.

Charles obedeció. Había unos tres centímetros más de nieve, y se resbaló. Logró recobrar el equilibrio en seguida. Los moretones que le había hecho la porra de Neilson le dolían más de pie.

Nat Archer y el otro hombre avanzaron con dificultad hacia Neilson y Charles.

—¿Es éste el hombre? —preguntó Neilson, mientras doblaba un chicle y se lo metía en la boca.

Archer miró con furia a Charles y dijo:

—Sí, es él, sin duda.

—¿Quieres presentar denuncia contra él? —preguntó Neilson mientras masticaba su chicle ruidosamente.

Archer dio media vuelta y volvió otra vez a la fábrica.

Neilson caminó alrededor del coche y entró.

Charles, confundido, se volvió a mirar a Brezo. El hombre estaba de pie frente a él, sonriendo. No tenía dientes. Charles vio que tenía una cicatriz que le atravesaba la mejilla, lo que hacía que su sonrisa fuera ligeramente asimétrica.

En un estallido de inesperada violencia, Brezo descargó un golpe contra el estómago de Charles, quien lo vio venir y pudo desviarlo ligeramente con el codo. Aun así, se dobló en dos al recibir el puñetazo en el abdomen, y casi cayó sobre la tierra helada, respirando con dificultad. Brezo, erguido sobre él, se aprestó para dar más golpes. Levantó nieve con el pie y la arrojó sobre Charles. Luego se alejó, cojeando ligeramente con la pierna vendada.

Charles se incorporó con dificultad, desorientado por el dolor. Oyó que se abría la portezuela de un coche y que le tiraban del brazo, obligándolo a ponerse de pie. Charles dejó que lo subieran al coche de la policía sosteniéndose un costado. Una vez dentro, apoyó la cabeza sobre el respaldo.

Sintió que el coche se ponía en marcha, pero no le importó. Mantuvo los ojos cerrados. Le dolía respirar. Luego de poco tiempo, el automóvil se detuvo y se abrió la puerta. Charles abrió los ojos y vio a Frank Neilson, que lo miraba.

—Salga, amigo. Y dé gracias que no haya sido peor.

Estiró el brazo y lo atrajo de un tirón.

Charles salió del coche. Estaba un poco mareado. Neilson cerró la portezuela de atrás y luego se sentó detrás del volante. Bajó la ventanilla.

—Es mejor que no se acerque a Recycle Limitada. Todo el pueblo sabe que está tratando de causar problemas. Le voy a decir una cosa. Si busca líos, los encontrará. Y peores de los que imagina. Este pueblo sobrevive gracias a Recycle Limitada, y nosotros, los agentes de la ley, no garantizamos su seguridad si intenta alterar la situación. O la de nuestras familias. Piénselo.

Neilson subió la ventanilla y se alejó, dejando a Charles de pie junto al bordillo de la acera. Partió tan rápidamente que le salpicó las piernas de nieve sucia. Tenía el coche cerca, casi enterrado bajo la nieve. A pesar del dolor, Charles sintió furia. Para él, la adversidad siempre había sido un buen estímulo para la acción.

Cathryn y Gina estaban terminando de fregar los platos cuando oyeron que entraba un coche. Cathryn corrió a la ventana y apartó la cortina de cuadros rojos. Rogó a Dios que fuera Charles. No sabía nada de él desde que saliera corriendo del hospital. Había llamado al instituto, pero nadie contestó el teléfono del laboratorio. Debía decirle todo lo de la tutoría. No podía permitir que se enterara al recibir la citación.

Cathryn observó los faros del automóvil que avanzaba por el sendero de la casa, y se encontró repitiendo: «Ojalá sea Charles. Por favor.» El coche tomó la última curva y pasó junto a la ventana. ¡Era el Pinto! Cathryn suspiró, aliviada. Dio media vuelta y, acercándose a Gina, tomó el paño de sus manos.

—Mamá, es Charles. ¿No te importaría ir a la otra habitación? Quiero hablar con él un momento. Hazme el favor.

Gina intentó protestar, pero Cathryn le cubrió la boca con los dedos, silenciándola suavemente.

—Es importante.

—¿Estás bien?

—Por supuesto —dijo Cathryn, instándola a salir de la cocina. Oyó que se cerraba la portezuela del automóvil.

Cathryn fue a la puerta. Cuando Charles subía los escalones, la abrió.

Antes de poder verle la cara, lo olió. Era un olor a humedad, como el de un ropero lleno de toallas mojadas en verano. Cuando se acercó, vio que tenía la nariz hinchada y con moretones, y sangre seca en el labio superior. El abrigo de piel estaba todo sucio y los pantalones rotos en la rodilla derecha. Lo peor de todo era la expresión de tensión y furia que apenas lograba controlar.

— ¿Charles? —Pasaba algo terrible. Había estado preocupada toda la tarde, y comprobaba que justificadamente.

—Por favor, no digas nada durante un rato —le pidió Charles, evitando que lo tocara. Después de quitarse el abrigo, se dirigió al teléfono y, nervioso, buscó el número en el listín.

Cathryn sacó un paño limpio del cajón del armario y, humedeciendo una punta, trató de limpiarle la sangre de la cara.

—¡Por Dios, Cathryn! ¿No puedes esperar un segundo? —le dijo Charles, rechazándola.

Cathryn se hizo atrás. El hombre que estaba frente a ella era un desconocido. Observó cómo marcaba los números con furia.

—¡Dawson! —gritó en el teléfono—. No me importa que tenga de su parte a toda la policía de este pueblo de mierda. ¡No se salvará! —Puso punto final a sus palabras colgando el auricular con todas sus fuerzas. No esperaba respuesta y quería ser el primero en cortar.

Después de la llamada, su tensión disminuyó un poco. Se frotó las sienes un momento con movimientos circulares y lentos.

—No tenía ni idea de que este extraño pueblo en que vivimos fuera tan corrupto —dijo con voz casi normal.

Cathryn empezó a relajarse.

— ¿Qué te ha pasado? ¡Estás herido!

Charles la miró. Meneó la cabeza y, para sorpresa de Cathryn, se echó a reír.

—Estoy herido en mi dignidad, sobre todo. Es difícil tener que renunciar a todas las fantasías machistas de repente. No, no estoy herido. Nada serio, de cualquier modo. Sobre todo porque en un momento dado pensaba que todo se iba a terminar. Ahora, necesito tomar algo. Un zumo. Cualquier cosa.

—Tengo tu comida en el horno, caliente.

—¡Por Dios! No puedo comer nada —dijo Charles, dejándose caer sobre una de las sillas de la cocina—. Pero tengo muchísima sed. —Le temblaban las manos al ponerlas sobre la mesa. Le dolía el estómago, donde le habían pegado.

Cathryn le sirvió un vaso de jugo de manzana y se lo llevó a la mesa. Vio a Gina de pie junto a la puerta con expresión de inocencia. Con un gesto de fastidio, le indicó que volviera a la sala. Se sentó a la mesa. Al menos por el momento había abandonado la idea de decirle a Charles lo de la tutoría.

—Tienes sangre en la cara —dijo, solícita.

Charles se limpió debajo de la nariz con el dorso de la mano y se miró la sangre seca.

—¡Hijos de puta! —estalló.

Hubo una pausa, mientras Charles bebía el zumo.

—¿Me vas a decir dónde has estado, y qué ha pasado? —preguntó finalmente Cathryn.

—Preferiría oír cómo está Michelle, primero —contestó Charles, dejando el vaso en la mesa.

—¿Estás seguro? —preguntó Cathryn. Extendió el brazo y le cubrió la mano con la suya.

—¿Qué quieres decir con eso? —le preguntó Charles, cortante—. Por supuesto que estoy seguro.

—No quería decir eso —explicó Cathryn—. Ya sé que estás preocupado. Y yo estoy preocupada por ti. Tomaste tan mal la complicación cardíaca de Michelle...

—¿Qué ha sucedido ahora? —interrogó Charles, levantando la voz. Temía que Cathryn lo estuviera preparando para alguna noticia espantosa.

—Cálmate, por favor —le dijo suavemente Cathryn.

—Dime entonces qué le ha pasado a Michelle.

238

—Sólo la fiebre —dijo Cathryn—. Le ha subido, y los médicos están preocupados.

—¡Oh, Dios mío! —exclamó Charles.

—Todo lo demás parece ir bien. El corazón, normal. —Cathryn tenía miedo de decir algo del pelo de Michelle, que se le había empezado a caer. El doctor Keitzman decía que se trataba de un efecto lateral reversible.

—¿Hay signos de remisión? —preguntó Charles.

—Creo que no. No han dicho nada.

—¿Cuánta fiebre tiene?

—Bastante. Cuarenta, cuando me he marchado.

—¿Por qué has venido? ¿Por qué no te has quedado?

—Lo he sugerido, pero los médicos me han convencido para que no me quedara. Han dicho que los padres de un niño enfermo deben tomar precauciones, para no descuidar al resto de la familia. Que yo no podía hacer nada. ¿Debí quedarme? Realmente no lo sé. Ojalá hubieras estado tú conmigo.

—¡Por Dios! —exclamó Charles—. Debería haber alguien con ella. La fiebre alta no es un buen signo. Los medicamentos le están minando las defensas, y al parecer no actúan contra las células leucémicas. En este momento la fiebre alta es síntomas de infección.

Charles se puso de pie de repente.

—Voy al hospital —dijo, resuelto—. ¡Ahora!

—Pero ¿por qué, Charles? ¿Qué puedes hacer tú ahora? —Cathryn sintió pánico, y se puso de pie de un salto.

—Quiero estar con ella. Además, estoy decidido. Hay que interrumpir esa medicación, o por lo menos, reducirla a dosis ortodoxas. Están experimentando, y si fuera a resultar, las células leucémicas habrían empezado a disminuir. En cambio, están en aumento.

—Pero esos medicamentos han curado a otros.

Cathryn sabía que debía convencer a Charles para que no fuera al hospital. Sí lo hacía, habría una crisis, una confrontación...

—Ya sé que la quimioterapia ha servido en ciertos casos —dijo Charles—. Desgraciadamente, éste es diferente. El método normal ha fracasado. No permitiré que se experimente con mi hija. Keitzman ya ha tenido su oportunidad. Michelle no se desintegrará ante mis ojos igual que Elizabeth.

Charles se dirigió a la puerta.

Cathryn lo tomó de la manga.

—Por favor, Charles. No puedes ir ahora. Estás todo sucio.

Charles se miró. Cathryn tenía razón. Sin embargo, ¿le importaba eso a él? Vaciló, luego subió corriendo al piso superior, donde se cambió de ropa y se lavó la cara y las manos. Cuando volvió, Cathryn se dio cuenta de que Charles había tomado una determinación. Se dirigía al hospital con la intención de interrumpir la medicación de Michelle, que era la única posibilidad de supervivencia de la niña. Una vez más, los médicos habían anticipado su reacción de manera correcta. Cathryn debía decirle lo de la tutoría en ese momento. No podía esperar.

Charles se puso la chaqueta manchada y buscó las llaves en los bolsillos.

Cathryn se apoyó en el mostrador de la cocina, aferrando el borde de Fórmica con las manos.

—Charles —empezó a decir, en un tono tranquilo—. No puedes detener la administración de los medicamentos.

Charles encontró las llaves.

—Por supuesto que puedo —aseguró, confiadamente.

—Se han tomado medidas para que no puedas.

Con una mano en la puerta, Charles se detuvo. La palabra «medidas» tenía una connotación siniestra.

—¿Qué estás tratando de decirme?

—Quiero que te quedes, que te quites el abrigo y te sientes —dijo Cathryn, como si estuviera hablando con un adolescente testarudo.

Charles fue adonde estaba ella.

—Es mejor que me hables de esas medidas.

Cathryn no lo hubiera creído posible, pero real-

240

mente sintió miedo al mirar a los ojos entreabiertos de Charles.

—Después de que te has marchado del hospital esta tarde, de manera tan precipitada, he tenido una conversación con el doctor Keitzman y el doctor Wiley. Ellos me han dicho que tú estabas muy tenso y que no eras el más indicado, por tu estado emocional, para tomar decisiones respecto a Michelle. —Deliberadamente, Cathryn trataba de repetir los términos legales que recordaba de la conversación. Lo que más le aterrorizaba era la actitud que tomaría Charles hacia su complicidad. Quería destacar que ella había sido arrastrada de mala gana. Miró la cara de su marido. Había una mirada fría en sus ojos azules—. El abogado del hospital ha dicho que Michelle necesitaba un tutor temporal, y a los médicos les ha parecido bien. Me han explicado que no necesitaban mi cooperación, aunque todo sería más fácil si yo aceptaba colaborar. Me ha parecido que era la decisión correcta, aunque me ha costado tomarla. He pensado que por lo menos uno de nosotros debía comprometerse.

—¿Qué ha pasado después? —preguntó Charles. Tenía la cara colorada.

—Ha habido una audiencia de emergencia con el juez —dijo Cathryn. Se dio cuenta de lo mal que lo contaba todo. No era el mejor momento para hacerlo. Prosiguió, obstinada—: El juez ha expresado la opinión de que Michelle debía recibir el tratamiento indicado, tal como decía el doctor Keitzman. Me han nombrado tutora temporal. Habrá otra audiencia dentro de tres días y otra definitiva dentro de tres semanas. El tribunal también ha nombrado a otro tutor. Créeme, Charles, he hecho todo esto por Michelle y tú.

Catheryn buscó un asomo de comprensión en el rostro de Charles. Sólo encontró ira.

—¡Charles! —exclamó—. Créeme, por favor. El médico me ha convencido de que has estado bajo una gran presión. No te has comportado de manera normal. ¡Mírate! Keitzman es un especialista famoso en el mundo entero. Todo lo he hecho por Michelle. Es sólo temporal. Por favor. —Cathryn se echó a llorar.

Gina apareció inmediatamente.

—¿Pasa algo? —preguntó tímidamente desde la puerta.

Charles habló muy lentamente, sin apartar los ojos de la cara de Cathryn.

—Ruego a Dios que todo esto no sea verdad. Que lo hayas inventado.

—Es verdad —logró decir Cathryn—. Es verdad. Tú te has marchado. He hecho lo que he podido. Recibirás la citación mañana.

Charles estalló con una violencia que desconocía. El único objeto a mano era una pila de platos. Los alzó y los estrelló contra el suelo. Saltaron pedazos por todas partes.

—¡No aguanto más! ¡Todos están en contra de mí!

Cathryn se encogió junto al fregadero, con miedo de moverse. Gina estaba clavada cerca de la puerta, con ganas de salir corriendo, pero temiendo por la seguridad de su hija.

—Michelle es mi hija, mi propia carne —bramó Charles—. ¡Nadie podrá quitármela!

—Es mi hija adoptiva —sollozó Cathryn—. La quiero igual que tú. —Sobreponiéndose a su miedo, tomó a Charles de las solapas y lo sacudió como pudo—. Tranquilízate, por favor. ¡Por favor! —exclamó, desesperada.

Charles no quería ser retenido. Levantó el brazo por reflejo y, con innecesaria fuerza, golpeó los brazos de Cathryn, levantándolos en el aire. Seguidamente, sin darse cuenta le pegó con el canto de la mano en la cara, empujándola contra la mesa de la cocina.

Cayó una silla y Gina dio un grito. Corrió e interpuso su cuerpo voluminoso entre Charles y su aturdida hija. Empezó a rezar y se persignó.

Charles se acercó y apartó a la mujer con grosería. Agarró a Cathryn por los hombros y la sacudió fuertemente como a una muñeca de trapo.

—Quiero que llames y anules esos procedimientos legales. ¿Entiendes?

Chuck oyó la conmoción y bajó corriendo. Al ver la escena entró de un salto y, tomando a su padre por detrás, le inmovilizó los brazos. Charles trató de librarse, pero no pudo. Soltó a Cathryn y embistió hacia atrás con el codo, hundiéndolo en el abdomen de Chuck. Al muchacho se le cortó la respiración. Charles se volvió y le dio un empujón a su hijo que tropezó, cayó y se golpeó la cabeza contra el suelo.

Cathryn profirió un alarido. La crisis se generalizaba, transformándose en una reacción en cadena. Se tiró encima de Chuck para protegerlo de su padre, y en ese momento Charles se dio cuenta de que estaba atacando a su hijo.

Dio un paso atrás, pero Cathryn volvió a chillar, escudando al muchacho, encogido en el suelo. Gina se interpuso entre Charles y los demás, musitando algo acerca del diablo.

Charles levantó los ojos y se encontró con el rostro confundido de Jean Paul en la puerta. El muchacho retrocedió al ver que Charles lo miraba con fijeza. Charles los observó a todos y experimentó un abrumador sentimiento de alienación. Impulsivamente, dio media vuelta y salió de la casa.

Gina cerró la puerta posterior, mientras Cathryn ayudaba a sentarse a Chuck en una silla de la cocina. Oyeron arrancar el Pinto.

—¡Lo odio! ¡Lo odio! —exclamó Chuck, sosteniéndose el estómago con las dos manos.

—No, no —lo consoló Cathryn—. Esto es una pesadilla. Cuando nos despertemos, todo habrá pasado.

—¡Cómo tienes el ojo! —exclamó Gina, acercándose y ladeándole la cabeza.

—No es nada —dijo Cathryn.

—¿Nada? Se está poniendo azul y negro. Es mejor que te pongas hielo.

Cathryn caminó unos pasos y se miró en el espejo que colgaba de una pared en el pasillo. Tenía un corte pequeño sobre la ceja izquierda y un ojo casi negro. Cuando volvió a la cocina, Gina tenía un bol con cubitos de hielo en la mano.

Jean Paul volvió a asomarse por la puerta.

—Si vuelve a pegarte, lo mato —murmuró Chuck.

—Chuck, hijo —dijo Cathryn, reprendiéndolo—. No quiero oírte decir esas cosas. Charles no está bien. Está muy tenso. Además, no tenía intención de pegarme. Estaba tratando de soltarse.

—Tiene el diablo en el cuerpo —dijo Gina.

—Basta, callaos todos —ordenó Cathryn.

—A mí me parece que está loco —insistió Chuck.

Cathryn inspiró hondo, lista para reprenderlo, pero vaciló, porque el comentario de Chuck le hizo pensar que tal vez Charles estuviera sufriendo una crisis nerviosa. Los médicos habían dicho que era una posibilidad, y habían acertado en todo lo demás. Cathryn se preguntó dónde encontraría reservas que la fortalecieran para mantener unida a la familia.

Su preocupación primaria era la seguridad. Nunca había visto a Charles perder el control. Pensó que era mejor consultar a un médico. Llamó al doctor Keitzman y dejó un recado.

Keitzman le devolvió la llamada a los cinco minutos.

Le relató todos los acontecimientos, inclusive la decisión de Charles de interrumpir la medicación de Michelle. Agregó que su marido se había ido en el coche, presumiblemente camino del hospital.

—Parece que hemos solicitado la custodia a tiempo —dijo el doctor Keitzman.

Cathryn no estaba de humor para felicitarse.

—Tal vez sea así, pero me preocupa Charles. No sé qué esperar.

—De eso se trata, precisamente —señaló Keitzman—. Podría ser peligroso.

—Eso no lo puedo creer.

—No es posible decir nada, antes de que lo examinen. Pero es una posibilidad, créame. Tal vez sería conveniente que se fuera de la casa un día o dos. Tiene que pensar en su familia.

—Supongo que podríamos ir a casa de mi madre —dijo Cathryn. Era verdad. No podía pensar solamente en ella.

—Me parece lo más conveniente. Sólo hasta que Charles se tranquilice.

—¿Y si Charles va al hospital esta noche?

—De eso no tiene que preocuparse. Avisaré al hospital, y les diré al personal del piso que usted tiene la tutoría. No se preocupe, todo irá bien.

Cathryn colgó el auricular. Ojalá pudiera sentirse tan optimista como el doctor Keitzman. Tenía la sensación de que todo empeoraría.

Una media hora después, embargados por dudas y recelos, Cathryn, Gina y los dos muchachos salieron de la casa y caminaron por la nieve cargados de bolsas hasta llegar a la camioneta. Dejaron a Jean Paul en la casa de un compañero de colegio, donde estaba invitado a pasar unos días, y luego siguieron el viaje a Boston; sin decir palabra.

11

Eran más de las nueve cuando Charles llegó al Hospital Pediátrico. A diferencia del caos diurno, la calle estaba tranquila, y encontró un lugar para estacionar frente a la librería del centro médico. Entró por la puerta principal del hospital y subió al sexto piso en un ascensor vacío.

Al pasar por el puesto de enfermeras, oyó que alguien trataba de detenerlo, pero ni siquiera miró hacia el lugar de donde procedía la voz. Llegó al cuarto de Michelle y entró por la puerta entreabierta.

Estaba más oscuro que el pasillo; había una luz nocturna cerca del suelo. Charles permitió que sus ojos se acostumbraran a la oscuridad, mientras permanecía de pie, tratando de abarcar la escena. Alcanzó a divisar el monitor cardíaco del otro lado de la cama. El volumen de la señal acústica estaba bajo, pero la señal visual trazaba una línea fluorescente y reiterativa en la diminuta pantalla. Había dos sondas intravenosas, una en cada brazo de Michelle. La de la izquierda tenía una conexión en paralelo, además, y Charles se dio cuenta de que la utilizaban como canal de infusión de la quimioterapia.

Avanzó silenciosamente en el cuarto, con los ojos fijos en el rostro dormido de su hija. Al acercarse se percató, sorprendido, de que Michelle no tenía los ojos cerrados, sino que estaba vigilando todos sus movimientos.

—¿Michelle? —murmuró Charles.

—¿Papá? —murmuró a su vez Michelle. Creía que era otro técnico del hospital que entraba sigilosamente para sacarle más sangre.

Con ternura, Charles alzó a su hija, abrazándola. Notó que pesaba menos. Ella trató de devolverle el abrazo, pero no tenía fuerza en las extremidades. Charles apoyó su mejilla contra la de ella y la meció lentamente. Percibía el calentor de la piel.

Le miró la delgada carita. Tenía los labios ulcerados.

Lo embargó una emoción poderosa, más allá de las lágrimas. La vida no era justa; sólo una experiencia cruel en la que la felicidad y la esperanza eran ilusiones transitorias que sólo servían para hacer más intensa la inevitable tragedia.

Mientras abrazaba a su hija, Charles pensó en la forma en que había reaccionado respecto a Recycle Limitada, y se sintió como un tonto. Por supuesto, comprendía sus deseos de venganza, pero dadas las circunstancias había maneras más importantes de ocupar su tiempo. Obviamente, a la gente de Recycle no le importaba una niña de doce años, y podían, convenientemente, cegarse a todo sentimiento de responsabilidad. ¿Y la institución de lucha contra el cáncer? ¿Estaba interesada? Charles lo dudaba, pues conocía muy bien la dinámica interna de su propio instituto. La ironía era que las personas que controlaban el megalítico instituto de lucha contra el cáncer corrían el mismo riesgo de sucumbir a la enfermedad como cualquier otro hijo de Dios.

—Papá, ¿por qué tienes la nariz hinchada? —preguntó Michelle, mirándole la cara.

Charles sonrió. Enferma como estaba, se preocupaba por él. Increíble.

Le contó un cuento de que había resbalado en la nieve y se había caído boca abajo. Muy cómico. Michelle rió, pero pronto se puso seria.

—Papá, ¿voy a mejorar?

248

Involuntariamente, Charles vaciló. La pregunta lo tomaba por sorpresa.

—Por supuesto —dijo, riendo y tratando de compensar la pausa—. En realidad, me parece que ya no necesitarás estos medicamentos. —Charles se puso de pie, señalando el canal intravenoso de la quimioterapia—. Será mejor que te lo quite.

El rostro de Michelle evidenció preocupación. De testaba cualquier ajuste que hicieran con las sondas

—No te dolerá —dijo Charles.

Con destreza, quitó el catéter de plástico del brazo de Michelle, haciendo presión en el lugar adecuado.

—La otra la necesitarás un tiempo más, por si se te vuelve a acelerar el motorcito. —Charles le dio un golpecito en el pecho.

La luz del techo se encendió, inundando el cuarto con su fulgor fluorescente.

Entró una enfermera, seguida por dos guardias de seguridad uniformados.

—Lo siento, señor Martel, pero deberá retirarse.

Notó la sonda caída y meneó la cabeza con irritación.

Charles no dijo nada. Se sentó en el borde de la cama de su hija y volvió a tomarla entre sus brazos.

La enfermera hizo un gesto a los guardias, pidiendo ayuda. Los hombres se acercaron e instaron a Charles a que se fuera.

—Podemos arrestarlo, si no coopera —dijo la enfermera—, pero no quiero hacer eso.

Charles permitió que los guardas lo separaran de Michelle.

La niña miró a los guardias y luego a su padre.

—¿Por qué podrían arrestarte?

—No sé —dijo Charles, con una sonrisa—. Supongo que no es hora de visita.

Se puso de pie, se agachó, besó a su hija, y dijo:

—Pórtate bien. Volveré pronto.

La enfermera apagó la luz. Charles se despidió con la mano al llegar a la puerta, y Michelle le devol vió el saludo de la misma forma.

—No debería haberle sacado la sonda —dijo la enfermera mientras volvían al puesto de enfermeras.

Charles no contestó.

—Si quiere ver a su hija —prosiguió la enfermera— deberá ser durante las horas de visita, y deberá hacerlo acompañado.

—Me gustaría ver su historial clínico —dijo Charles cortésmente, haciendo caso omiso de los comentarios de la mujer.

La enfermera siguió caminando. Estaba claro que no le gustaba la idea.

—Tengo derecho —dijo Charles con sencillez—. Además, soy médico.

De mala gana, la mujer consintió, y Charles entró en el desierto cuarto donde se guardaban. La de Michelle colgaba, inocente, de su lugar. La sacó y la puso frente a sí. Esa tarde habían hecho un recuento de glóbulos. Se le cayó el alma a los pies. Aunque lo esperaba, no dejaba de ser un golpe comprobar que las células leucémicas no habían disminuido. En realidad, habían aumentado. Era indudable que la quimioterapia no contribuía a mejorar nada.

Charles levantó el auricular del teléfono y pidió que lo pusieran con el doctor Keitzman. Mientras esperaba que sonara el teléfono, examinó el resto del historial clínico. Lo más alarmante era el diagrama de la temperatura. Había fluctuado alrededor de los treinta y ocho grados, y esa tarde había subido a cuarenta. Charles leyó el informe cardiológico, cuidadosamente escrito a máquina. La conclusión era que la taquicardia ventricular podía haber sido causada por la infusión de la segunda dosis de daunorubicina o por una infiltración leucémica en el corazón o, como tercera alternativa, por ambas. En ese momento sonó el teléfono. Era el doctor Keitzman.

Tanto Keitzman como Charles hicieron un esfuerzo por mostrarse cordiales.

—Como médico —dijo Keitzman—, estoy seguro de que sabrá que los médicos frecuentemente nos encontramos ante el dilema de respetar los principios establecidos de la medicina, o de aceptar los deseos del paciente o su familia. Personalmente, yo creo en lo primero; en cuanto se empieza a hacer excepciones, por justificadas que sean, se descubre que es como abrir una caja de Pandora. Por eso debemos depender de la justicia cada vez más.

—Pero está claro —señaló Charles, controlándose— que la quimioterapia no ayuda en nada a Michelle.

—Todavía no —reconoció Keitzman—. Pero es temprano. Aún existe una posibilidad. Por otra parte, es lo único que tenemos.

—A mí me parece que usted se está tratando a sí mismo —dijo bruscamente Charles.

El doctor Keitzman no respondió. Sabía que había algo de cierto en lo que decía Charles. El aborrecía la idea de no hacer nada, sobre todo si se trataba de un niño.

—Otra cosa —agregó Charles—. ¿Cree que el benceno haya podido ser la causa de la leucemia de Michelle?

—Es posible —contestó el doctor Keitzman—. Es ese tipo de leucemia. ¿Estuvo expuesta al benceno?

—Durante un largo período. Una fábrica ha estado descargando benceno en el río que alimenta una laguna muy cercana a casa. ¿Estaría dispuesto a decir que la leucemia de Michelle fue causada por el benceno?

—No podría hacer eso —repuso Keitzman—. Lo siento, pero se trata sólo de una conjetura. Además, el hecho de que el benceno cause la leucemia sólo se ha comprobado inequívocamente con animales de laboratorio.

—Pero usted y yo sabemos que también lo causa en las personas.

—Es verdad, pero no es la clase de prueba que aceptaría un tribunal de justicia. Existe un elemento de duda, por pequeño que sea.

—¿De modo que no me ayudará? —preguntó Charles.

—Lo siento, pero no puedo —dijo Keitzman—. Pero puedo hacer otra cosa, y creo que es mi deber. Me gustaría convencerlo para que vaya a ver a un psiquiatra. Ha sufrido un terrible *shock*.

Charles pensó en mandarlo al diablo, pero no lo hizo. En cambio, colgó el auricular. Cuando se puso de pie, pensó en volver al cuarto de Michelle, sin que nadie lo viera, pero se dio cuenta de que no podría hacerlo. La enfermera de turno lo vigilaba como un cuervo, y uno de los guardias de seguridad estaba con ella, hojeando una revista. Charles se dirigió al ascensor y apretó el botón. Mientras esperaba, empezó a meditar acerca de los posibles cursos de acción que tenía por delante. Estaba solo, y estaría más solo todavía después de su reunión con el doctor Ibáñez al día siguiente.

Ellen Sheldon llegó al Weinburger más tarde que de costumbre. Aun así, caminó lentamente, porque el hielo estaba muy resbaladizo. La noche anterior había hecho un tiempo típico de Boston. La lluvia se transformó en nieve, y ésta en lluvia. Luego todo se congeló. Cuando Ellen llegó a la puerta del instituto, ya eran las ocho y media.

La razón de su tardanza era doble. Primero, no sabía siquiera si vería a Charles ese día, de modo que no tenía necesidad de preparar todo el laboratorio. Segundo, se había acostado tarde la noche anterior, por haber violado uno de sus principios fundamentales: no aceptar nunca una cita de último momento. Pero después de informar al doctor Morrison de que Charles no se ocupaba del proyecto Cancerán, él la había convencido de que se tomara el resto del día libre. Le pidió, también, el número de teléfono de su casa, con el fin de comunicarle los resultados de la reunión que iban a celebrar con Charles y los Weinburger. Aunque Ellen no esperaba que la llamara, lo hizo; le dijo que Charles estaba a prueba y que tenía veinticuatro horas para decidir si seguiría o no las reglas del juego. Luego, la había invitado a comer fuera. Ellen supuso que sería una comida de trabajo, por lo que aceptó de buen grado. El doctor Peter Morrison no era Paul Newman, aunque sí un hombre fascinante y, además, muy poderoso en la comunidad de investigadores.

Ellen fue a abrir la puerta del laboratorio. Sorprendida, notó que la llave no estaba echada. Charles ya estaba trabajando.

—Pensaba que no ibas a venir hoy —dijo Charles, en broma.

Ellen se quitó el abrigo debatiéndose contra un sentimiento de culpa.

—No creí que estuvieras aquí.

—¿Cómo? —preguntó Charles—. Bueno, he estado trabajando la noche entera.

Ellen se acercó a su escritorio. Charles tenía un nuevo libro de laboratorio, y ya había varias páginas escritas con su pulcra escritura. Tenía un aspecto terrible: el pelo enmarañado, lo que acentuaba la incipiente calva de la coronilla, los ojos cansados y la cara sin afeitar.

—¿Qué estás haciendo? —preguntó Ellen, tratando de tantear el estado de ánimo de Charles.

—He estado trabajando —contestó Charles, levantando una redoma—. Y tengo buenas noticias. Nuestro método de aislar un antígeno proteico de un cáncer animal funciona igualmente bien en un cáncer humano. El hibridoma que hice con las células de Michelle lo demuestra.

Ellen asintió. Empezaba a sentir lástima por Charles Martel.

—Además —prosiguió Charles—, he examinado todos los ratones a los que habíamos inyectado con el antígeno de cáncer mamario. Dos de ellos exhiben una leve reacción de anticuerpo, lo que es muy alentador. ¿Qué te parece? Me gustaría que hoy volvieras a inyectarles una nueva dosis del antígeno, y que empezaras con una nueva cepa de ratones, inyectándoles antígeno leucémico de Michelle.

—Charles —dijo Ellen en tono comprensivo—, no debemos hacer esto.

Con cuidado, Charles dejó la probeta como si contuviera nitroglicerina. Se volvió a mirar a Ellen.

—Todavía sigo a cargo de este laboratorio. —Habló con voz tranquila y controlada, tal vez demasiado controlada.

Ellen asintió. En realidad, le tenía un poco de miedo a Charles ahora. Sin decir palabra, se dirigió a su área de trabajo y empezó a prepararlo todo para inocular a los ratones. Por el rabillo del ojo observó que Charles se sentaba a su escritorio, tomaba unos papeles y se ponía a leer. Miró el reloj. Después de las nueve iría a hablar con Peter.

Esa mañana Charles había recibido, de manos de un funcionario, la citación referente a la audiencia sobre la tutoría. Recibió los papeles sin decir una palabra, y no los había mirado hasta ese momento. La jerigonza legal lo impacientaba, de modo que sólo echó un vistazo y notó que se requería su presencia para una audiencia que iba a tener lugar al cabo de tres días. Volvió a meterlo todo en el sobre y lo hizo a un lado. Tendría que consultar con un abogado.

Después de mirar el reloj, Charles tomó el teléfono. Su primera llamada fue para John Randolph, concejal de Shaftesbury, Nueva Hampshire. Charles lo conocía, pues también era dueño de la ferretería y bazar local.

—Tengo una queja —dijo, después de los saludos acostumbrados— contra la policía de Shaftesbury.

—Espero que no esté relacionada con lo que pasó anoche en la planta.

—En realidad, así es —afirmó Charles.

—Bueno, ya estamos enterados del incidente —le informó John—. Frank Neilson y los tres administradores municipales nos hemos reunido durante el desayuno. Nos hemos enterado de todo. Me parece que tuviste suerte de que acudiera Frank.

—Eso es lo que pensé al principio —explicó Charles—. Pero cambié de idea cuando me llevaron a Recycle Limitada, para que un retrasado mental me pegara.

—Eso no me lo habían dicho —reconoció John—. Pero sí que tú habías entrado ilegalmente, y que habías empujado a un obrero a un depósito de ácido. ¿Por qué diablos estás causando problemas en la fábrica? ¿No eres médico? Me parece una forma rara de comportarse para un médico.

La furia le obnubiló el cerebro. Comenzó a explicar, apasionadamente, que Recycle descargaba benceno y otras sustancias tóxicas en el río. Dijo que, por el bien de la comunidad, estaba tratando de que clausuraran esa fábrica.

—A mí me parece que la comunidad no vería con muy buenos ojos el cierre de la fábrica —dijo John cuando Charles hizo una pausa—. Había mucho desempleo antes de que se abriera la fábrica. La prosperidad de nuestro pueblo le debe mucho a Recycle Limitada.

—Supongo que tu medida de la prosperidad es la cantidad de lavadoras vendidas.

—En parte —convino John.

—¡Por Dios! —gritó Charles—. ¿No dirías que una serie de casos fatales de leucemia y anemia aplástica infantiles es un alto precio que pagar por la prosperidad?

—De eso no sé nada —dijo John, sereno.

—Y me parece que tampoco quieres enterarte.

—¿Me estás acusando de algo?

—Puedes estar seguro. Te estoy acusando de irresponsabilidad. Aunque sólo hubiera una posibilidad de que Recycle Limitada estuviera descargando sustancias tóxicas en el río, la fábrica debería clausurarse mientras se investiga. El riesgo no es digno de un puñado de inmundos empleos.

—Eso es fácil para ti, porque eres médico y no tienes que preocuparte por el dinero. Esos empleos son importantes para el pueblo y para las personas que los tienen. Y es mejor que no te metas con el trabajo de la policía. Eso es lo que han sugerido los administradores esta mañana. ¡No necesitamos que tipos como vosotros, con vuestros títulos universitarios, vengáis a decirnos cómo vivir!

Charles oyó el ruidito conocido que hacía el teléfono al colgarse. Bueno, allí acababa esa posibilidad.

Charles comprendió que la furia no lo conduciría a ninguna parte. Marcó el número de la PMA. Solicitó hablar con la señora Amendola. Se sorprendió al oír, casi de inmediato, la voz nasal de la mujer en la línea. Charles le dijo quién era y describió lo que había visto en Recycle.

—El tanque que contiene el benceno tiene una tubería que está directamente conectada con el desagüe del techo —dijo Charles.

—Eso no es muy sutil —comentó la señora Amendola.

—Es un delito flagrante —dijo Charles—. Y, además, tienen una laguna de sustancias químicas que constantemente se filtra en el río.

—¿Sacó alguna foto? —preguntó la señora de Amendola.

—Lo intenté, pero sin resultado —dijo Charles—. Creo que su gente tendrá mejor suerte que yo. —No veía razón para contarle a la PMA lo que había sucedido con su cámara. Si eso hubiera servido para conseguir la intervención del organismo, lo habría hecho. Por otra parte, podía llegar a desalentarlos.

—Voy a hablar con varias personas —le informó la mujer—. Pero no puedo prometerle nada. Tendría más posibilidades, de contar con su queja por escrito y un par de fotos, aunque no fueran muy buenas.

Charles le dijo que presentaría el escrito en cuanto le fuera posible, pero que tratara igualmente de hacer algo sobre la base de la información suministrada. Al colgar, no tenía muchas esperanzas de que se hiciera nada.

Regresó al banco del laboratorio y se puso a observar los preparativos de Ellen. No interfirió porque Ellen era mucho más diestra que él. Se ocupó, en cambio, de diluir el antígeno leucémico de Michelle con el fin de preparar para su inoculación en los ratones. Utilizó una técnica estéril para obtener el volumen exacto de la solución. Luego agregó esta alícuota a una cantidad específica de una solución salina estéril para conseguir la concentración deseada. La probeta, con el antígeno sobrante, fue a parar a la nevera.

Una vez completa la solución, Charles se la dio a Ellen y le dijo que continuara con lo que estaba haciendo porque él tenía que salir a ver a un abogado y que regresaría antes del almuerzo.

Después de cerrarse la puerta. Ellen permaneció durante cinco minutos observando cómo el segundero recorría la esfera del reloj. Al ver que Charles no volvía, llamó a la recepcionista, quien le confirmó que Charles acababa de salir del instituto. Entonces llamó al doctor Morrison y le informó de que Charles seguía trabajando en sus investigaciones propias. En realidad, las estaba ampliando. Seguía comportándose de una manera extraña.

—Bien. Esa es la gota que colma el vaso. Nadie podrá acusarnos de no hacer todo lo posible. Este es el fin de Charles Martel en el Instituto Weinburger —declaró el doctor Morrison.

La búsqueda de asesoramiento legal no resultó tan fácil como Charles esperaba. Irracionalmente relacionó habilidad e inteligencia con lujo, por lo que se dirigió al centro de Boston, y estacionó el coche en el garaje de las oficinas gubernamentales. El más impresionante rascacielos de oficinas estaba situado en la calle State. Tenía una fuente y grandes superficies de mármol y de cristal. En el tablero de informaciones figuraban muchos bufetes de abogados. Escogió el que estaba más arriba: Begelman, Canneletto y O'Malley. Tenía la esperanza de que su alta situación en el tablero reflejara su eficacia. Sin embargo, la única relación fue la del precio de la consulta.

Al parecer, no esperaban clientes de la calle, de modo que Charles se vio obligado a esperar en un sofá Chippendale de dos cuerpos, muy incómodo. El abogado que lo recibió finalmente debía de ser el más joven del bufete. A Charles le pareció que debía tener unos quince años.

Al principio, la conversación marchó bien. El joven abogado se mostró genuinamente sorprendido al enterarse de que un juez hubiera concedido una tutoría temporal *ex parte* a un pariente político en lugar de a otro sanguíneo. Sin embargo, se mostró menos comprensivo cuando se enteró de que Charles quería interrumpir el tratamiento recomendado por los especialistas. Aun así, habría estado dispuesto a ayudar a Charles si éste no se hubiera lanzado a una apasionada diatriba contra Recycle Limitada, y con-

257

tra el municipio de Shaftesbury. Cuando el abogado empezó a cuestionar las prioridades de Charles, terminaron discutiendo y el hombre lo acusó de baratería, cosa que enardeció a Charles porque no sabía qué quería decir.

Charles se sentía indefenso, pero en lugar de tratar de hablar con algún otro abogado del edificio, fue a consultar las hojas amarillas de la guía telefónica en el bar más cercano. Evitó direcciones de barrios elegantes, y buscó abogados que trabajaran solos. Marcó media docena de nombres y empezó a llamar. Al que le contestaba, le preguntaba si estaba muy ocupado, o si necesitaba un caso. Si oía algún signo de vacilación, colgaba y llamaba al siguiente de la lista. Al quinto, Charles dio directamente con el abogado. Eso le gustó. El abogado respondió a la pregunta diciendo que se estaba muriendo de hambre. Charles le dijo que iba en seguida. Copió el nombre y la dirección: Wayne Thomas, calle Brattle, número 13, Cambridge.

No había fuente, ni mármol, ni cristales. En realidad, el número 13 resultó ser una entrada secundaria. Había un pasillo largo, como un desfiladero; después de una puerta de metal, un tramo de escalones de madera. Arriba había dos puertas. Una era de un quiromántico, la otra de Wayne Thomas, abogado. Charles entró.

—Muy bien, amigo, siéntese y cuénteme qué le pasa —dijo Wayne Thomas, ofreciéndole una silla de respaldo recto. Wayne sacó un bloc de hojas amarillas. Charles paseó la mirada por el cuarto. Había un retrato de Abraham Lincoln. Las paredes estaban recién pintadas de blanco. A través de una única ventana se veía un rinconcito de la plaza Harvard. El suelo era de madera, recientemente lustrado. El cuarto tenía una apariencia serena y utilitaria.

—Mi mujer y yo decoramos la oficina —dijo Wayne, al notar la inspección de Charles—. ¿Qué le parece?

—Me gusta —contestó Charles. Wayne Thomas no parecía estar muriéndose de hambre. Era un negro fuerte, de un metro ochenta de estatura, unos treinta años y llevaba barba. Vestía un traje de tres piezas, azul a rayas, y era imponente.

Charles le enseñó la citación, y le contó su historia. Wayne, aparte de tomar unos apuntes, lo escuchó atentamente. No lo interrumpió, como el jovenzuelo de Begelman, Cannelletto y O'Malley. Cuando terminó el relato, el abogado le hizo una serie de preguntas que iban al fondo de la cuestión. Finalmente dijo:

—Creo que no podemos hacer mucho respecto a esta tutoría temporal, antes de la audiencia. Se han puesto a resguardo con una tutoría *ad litem*, pero necesito tiempo para preparar el caso, de cualquier manera. Con respecto a Recycle Limitada, y a la ciudad de Shaftesbury, puedo empezar ya. Sin embargo, necesito un anticipo.

—He solicitado un préstamo de tres mil dólares —dijo Charles.

Wayne silbó.

—No hablo de tanto dinero. ¿Qué le parece quinientos dólares?

Charles quedó en enviarle el dinero en cuanto le concedieran el préstamo. Le dio la mano a Wayne y por primera vez se dio cuenta de que llevaba un aro de oro en el lóbulo de la oreja derecha.

De regreso a Weinburger, Charles sintió una especie de satisfacción. Por lo menos, había iniciado el proceso legal, e incluso en el caso de que Wayne no triunfara, causaría a sus adversarios algunos inconvenientes. Charles esperó impacientemente junto a la puerta de entrada, de cristal grueso. La señorita Andrews, que evidentemente lo había visto, prefirió terminar de escribir un renglón a máquina antes de abrir la puerta. Cuando Charles pasó a su lado, la vio levantar el teléfono. No era buena señal.

El laboratorio estaba vacío. Llamó a Ellen y, al no recibir respuesta, fue al cuarto de los animales, pero tampoco estaba allí. Miró el reloj, y se dio cuenta. Había estado ausente más tiempo del esperado. Ellen habría salido a almorzar. Fue a su área de trabajo y vio que la solución que había preparado para el antígeno leucémico de Michelle estaba sin tocar.

Volvió a su escritorio, desde donde llamó a la señora Amendola nuevamente para preguntarle si había tenido suerte con el departamento de observación y vigilancia. Con impaciencia apenas disimulada, la mujer le dijo que ése no era el único problema que tenía y que ella lo llamaría cuando hubiera alguna novedad. Que él no la llamara.

Sin perder la calma, Charles intentó llamar al jefe regional de la PMA para presentar una queja formal sobre la organización de la agencia, pero estaba en Washington, en una reunión sobre nuevas leyes acerca de desechos peligrosos.

Desesperado, trató de no perder la confianza en el concepto de gobierno representativo. Llamó entonces al gobernador de Nueva Hampshire y al de Massachusetts. En ambos casos, el resultado fue idéntico. No pudo pasar más allá de las secretarias, que le dijeron que llamara a la Comisión Estatal de Control de Contaminación del Agua. Por más que les dijo que ya había llamado a las comisiones de ambos estados, las secretarias se mostraron inflexibles, de modo que se dio por vencido. Entonces llamó al senador demócrata por Massachusetts.

Al principio la respuesta de Washington pareció prometer, pero luego lo pasaron de ayudante en ayudante hasta que por fin encontró a alguien que entendía algo de ambiente. A pesar de la naturaleza específica de su queja, el ayudante insistió en mantener la conversación en un tono general. En un discurso que le pareció preparado de antemano, el hombre le obsequió con diez minutos de propaganda acerca del interés que tenía el senador en cuestiones ambientales. Mientras esperaba que se produjera una pausa, Charles vio entrar a Peter Morrison en el laboratorio. Colgó, dejando al ayudante a mitad de una oración.

Los dos hombres se miraron de un extremo al otro del laboratorio de Charles. Sus diferencias exteriores eran más evidentes que de costumbre. Morrison parecía haber prestado especial cuidado a su apariencia ese día, mientras Charles estaba peor que nunca por haber dormido con la ropa puesta en el laboratorio.

Morrison entró con una sonrisa victoriosa, pero

cuando Charles se volvió a mirarlo, Morrison notó que Charles también sonreía alegremente. La sonrisa de Morrison se desvaneció.

Charles sentía que, por fin, era capaz de comprender a Morrison. Era alguien que había sido investigador, y que se había pasado a la administración para tratar de salvar su yo. Debajo del atildado exterior, reconocía todavía que el investigador era el rey y, en ese contexto, le irritaba tener que depender de la habilidad y la dedicación de Charles.

—Se requiere tu presencia inmediatamente en el despacho del director —anunció Morrison—. No te molestes en afeitarte.

Charles rió con fuerza, pues sabía que el comentario final trataba de ser un insulto, el definitivo.

—Eres imposible, Martel —dijo Morrison, cortante, y se fue.

Charles trató de serenarse antes de dirigirse al despacho del doctor Ibáñez. Sabía exactamente lo que iba a suceder, pero sin embargo le espantaba la cercana entrevista. Ir a la oficina del director se había transformado en un ritual diario. Al pasar junto a los óleos de los antiguos directores, saludó a varios con la cabeza. Al llegar al escritorio de la señorita Evans, se limitó a sonreír y pasó de largo, haciendo caso omiso a sus frenéticas órdenes de que se detuviera. Sin llamar, Charles entró en el despacho del doctor Ibáñez.

Morrison, que estaba inclinado sobre el hombro del director, se enderezó. Habían estado examinando unos papeles. El doctor Ibáñez miró a Charles, confundido.

—¿Bien? —preguntó Charles, agresivo.

Ibáñez miró a Morrison, quien se encogió de hombros. El doctor Ibáñez se aclaró la garganta. Era obvio que habría preferido disponer de un momento para prepararse mentalmente.

—Parece cansado —dijo, nervioso.

—Gracias por preocuparse por mí —repuso Charles, con cinismo.

—Doctor Martel, me temo que no nos ha dejado

usted otra elección —comenzó Ibáñez, organizando sus pensamientos.

—¿Sí? —Preguntó Charles, como si no se diera cuenta de lo que quería decir.

—Sí —dijo Ibáñez—. Como le advertí ayer, de acuerdo con los deseos del director, queda despedido del Instituto Weinburger.

Charles sintió una mezcla de ira y ansiedad. La vieja pesadilla de ser despedido se convertía, por fin, en realidad.

Charles asintió, cuidando de no evidenciar ninguna emoción, y luego se volvió para marcharse.

—Un minuto, doctor Martel —dijo el doctor Ibáñez, poniéndose de pie detrás de su escritorio.

Charles se volvió.

—Todavía no he terminado —observó Ibáñez.

Charles miró a los hombres, debatiéndose entre quedarse o irse. Ya no tenían ninguna autoridad sobre él.

—Por su propio bien, Charles —advirtió Ibáñez—, creo que en el futuro debería reconocer que tiene ciertas obligaciones legítimas para con la institución que lo mantiene. Aquí se le ha dado absoluta libertad para dedicarse a sus intereses científicos, pero debe reconocer que nos debe algo a cambio.

—Tal vez —reconoció Charles. No creía que el doctor Ibáñez tuviera hacia él tan malas intenciones como Morrison.

—Por ejemplo —dijo Ibáñez— hemos sido informados que tiene quejas contra Recycle Limitada.

El interés de Charles se avivó.

—Creo que debería recordar —prosiguió Ibáñez— que Recycle Limitada y el Weinburger pertenecen a la misma corporación, Breur Chemicals. Habría sido deseable, conociendo esta relación, que no hubiera expresado quejas en público. De haber habido un problema, debería haber sido ventilado internamente, luego rectificado. Así se procede en la esfera de los negocios.

—Recycle ha estado descargando benceno en el río que pasa por mi casa —dijo Charles con un gruñido—. Como resultado, mi hija padece de una leucemia terminal.

—Una acusación como ésa no se puede probar, y denota irresponsabilidad —señaló Morrison.

Charles se adelantó hacia Morrison, repentinamente, cegado por la furia, pero se detuvo a tiempo. Además, no iba con su carácter golpear a la gente.

—Charles —dijo Ibáñez—. No tengo más que apelar a su sentimiento de responsabilidad. Le imploro que haga a un lado su trabajo y se dedique al proyecto Cancerán.

Con obvia irritación al comprobar que se le ofrecía una segunda oportunidad a Charles, el doctor Morrison les dio la espalda, volviendo la vista hacia el río.

—Es imposible —respondió, cortante, Charles—. Dada la condición de mi hija, siento que estoy obligado a continuar con mi propio trabajo, por ella.

Morrison miró a Ibáñez con una expresión de satisfacción, como quien dice: «Te lo he dicho.»

—¿Cree que puede hacer un descubrimiento a tiempo para ayudar a su hija? —le preguntó el doctor Ibáñez con incredulidad.

—Es posible —convino Charles.

El doctor Ibáñez y el doctor Morrison intercambiaron miradas.

Morrison volvió a mirar por la ventana. Consideraba concluido el caso.

—Eso parecen más bien delirios de grandeza —observó Ibáñez—. Bueno, como le he dicho, no me deja otra elección. Pero como gesto de buena voluntad, le daremos dos meses de sueldo como indemnización, y su seguro médico continuará durante treinta días más. Sin embargo, deberá dejar libre su laboratorio dentro de dos días. Ya hemos conseguido quien lo reemplace, y este hombre está ansioso por empezar el proyecto Cancerán, igual que nosotros por terminarlo.

Charles miró con furia a los dos hombres.

—Antes de irme, me gustaría decir algo. Creo que el hecho de que un laboratorio y un instituto de investigaciones oncológicas estén controlados por la

263

misma firma es un crimen, especialmente porque los ejecutivos de ambas compañías pertenecen al consejo directivo del Instituto Nacional del Cáncer y conceden subvenciones al laboratorio y al Instituto. El Cancerán es un magnífico ejemplo de este incesto financiero. Es una droga tan tóxica que probablemente no será usada jamás, a menos que se continúe falsificando las pruebas. Tengo la intención de hacer públicos estos hechos para que este estado de cosas no continúe así.

—¡Basta! —gritó Ibáñez. Dio un golpe sobre el escritorio, desparramando papeles, que volaron por el aire—. Cuando se trata de la integridad del Weinburger o del valor potencial del Cancerán, es mejor que no trate de interferir. Y ahora váyase antes de que me retracte de los beneficios que le he concedido.

Charles se volvió para marcharse.

—Creo que deberías ver a un psiquiatra —sugirió Morrison en tono profesional.

Charles no pudo reprimir un impulso adolescente, e hizo una seña grosera a Morrison antes de salir del despacho del director. Estaba contento de haberse librado del instituto que ahora aborrecía.

—¡Por Dios! —exclamó el doctor Ibáñez al cerrarse la puerta—. ¿Qué le pasa a ese hombre?

—Lamento tener que repetirle que yo se lo había advertido —dijo el doctor Morrison.

Ibáñez se hundió en el sillón todo lo que le permitió su corpulencia.

—Nunca creí que llegaría a decir esto, pero me parece que Charles podría resultar peligroso.

—¿Qué habrá querido decir con eso de hacer públicos los hechos? —Morrison se sentó, arreglándose cuidadosamente los pantalones para enderezar la raya.

—Ojalá lo supiera —dijo Ibáñez—. Eso me pone muy intranquilo. Podría hacerle un daño irreparable al proyecto Cancerán, por no decir también al propio Instituto.

—No sé qué podemos hacer —admitió Morrison.

—Creo que deberemos reaccionar a lo que haga

él —sugirió el doctor Ibáñez—. Como lo mejor será mantenerlo lejos de la prensa, es conveniente que no anunciemos su despido. Si alguien pregunta, diremos que se le ha concedido excedencia debido a la enfermedad de su hija.

—A mí me parece que no hay que mencionar a la hija —dijo el doctor Morrison—. Esa es la clase de noticia que la prensa adora. Podría ser muy beneficiosa para Charles.

—¿Y si Charles se dirige a la prensa? —preguntó Morrison—. Podrían escucharlo.

—Eso me parece dudoso. Detesta a los periodistas. Pero si llega a hacerlo, tendremos que desacreditarlo de inmediato. Haremos referencia a su estado emocional. En realidad, podemos decir que ésa es la razón por la que lo hemos despedido. ¡Hasta es verdad!

El doctor Morrison se permitió una sonrisita.

—Es una idea fabulosa. Tengo un amigo psiquiatra que podría fabricar una buena tesis para nuestra defensa. ¿Qué le parece si le consulto y lo tenemos todo preparado, por si acaso?

—Peter, hay veces que pienso que no soy yo quien debe estar detrás de este escritorio. Usted nunca permite que ninguna consideración humana interfiera con su trabajo.

Morrison sonrió. No estaba muy seguro de que se tratara de un cumplido.

Charles descendió lentamente la escalera, luchando contra su furia y su desesperación. ¿Qué clase de mundo sobreponía las necesidades de los negocios a la moralidad, sobre todo si se trataba de la medicina? ¿Qué clase de mundo podía mirar a otro lado cuando una pobre e inocente niña de doce años se moría de leucemia?

Al entrar en el laboratorio, Charles encontró a Ellen sentada en un taburete alto, hojeando ociosamente una revista. Al ver a Charles, la dejó y se puso de pie, alisándose el guardapolvo.

—Lo siento muchísimo —dijo, con expresión triste.

—¿Qué es lo que sientes? —preguntó Charles, inexpresivo.

—Que te hayan despedido —contestó Ellen.

Charles la miró fijamente. Sabía que el instituto tenía un sistema interno de rumores que era muy eficiente. Sin embargo, esto se pasaba de eficiente. Recordó que le había dicho que tenía un plazo de veinticuatro horas. Ella probablemente supuso... Y sin embargo...

Charles meneó la cabeza, sorprendido por su propia paranoia.

—Era de esperar —dijo—. Sólo que me ha costado unos días reconocer ante mí mismo que no podía trabajar en el proyecto Cancerán. Sobre todo ahora que Michelle está tan enferma.

—¿Qué vas a hacer? —preguntó Ellen. Ahora que Charles había caído de su posición de poder, Ellen cuestionaba sus propios motivos.

—Tengo mucho que hacer. En realidad... —Charles se detuvo. Durante un momento, pensó si debía confiar en Ellen. Luego decidió que no. En esas últimas veinticuatro horas, tan dolorosas, había aprendido una cosa: estaba solo. Su familia, colegas y autoridades del gobierno eran inútiles, se interponían en su camino, o estaban abiertamente en contra de él. Estar solo requería un valor especial y un gran compromiso.

—En realidad, ¿qué? —preguntó Ellen. Por un instante pensó que Charles podría llegar a reconocer que la necesitaba. Ellen estaba dispuesta, si él se lo pedía.

—En realidad... —dijo Charles, dándole la espalda y acercándose a su escritorio—. Te agradecería que fueras a la administración, pues yo no quiero volver a verlos, y me trajeras mis libros del laboratorio. No les servirá de nada secuestrarlos, y supongo que querrán quitárselos de encima.

Cabizbaja, Ellen se dirigió a la puerta. Se sentía estúpida por ser aún susceptible a los caprichos de Charles.

—De paso —dijo antes de que Ellen llegara a la

puerta—, ¿cómo te ha ido con el trabajo que te he dejado esta mañana?

—No he hecho mucho —le aseguró Ellen—. Poco después de irte esta mañana, he sabido que te despedirían, de modo que ¿para qué seguir? Te traeré los libros, pero después de eso no quiero tener nada más que ver con esto. Me tomaré el resto del día libre.

Charles vio que se cerraba la puerta. Estaba seguro de que no se trataba de paranoia. Ellen había estado colaborando con la administración. Sabía demasiado, y demasiado pronto. Al recordar que había estado a punto de confiar en ella, se alegró de haber callado.

Cerró la puerta con llave, y se dispuso a trabajar. La mayoría de las sustancias químicas y reactivos importantes estaban almacenados en cantidades industriales, de modo que empezó a ponerlos en frascos más pequeños. Debía rotular cuidadosamente cada frasco, y luego guardarlo en un armario casi vacío, cerca del cuarto de los animales. Tardó aproximadamente una hora. Luego buscó en su escritorio, para ver si encontraba cuadernos en los que hubiera esbozado el informe de algún experimento anterior. Con estos apuntes, podría reconstruir sus experimentos, aun sin los datos, si el doctor Ibáñez no le devolvía los libros.

Mientras estaba trabajando febrilmente, sonó el teléfono. Pensó rápidamente una respuesta, en caso de que se tratara de la administración, y levantó el auricular. Sintió alivio al descubrir que era un empleado del banco que le informaba que su préstamo de tres mil dólares estaba concedido. Quería saber si lo depositaba en la cuenta corriente que compartía con su esposa. Charles le dijo que no. Iría a buscar el dinero personalmente. Luego llamó a Wayne Thomas. Mientras esperaba que lo conectaran, se preguntó qué diría el empleado del banco si supiera que lo acababan de despedir.

Igual que la vez anterior, Wayne Thomas respondió, en persona. Charles le dijo que ya tenía el dinero; le llevaría los quinientos esa tarde.

—Fenómeno, hombre —exclamó Wayne—. Ya he empezado a trabajar en el caso, sin el adelanto. He iniciado una demanda contra Recycle Limitada. Muy pronto sabré cuándo tendrá lugar la audiencia.

—Me parece muy bien —dijo Charles, satisfecho. Por lo menos algo ya estaba encaminado.

Casi había terminado de recoger su escritorio cuando oyó que alguien trataba de abrir la puerta. Como no podía, metió una llave en la cerradura. Charles se volvió, y estaba mirando la puerta cuando entró Ellen. Venía seguida de un joven corpulento, vestido con una chaqueta de *tweed*. Con gran satisfacción, Charles comprobó que, entre ambos, le traían sus libros.

—¿Has cerrado con llave la puerta? —preguntó Ellen, intrigada.

Charles asintió.

Ellen puso los ojos en blanco y le dijo al joven:

—Le agradezco mucho su ayuda. Puede ponerlos donde quiera.

—Si me hace el favor —dijo Charles—, póngalos sobre ese mostrador. —Indicó la parte del laboratorio donde había guardado las sustancias químicas.

—Te presento al doctor Michael Kittinger. Lo he conocido en la administración. El es quien se encargará de Cancerán. Supongo que yo seré su ayudante.

El doctor Kittinger extendió una mano corta, de dedos regordetes. Una sonrisa amistosa desfiguró su cara.

—Mucho gusto en conocerlo, doctor Martel. He oído muchos elogios respecto a usted.

—Estoy seguro —musitó Charles, con sorna.

—Qué laboratorio más fabuloso —comentó el doctor Kittinger, soltando la mano de Charles. Estaba maravillado por la impresionante colección de sofisticados equipos. Su rostro se iluminó como el de un niño en Navidad—. ¡Por Dios! Una ultracentrifugadora Pearson. No, es increíble... ¡Un microscopio electrónico Dixon, también! ¿Cómo puede abandonar este paraíso?

—Me han ayudado a hacerlo —dijo Charles, mirando a Ellen.

Ellen evitó su mirada.

—¿Le importaría que echara un vistazo? —preguntó Kittinger con entusiasmo.

—Sí, me importaría —contestó Charles.

—¡Charles! —exclamó Ellen—. El doctor Kittinger trata de portarse amistosamente. Fue el doctor Morrison quien le sugirió que viniera.

—Eso me importa un bledo. Este sigue siendo mi laboratorio hasta dentro de dos días, y no quiero que entre nadie. ¡Nadie! —Charles alzó la voz.

Ellen retrocedió de inmediato. Le hizo un gesto a Kittinger, y ambos partieron apresuradamente.

Charles tomó la puerta y, con un excesivo despliegue de fuerza, la cerró de un golpe. Se quedó quieto un instante, con los puños crispados. Sabía que acababa de hacer total su soledad. Sabía que no tenía necesidad de mostrarse hostil con Ellen, ni con el hombre que lo iba a reemplazar. Le preocupaba que la administración fuera informada de su irracional proceder, pues podían reducirle los dos días concedidos. Tendría que trabajar rápido. En realidad, tendría que hacer el traslado esa misma noche.

Volvió a trabajar con renovados bríos. Tardó una hora más en guardar todo lo que necesitaba en un solo armario.

Se puso su abrigo sucio y se marchó. Cerró la puerta con llave. Al pasar junto a la señorita Andrews, la saludó y le informó que volvería en seguida. Si la recepcionista estaba comunicando todos sus pasos a Ibáñez, no quería que pensaran que tardaría en volver.

Eran más de las tres, y el tráfico de Boston ya se estaba acercando a la hora punta, cobrando su ritmo frenético. Charles se vio rodeado por hombres de negocios dispuestos a arriesgar la vida por llegar cuanto antes a la carretera 93.

. Su primera parada fue el banco, en el centro comercial. El vicepresidente, a quien Charles conocía, no estaba, de modo que tuvo que hablar con una mujer joven a quien nunca había visto. Se dio cuenta de que lo miraba con desconfianza debido a su abrigo sucio y a su barba de día y medio.

Charles la tranquilizó diciéndole:

—Soy un científico. Siempre andamos vestidos un tanto... —Deliberadamente, dejó la frase sin terminar.

La empleada asintió, pero tardó un momento en cotejar el aspecto actual de Charles con la foto de su permiso de conducir de Nueva Hampshire. Satisfecha, al parecer, le preguntó si quería un cheque. Charles pidió el efectivo.

—¿Efectivo? —Un tanto confundida, la mujer se excusó y desapareció en la oficina posterior para llamar al subgerente de la sucursal. Al regresar, traía treinta billetes de cien.

Charles buscó el coche y avanzó laboriosamente hasta el distrito comercial del centro. Dejó el automóvil estacionado en doble fila, con los faros intermitentes encendidos, y entró corriendo en una casa de artículos deportivos, donde lo conocían. Compró cien cartuchos calibre doce, número dos, para su escopeta.

—¿Para qué son? —preguntó el dependiente con amabilidad.

—Para patos —contestó Charles en un tono que, según esperaba, desalentaría toda conversación.

—A mí me parece que el número cuatro o cinco sería mejor —sugirió el dependiente.

—Quiero el número dos —dijo Charles lacónicamente.

—Esta no es temporada de patos, sabe —le recordó el dependiente.

—Sí, lo sé —afirmó Charles.

Charles pagó con un billete nuevo de cien dólares.

Volvió al coche y circuló por las estrechas calles de Boston. Regresó por el mismo camino. Se detuvo por tercera vez, en esta oportunidad en el cruce de las calles Charles y Cambridge. Sin importarle las consecuencias, dejó el coche en doble fila, con los intermitentes encendidos.

Entró corriendo en una farmacia situada bajo la sombra del Hospital General de Massachusetts. Aunque sólo había sido cliente de esa farmacia cuando practicaba la medicina, lo reconocieron, llamándolo por su nombre.

—Necesito renovar mi maletín —dijo Charles después de pedir algunas hojas para recetas de la farmacia. Pidió morfina, Demerol, Compazine, Xilocaína, jeringas, tubos de plástico, soluciones intravenosas, Benadril, Epifrina, Brednisona, Percodán y Valium inyectable. El farmacéutico tomó las recetas y dio un silbido:

—¡Por Dios! ¿Con qué anda usted, con un maletín o un baúl?

Charles rió, como si festejara el chiste, y pagó con otro billete de cien dólares.

Al llegar al coche, sacó una multa de debajo del limpiaparabrisas. Volvió a unirse al tráfico, cruzó nuevamente el río, y en Memorial Drive dobló hacia el oeste. Pasó junto al Weinburger y siguió hasta la plaza Harvard, donde estacionó en un aparcamiento, teniendo especial cuidado de dejar el coche cerca del empleado. Corrió al número 13 de Brattle. Subió la escalera y llamó a la puerta de Wayne Thomas.

Los ojos del joven abogado se iluminaron cuando Charles le entregó cinco billetes nuevos de cien dólares.

—Hombre, tendrá el mejor servicio del mundo —le dijo.

Luego le informó que había logrado conseguir una audiencia de emergencia para el día siguiente, donde se trataría la demanda contra Recycle Limitada.

Charles salió de la oficina del abogado y caminó una manzana hasta llegar a un establecimiento de alquiler de vehículos Hertz. Alquiló el furgón más grande que tenían. Se lo trajeron, y Charles subió. Condujo lentamente de regreso a la plaza Harvard, fue al aparcamiento donde había dejado su coche, tomó los cartuchos y los medicamentos, volvió a subir al furgón y se dirigió al Weinburger. Consultó su reloj: las cuatro y media. Se preguntó cuánto tendría que esperar. Sabía que pronto oscurecería.

12

Cathryn se puso de pie con dificultad y se desperezó. Silenciosamente se dirigió al espejo del cuarto de baño de Michelle, en el hospital. Ni siquiera la luz tenue del atardecer era capaz de esconder su horroroso aspecto. El ojo negro que le había dejado el golpe accidental de Charles se extendía ahora del párpado superior al inferior.

Sacó un peine de la cartera, el colorete y el lápiz de labios, y cerró la puerta. Tal vez con un poco de esfuerzo mejoraría. Encendió la luz fluorescente y volvió a mirarse en el espejo. Lo que vio le hizo dar un respingo. Bajo la luz artificial estaba horriblemente pálida, y eso hacía resaltar el ojo amoratado. Pero peor que la palidez era su expresión de ansiedad, sus facciones desencajadas. Cerca de una de las comisuras de la boca vio unas arrugas que no había notado nunca.

Después de pasarse el peine por el pelo varias veces, Cathryn apagó la luz. Durante un momento, se quedó a oscuras. No soportaba volverse a mirar en el espejo. Era perturbador. La idea de maquillarse la hizo sentir peor.

Huir al apartamento de su madre, en el extremo norte de Boston, sólo sirvió para eliminar el miedo que sentía por la violencia de Charles, pero no hizo nada para aliviar el doloroso temor de que tal vez se hubiese equivocado con respecto a la tutoría. Le aterrorizaba la idea de que su acto hiciera imposible el amor de Charles hacia ella cuando toda la pesadilla hubiera pasado.

Cathryn volvió a abrir la puerta del baño haciendo el menor ruido posible, y echó un vistazo a la cama. Michelle se había sumido finalmente en un sueño desasosegado. Aun desde donde estaba, alcanzaba a ver los temblores y contorsiones en la cara de la niña. Michelle había pasado un día terrible desde esa mañana, cuando Cathryn había llegado. Estaba cada vez más débil, hasta el punto de que alzar los brazos y la cabeza era un esfuerzo. Las pequeñas úlceras de la boca se habían extendido, formando una gran superficie en carne viva que le dolía cuando la movía. El pelo se le caía por mechones, de tal manera que tenía grandes partes calvas. Lo peor de todo, sin embargo, era la fiebre, y el hecho de que sus períodos de lucidez iban disminuyendo rápidamente.

Cathryn volvió a su asiento, junto a la cama. «¿Por qué no habrá venido Charles?», se preguntó, desolada. Varias veces había estado a punto de llamarlo al instituto, pero, con el auricular en la mano, cambiaba de opinión.

Gina no había contribuido a ayudarla. En lugar de brindarle apoyo y comprensión, aprovechaba la crisis para sermonearla acerca de lo mal que había hecho al casarse con un hombre trece años mayor que ella, y que además tenía tres hijos. Debería de haber estado preparada para esa clase de problemas, pues a pesar de que ella había adoptado a los niños, era evidente que Charles pensaba que eran solamente suyos.

Michelle abrió de repente los ojos, e hizo una mueca de dolor.

—¿Qué pasa? —preguntó Cathryn, haciéndose hacia delante en la silla, presa de ansiedad.

Michelle no respondió. Se le cayó la cabeza hacia el otro lado, y su cuerpecito delgado se retorció de dolor.

Sin vacilar un momento, Cathryn salió al pasillo y llamó a una enfermera. La mujer, al ver la manera en que se debatía la niña, hizo una llamada al doctor Keitzman.

Cathryn permaneció junto a la cama, retorciéndose las manos, deseando poder hacer algo. Quedarse de pie junto a la niña agonizante era una tortura. Sin saber por qué lo hacía, Cathryn corrió al baño y humedeció la punta de una toalla. Regresó al lado de Michelle y empezó a humedecer la frente de la niña. Cathryn no tenía idea de si eso servía, pero al menos le daba la satisfacción de poder hacer algo.

El doctor Keitzman debía de haber estado cerca, pues llegó en cuestión de minutos. Diestramente, examinó a la niña. Por la señal electrónica del monitor cardíaco, sabía que el ritmo del corazón no había variado. Respiraba sin dificultad. Poniendo el estetoscopio en el abdomen de Michelle, escuchó. Oyó una fanfarria de chirridos, graznidos y retintines. Retirando el estetoscopio, puso la mano sobre el abdomen de la niña, palpando con suavidad. Al enderezarse murmuró algo a la enfermera, que desapareció con toda rapidez.

—Calambre intestinal funcional —explicó el doctor Keitzman a Cathryn, aliviado—. Debe ·de haber exceso de gases. Le vamos a poner una inyección que la aliviará en seguida.

Cathryn asintió, respirando pesadamente por la boca. Volvió a tirarse sobre la silla.

El doctor Keitzman notó la expresión atormentada de Cathryn, y su aspecto torturado. Le puso una mano sobre el hombro.

—Vamos afuera un momento, Cathryn.

Cathryn miró a Michelle, que después del examen del doctor Keitzman había vuelto a dormirse milagrosamente, y siguió al oncólogo en silencio. El la condujo al cuarto donde se guardaban historiales clínicos, tan familiar ya.

—Cathryn, estoy preocupado por usted. Usted también está muy tensa.

Cathryn asintió. Tenía miedo de hablar, pues pensaba que sus emociones podían aflorar, y desbordar.

—¿Ha venido Charles?

Cathryn negó con la cabeza. Se enderezó e inspiró hondo.

—Siento que esto haya sucedido de esta manera, pero usted ha procedido correctamente.

Cathryn no dijo nada, aunque dudaba que fuera así.

—Desgraciadamente, no ha terminado. No tengo que decírselo, porque es muy obvio, pero Michelle está muy mal. Hasta ahora, las drogas que le hemos administrado no han hecho nada a las células leucémicas y no hay señales de remisión. Tiene el tipo más recalcitrante de leucemia mieloblástica que he visto en mi vida, pero no cejaremos en nuestro empeño. Por el contrario, hoy agregaremos otro medicamento más, uno que unos oncólogos y yo hemos empezado a utilizar sobre una base experimental, con resultados promisorios. Mientras tanto quiero pedirle que los dos hermanos de Michelle vengan mañana para un examen de tipo, pues quiero ver si uno de ellos es compatible. Me parece que nos veremos obligados a tratar con rayos a Michelle, y a hacerle un transplante de médula.

—Vendrán —murmuró Cathryn.

—Muy bien —le dijo Keitzman, estudiando su expresión. Al sentir su mirada, Cathryn desvió la cara.

—Tiene un buen moretón —observó Keitzman con simpatía.

—Me lo hizo Charles, pero sin querer. Fue un accidente —agregó rápidamente.

—Charles me llamó anoche —dijo el doctor Keitzman.

—¿Sí? ¿Desde dónde?

—Desde aquí, desde el hospital.

—¿Qué le dijo?

—Quería saber si yo estaba dispuesto a decir que el benceno había causado la leucemia de Michelle; le dije que no podía afirmarlo, aunque es posible que haya sido así. Lamentablemente, no hay forma de probarlo. De todos modos, al terminar la conversación le sugerí que viera a un psiquiatra.

—¿Cuál fue su reacción?

—No parecía entusiasmado con la idea. Ojalá hubiera forma de convencerlo. Estoy preocupado por él. No quiero asustarla, pero he visto casos parecidos, y se han vuelto violentos. Si usted cree que puede convencerlo, debería intentarlo.

Cathryn se fue del cuarto, ansiosa por volver junto a Michelle, pero al pasar junto a la sala de espera frente al puesto de las enfermeras, vio un teléfono público. Se sobrepuso a todas las mezquinas razones que podía invocar para no llamar a Charles, y marcó el número del Instituto Weinburger. Le comunicaron con el laboratorio de Charles. Cathryn dejó que el teléfono sonara diez veces. La operadora del instituto le informó luego que Ellen, la asistente de Charles, estaba en la biblioteca, y le preguntó si quería hablar con ella. Cathryn asintió y le comunicaron.

—¿No está en el laboratorio? —preguntó Ellen.

—No me contestan —dijo Cathryn.

—Es capaz de no contestar, aunque esté —le explicó Ellen—. Se ha portado de una manera muy extraña últimamente. En realidad, tengo miedo de ir al laboratorio. Supongo que sabrá que lo han despedido del instituto.

—No tenía ni idea —exclamó Cathryn, aturdida—. ¿Qué ha pasado?

—Es una historia larga y me parece que se la debe contar Charles, no yo.

—Ha estado bajo una enorme presión —señaló Cathryn.

—Lo sé —dijo Ellen.

—Si lo ve ¿quiere decirle que me llame, por favor? Al hospital.

Ellen se lo prometió, pero agregó que dudaba que volviera a verlo.

Cathryn colgó el auricular lentamente. Pensó un rato, luego llamó a Gina y le preguntó si había llamado Charles. Gina le dijo que no había llamado nadie. Cathryn llamó entonces a su casa pero, como esperaba, no obtuvo respuesta. ¿Dónde estaría Charles? ¿Qué estaría pasando?

Volvió al cuarto de Michelle. No comprendía

277

cómo su mundo, tan sólido hasta hacía poco, se había derrumbado. ¿Por qué habían despedido a Charles? Durante el corto tiempo de su empleo en el instituto, ella se había enterado de que era uno de los científicos más respetados. ¿Qué podría haber sucedido? Cathryn sólo tenía una explicación. A lo mejor Keitzman tenía razón. Quizás Charles era presa de una crisis nerviosa y vagaba solo por ahí, lejos de su familia y sin trabajo. ¡Qué horror!

Entró en el cuarto de Michelle haciendo el menor ruido posible y se acercó para tratar de ver el rostro de la niña en la luz tenue. Esperaba que estuviera dormida. Al acostumbrarse a la oscuridad, se dio cuenta de que la estaba mirando. Parecía demasiado débil para levantar la cabeza. Cathryn la tomó de la mano.

—¿Dónde está papá? —preguntó Michelle, moviendo los labios llagados lo menos posible.

Cathryn vaciló, tratando de pensar en la mejor respuesta.

—Charles no se encuentra muy bien, porque está muy preocupado por ti.

—Anoche me dijo que vendría hoy —replicó Michelle, con voz suplicante.

—Vendrá, si puede —dijo Cathryn—. Vendrá, si puede.

Una sola lágrima se deslizó por la cara de Michelle.

—Creo que sería mejor que me muriera.

Cathryn quedó inmovilizada por la respuesta. Luego, al reaccionar, se inclinó y abrazó a la niña, dando rienda suelta a sus propias lágrimas.

—¡No, no, Michelle! No pienses eso, ni por un instante.

Los empleados de Hertz habían tenido la amabilidad de incluir junto con los documentos del alquiler del furgón, un punzón para romper el hielo del parabrisas. Charles lo usó. Su aliento se condensaba y luego se congelaba sobre el parabrisas, lo que obstaculizaba su visión de la entrada del Instituto

Weinburger. A las cinco y media estaba más oscuro que la boca de un lobo, excepto por las luces de Memorial Drive. A las seis y cuarto ya se habían ido todos, excepto el doctor Ibáñez. A las seis y media apareció el director, encorvado, con un abrigo de piel que le llegaba hasta los tobillos. Con la cabeza gacha, para protegerse del viento helado, se encaminó a su Mercedes.

Para estar absolutamente seguro, Charles esperó hasta las siete menos veinte y entonces encendió el motor del furgón y los faros, fue hasta la parte posterior del edificio, traspuso la rampa de servicio y, en marcha atrás, avanzó hasta acercar el vehículo a la entrada y despacho de mercancías. Bajó del furgón, subió los peldaños hasta la plataforma, y llamó al timbre. Durante una breve espera, sintió las primeras dudas acerca de lo que estaba haciendo. Sabía que los minutos siguientes serían cruciales. Por primera vez en su vida, Charles esperaba toparse con la ineficiencia.

Un pequeño altavoz situado encima del timbre cobró vida. En la cámara de televisión montada en la puerta se encendió una lucecita roja.

—¿Sí? —preguntó una voz.

—Soy el doctor Martel —dijo Charles, mirando hacia la cámara y haciendo un gesto—. Tengo que buscar varias cosas.

Unos minutos después se oyó abrir la puerta de metal, y quedó expuesta una rampa que llevaba al área de recepción de mercancías. Había una fila de cajas de cartón, prolijamente apiladas a la izquierda. Acababan de llegar. En la parte posterior se abrió una puerta interior, y apareció Chester Willis, uno de los dos guardias nocturnos. Era un negro de setenta y dos años, jubilado de un empleo en la municipalidad. Decía que si se quedaba en su casa podía ver la televisión, pero que en el Weinburger le pagaban por ello. Charles sabía, sin embargo, que en realidad el viejo trabajaba para poder costear los estudios de un nieto que estaba en la facultad de medicina.

Charles tenía la costumbre de trabajar hasta

tarde, por lo menos hasta que Chuck entró en la universidad, y en consecuencia se había hecho amigo de los guardianes nocturnos.

—¿Ha vuelto a trabajar de noche? —le preguntó Chester.

—No tengo más remedio —explicó Charles—. Estamos colaborando con un grupo del Instituto Tecnológico y tengo que trasladar parte de mi equipo; no confío en lo que haga otro.

—No lo culpo —dijo Chester.

Charles respiró con alivio. Los guardias de seguridad no sabían que lo acababan de despedir.

Charles se dirigió entonces a su laboratorio, llevándose el carro rodante más grande de los dos que había para transportar mercancías. Se sintió satisfecho de encontrar todo tal cual lo había dejado, sobre todo el armario, donde estaban sus libros y las sustancias químicas. Con un ritmo febril, Charles empezó a cargar las cosas en el carrito. Necesitó ocho viajes, ayudado por Chester y Giovanni, para llevarlo todo desde el laboratorio hasta el despacho de mercancías, donde lo dejaba en la mitad del recinto.

Lo último que sacó del laboratorio fue el antígeno de Michelle, que había guardado en la nevera, en una probeta. Lo puso, rodeado de hielo, en una caja hermética. No tenía idea de su estabilidad química, y no quería correr riesgos.

Eran más de las nueve cuando terminó. Chester levantó la puerta posterior y ayudó a Charles a meterlo todo en el furgón.

Antes de irse, tenía una última tarea que hacer. Regresó al laboratorio, donde buscó el bisturí que usaba para operar a los animales. Con el bisturí y un jabón se afeitó la barba. También se peinó, se enderezó la corbata y se metió los faldones de la camisa dentro de los pantalones. Después de terminar, se examinó en el espejo de cuerpo entero. Se sorprendió al ver que había recobrado su aspecto normal. De vuelta al área de recepción de mercancías, se dirigió al guardarropa y buscó su guardapolvo blanco.

Fuera, les dio las gracias a los dos guardias por el intercomunicador. Al subir al furgón, reconoció su culpa, por haberse aprovechado de sus dos viejos amigos.

El viaje al Hospital Pediátrico se realizó sin novedades. Prácticamente no había tráfico, y el tiempo helado mantenía a todo el mundo en sus casas. Al llegar al hospital, se enfrentó a un dilema. Dado el valor del equipo que llevaba en el furgón, se sentía poco dispuesto a dejar el vehículo en la calle. Por otra parte, entrarlo en el garaje dificultaría una salida rápida. Después de meditar un rato, se decidió por la última alternativa. Si se lo robaban, todo su plan se desintegraría. Lo que necesitaba era no tener que huir precipitadamente.

Charles estacionó cerca de la cabina del encargado y revisó todas las puertas para ver si estaban bien cerradas. Dejó el abrigo de piel en el furgón y se puso el guardapolvo. Lo protegía muy poco del frío, de modo que corrió hasta entrar por la puerta de emergencia.

Se detuvo ante el mostrador e interrumpió al empleado para preguntarle dónde quedaba radiología. El empleado le informó que estaba en el segundo piso. Charles le dio las gracias y entró por la doble puerta de vaivén. Ya estaba dentro del hospital. Pasó junto a un guardia de seguridad y lo saludó con la cabeza. El guardia le sonrió.

Radiología estaba prácticamente desierto. Al parecer había sólo una técnica de guardia, atareada con una pila de radiografías de muñecas dislocadas y de tórax, provenientes de la sala de urgencias, que estaba llena de pacientes. Charles se dirigió a una secretaria y pidió una solicitud para un examen radiológico, y una hoja de papel con el membrete de la sección de radiología. Se sentó ante un escritorio y rellenó la solicitud: Michelle Martel, edad: 12 años; Diagnóstico: leucemia; Radiografía solicitada: abdominal frontal. Del membrete de la hoja eligió el nombre de uno de los radiólogos y con él firmó la solicitud.

De regreso al pasillo principal, Charles tomó una

camilla y la empujó hasta una sala. De un armario sacó dos sábanas limpias, una almohada y una funda. Las puso en la camilla y pasó junto a la técnica solitaria. Esperó el ascensor de pacientes, y cuando vino, subió con la camilla y apretó el número 6.

Mientras veía cómo el indicador de pisos saltaba de número en número, lo asaltaron nuevamente las dudas. Hasta ese momento, todo había resultado según sus planes, pero reconoció que era la parte más fácil. Lo difícil empezaría al llegar al sexto piso.

El ascensor se detuvo y se abrieron las puertas. Inspiró hondo y empujó la camilla, entrando en el pasillo silencioso. Hacía mucho que había terminado la hora de visita y, como en la mayoría de los hospitales pediátricos, ya todos los pacientes dormían. El primer obstáculo era el puesto de enfermeras. En ese momento había una sola. Charles avanzó; por primera vez oía el estruendo de chirridos que hacían las ruedas de la camilla. Trató de alterar la velocidad, con la esperanza de reducir el ruido, pero sin éxito. Observó a la enfermera por el rabillo del ojo. La mujer no se movía. Charles pasó junto al puesto. La intensidad de la luz disminuyó cuando entró en el largo pasillo.

—Perdón —dijo la voz de la enfermera, rompiendo el silencio de repente.

Charles sintió el impacto de una descarga de adrenalina en su sistema, y un cosquilleo en las puntas de los dedos. Se volvió. La enfermera se había puesto de pie.

—¿Puedo ayudarlo? —preguntó la enfermera.

Charles buscó la solicitud.

—Vengo a buscar a un paciente para una radiografía —dijo, luchando por serenarse.

—No tenemos ninguna orden de radiografía —señaló la enfermera con curiosidad. Charles vio que había bajado la cabeza y que volvía las páginas de un libro.

—Es una placa de emergencia —explicó Charles. Empezaba a sentir pánico.

—Pero no hay nada escrito en el libro, ni ningún informe.

—Aquí está la solicitud —dijo Charles, dejando la camilla y acercándose a la enfermera—. El doctor Keitzman se la encargó por teléfono al doctor Larainen.

La mujer tomó la solicitud y la leyó rápidamente. Sacudió la cabeza, obviamente confundida.

—Deberían habernos avisado.

—De acuerdo —convino Charles—. Sucede siempre, sin embargo.

—Les preguntaré a los del turno diurno, para ver qué pasó.

—Buena idea —dijo Charles, volviéndose a la camilla. Tenía las manos húmedas. No estaba acostumbrado a estas cosas.

Con paso rápido y decidido, Charles avanzó por el pasillo escasamente iluminado, rogando que la enfermera no hiciera una llamada de confirmación a radiología o al doctor Keitzman.

Llegó al cuarto de Michelle y empujó suavemente la puerta. Alcanzó a ver una figura sentada, con la cabeza apoyada sobre la cama. Era Cathryn.

Charles retrocedió y volvió a dejar la puerta entrecerrada, como estaba antes. Tan rápido como pudo empujó la camilla por el corredor en dirección contraria al puesto de las enfermeras, preguntándose si Cathryn aparecería. No sabía si lo había visto o no.

No había anticipado la posibilidad de que estuviera con Michelle a esa hora. Trató de pensar. Tenía que sacarla del cuarto. En ese momento se le ocurrió un solo método para hacerlo, pero le exigiría trabajar muy de prisa.

Después de esperar unos minutos hasta asegurarse de que Cathryn no venía tras él, Charles desanduvo el camino hasta un consultorio que estaba antes de llegar al puesto de las enfermeras. Allí encontró máscaras de cirujano y gorros cerca de un lavabo. Sacó uno de cada uno y se metió otro gorro en el bolsillo.

Sin dejar de mirar hacia el puesto de las enfermeras, cruzó el pasillo, entró en la sala de espera, casi completamente a oscuras, y se dirigió al teléfono que había allí. Pidió la centralita y luego que lo comunicaran con el sexto piso. A los pocos segundos, oyó que el teléfono sonaba en el puesto de enfermeras.

Contestó una mujer. Charles le pidió que llamara a la señora Martel, pues se trataba de una emergencia. La enfermera le dijo que esperara un momento.

Charles colgó el auricular y espió por la puerta entreabierta. Vio que la enfermera salía al corredor con otra y le indicaba hacia dónde debía dirigirse. Charles se escabulló rápidamente, pasando junto al cuarto de Michelle. En la sombra del final del pasillo, aguardó. Vio a la enfermera que venía hacia él, hasta entrar en la habitación de Michelle. Reapareció a los diez segundos. Cathryn salió unos instantes después, restregándose los ojos. En cuanto las dos mujeres estuvieron próximas al puesto de enfermeras, Charles empujó la camilla al cuarto de Michelle y pasó por la puerta entreabierta.

Encendió la luz del techo y acercó la camilla a la cama. Entonces miró a su hija. Después de veinticuatro horas, observó que estaba perceptiblemente peor. Con suavidad, le tocó el hombro. No reaccionó. Volvió a sacudirla, pero la niña no se movió. ¿Qué haría en caso de que la niña estuviera en coma?

—¿Michelle? —dijo.

La niña abrió lentamente los ojos.

—¡Soy yo! Despierta, por favor. —Charles volvió a sacudirla. Había poco tiempo.

Por fin, Michelle despertó. Con un gran esfuerzo levantó los brazos y rodeó con ellos el cuello de su padre.

—Sabía que vendrías —murmuró.

—Escucha —dijo Charles ansiosamente, acercándole la cara—. Quiero pedirte algo. Sé que estás muy enferma y que están tratando de curarte, aquí en el hospital. Pero no mejoras. Tu enfermedad es más fuerte que los medicamentos más fuertes que tienen. Quiero llevarte conmigo. Tus médicos se opondrían, de modo que tendría que llevarte yo solo, ahora mismo, si es que quieres venir. Tienes que decirme si quieres venir.

La pregunta sorprendió a Michelle. Era lo último que esperaba oír. Examinó el rostro de su padre.

—Cathryn dijo que no te encontrabas bien —balbuceó.

—Me encuentro muy bien —dijo Charles—. Sobre todo cuando estoy contigo. Pero no tengo mucho tiempo. ¿Quieres venir conmigo?

Michelle lo miró a los ojos. Era lo que más quería en el mundo.

—¡Llévame contigo, papá, por favor!

Charles la abrazó, luego se puso a trabajar. Apagó el monitor cardíaco y le sacó los electrodos. Le quitó las sondas y la destapó. Con una mano debajo de los hombros de la niña y otra bajo las rodillas, la alzó en sus brazos. Se sorprendió al comprobar lo poco que pesaba. Tan dulcemente como pudo, la depositó sobre la camilla y la tapó. Buscó en el armario la ropa de Michelle y la escondió debajo de las sábanas. Luego, antes de salir con la camilla, le puso un gorro de cirujano, metiendo hacia adentro el poco pelo que le quedaba.

Mientras caminaba en dirección al puesto de las enfermeras, estaba aterrorizado, pues en cualquier momento podía aparecer Cathryn. Tuvo que obligarse para caminar, en lugar de correr al ascensor.

Cathryn estaba profundamente dormida cuando la enfermera le tocó el hombro. Oyó que tenía una llamada telefónica, y que era una emergencia. Lo primero que pensó fue que le había ocurrido algo a Charles.

Cuando llegó al puesto de las enfermeras, Cathryn le preguntó a la enfermera de turno por su llamada. La mujer levantó los ojos de los papeles y le dijo que contestara por el teléfono del cuarto de historiales médicos.

Cathryn dijo «diga» tres veces, cada vez con voz más alta. Nadie respondió. Esperó, repitió «diga» varias veces, sin obtener respuesta. Apretó un botón hasta que, finalmente, dio con el operador del hospital.

El operador no sabía nada acerca de una llamada para la señora Martel, en el sexto piso. Cathryn colgó y volvió al puesto de enfermeras. La enfermera de turno estaba examinando unos papeles. Cathryn vio a un hombre de blanco, con gorro y máscara, que empujaba una camilla hasta el ascensor. Sensible como estaba, sintió pena por la pobre criatura que llevaban a operar a esa hora. Debía de ser una emergencia.

Temerosa de interrumpir la tarea de la enfermera. Cathryn la llamó con cierta vacilación. La enfermera giró en su silla y la miró con expresión expectante.

—No había nadie en la línea —explicó Cathryn.

—Es extraño —dijo la enfermera. Dijeron que se trataba de una emergencia.

—¿Era un hombre o una mujer? —preguntó Cathryn.

—Un hombre —contestó la enfermera.

Cathryn se preguntó si habría sido Charles. A lo mejor había ido a casa de Gina.

—¿Podría usar este teléfono? —preguntó Cathryn.

—Por lo general no lo permitimos —señaló la enfermera—. Pero si es breve... Marque el 9 primero.

Cathryn volvió al teléfono y llamó a su madre. Cuando contestó Gina, Cathryn se sintió aliviada. La voz de su madre era completamente normal.

—¿Qué has comido? —le preguntó Gina.

—No tengo hambre —dijo Cathryn.

—¡Debes comer! —le ordenó Gina, como si la consumición de alimentos resolviera todos los problemas.

—¿Ha llamado Charles? —preguntó Cathryn, haciendo caso omiso de las palabras de su madre.

—No. ¡Qué padre es ése! —Gina hizo un sonido de desaprobación.

—¿Y Chuck?

—Aquí está. ¿Quieres hablar con él?

Cathryn se preguntó si convenía discutir la necesidad de un trasplante de médula con Chuck, pero al recordar su reacción anterior, decidió hacerlo personalmente.

—No, iré a casa pronto. Ahora voy a ver si Michelle está durmiendo bien, y luego iré.

—Tengo unos *spaghetti* listos —dijo Gina.

Cathryn colgó, convencida, intuitivamente, de que el misterioso hombre que la había llamado debía de ser Charles. ¿Qué clase de emergencia sería? ¿Por qué no esperó en la línea? Al pasar junto a la enfermera, Cathryn le dio las gracias por dejarla usar el teléfono.

Caminó rápidamente, dejando atrás las puertas entreabiertas de distintos cuartos, de los que salían acres olores a medicamentos y llantos de niños.

Cuando llegó a la habitación de Michelle, notó que había dejado la puerta abierta de par en par. Al entrar, rogó que la luz del pasillo, aunque escasa, no hubiera molestado a la niña. Cerró la puerta casi del todo y caminó cuidadosamente en la oscuridad hasta llegar a la cama. Estaba a punto de sentarse cuando se dio cuenta de que la cama estaba vacía. Con miedo de pisar a Michelle, en caso de que se hubiera caído al suelo, Cathryn se agachó y tanteó alrededor de la cama. El haz de luz proveniente del pasillo brillaba sobre el reluciente suelo de vinilo. Inmediatamente, Cathryn pudo ver que Michelle no estaba allí. Aterrorizada, corrió al baño y encendió la luz. La niña no estaba allí tampoco. Regresó al cuarto y encendió la luz. ¡Michelle no estaba!

Salió corriendo y recorrió el pasillo hasta llegar al puesto de enfermeras, sin aliento.

—¡Enfermera! ¡Mi hija no está en el cuarto! ¡Ha desaparecido!

La enfermera de turno levantó la mirada de lo que estaba escribiendo, luego consultó una tablilla con varios papeles sujetos por un gancho.

—¿El apellido es Martel?

—¡Sí! ¡Sí! Dormía profundamente cuando he venido a contestar el teléfono.

—El informe de las enfermeras diurnas dice que estaba muy débil. ¿Es así? —preguntó la enfermera.

—Exactamente —dijo Cathryn—. Podría hacerse daño.

Como si pensara que Cathryn mentía, la enfermera insistió en regresar con ella a la habitación. Miró por todo el cuarto y en el baño.

—Tiene razón, no está aquí.

Cathryn tuvo que contenerse para no hacer un comentario despreciativo. La enfermera llamó a Seguridad para informar que una niña de doce años había desaparecido del sexto piso. También llamó al equipo de enfermeras que habían trabajado en el piso ese día. Les informó de la ausencia de Michelle y les ordenó buscar por todas partes.

—Martel —dijo la enfermera de turno después que quedaron solas—. Me suena. ¿Cuál era el nombre del paciente que han llevado a radiología para una placa urgente?

Cathryn la miró, aturdida. Por un momento creyó que la mujer le hacía la pregunta a ella.

—De eso se trata, probablemente —dijo la enfermera, tomando el teléfono. Llamó a radiología. Tuvo que esperar un buen rato hasta que alguien levantó el auricular.

—Están tomando una placa a un paciente del sexto piso —dijo la enfermera—. ¿Cómo se llama la niña?

—Yo no he hecho ningún trabajo de urgencia —contestó la técnica—. Habrá sido George. Está arriba, tomando una placa. Volverá en seguida. Le diré que llame. —La técnica colgó antes de que la enfermera pudiera replicar.

Charles llevó a Michelle a la sala de urgencias y sin ninguna vacilación que pudiera sugerir que no trabajaba allí, empujó la camilla al área de exámenes médicos. Allí escogió un cubículo vacío y, corriendo la cortina, acercó la camilla a la mesa. Después sacó la ropa de Michelle.

La excitación de la travesura le había levantado el espíritu a Michelle y, a pesar de su debilidad, trató de ayudar a su padre. Charles se dio cuenta de que estaba muy torpe; cuanto más se apresuraba, más torpe se volvía. Michelle tuvo que abrocharse todos los botones y atarse los cordones de los zapatos.

Después de vestirla, Charles la dejó unos momentos y fue a buscar unas vendas. Por suerte, no tuvo que ir muy lejos. Regresó al cubículo, sentó a Michelle en la mesa y la examinó.

—Tendremos que aparentar que tuviste un accidente —dijo—. ¡Ya sé qué haremos!

Desenroscó las vendas y empezó a rodear la cabeza de Michelle, como si tuviera una herida. Cuando terminó, dio un paso hacia atrás.

—¡Perfecto! —Como toque final, le puso un vendaje en el puente de la nariz. Michelle se echó a reír. Charles le dijo que parecía un motociclista que se había caído, pegándose en la cabeza.

Charles la alzó, haciendo como que su hija pesaba cien kilos, y salió trabajosamente del cubículo, pero una vez afuera se puso serio y se dirigió hacia la salida. Comprobó con satisfacción que en la sala de urgencias había más gente que cuando entró por primera vez. Allí esperaban chicos llorosos con toda clase de cortes y moretones, y había madres con niños que tosían, haciendo fila para registrarse. En medio de la confusión, nadie reparó en Charles. Sólo una enfermera se volvió al verlos pasar. Charles formó la palabra «gracias» con los labios, y sonrió. Ella lo saludó con la mano, como si creyera que debía reconocerlos, pero en realidad no sabía quiénes eran.

Al acercarse a la salida, Charles vio a un hombre uniformado, un guardia de seguridad, que estaba sentado en una silla y se ponía de pie de un salto. A Charles le dio un vuelco el corazón, pero el hombre no le hizo ninguna pregunta, ni trató de detenerlo. En cambio, corrió a abrirles la puerta, y dijo:

—Espero que se mejore. Buenas noches.

Con una sensación de libertad, Charles sacó a Michelle del hospital. Rápidamente, se dirigió al garaje, colocó a Michelle en el furgón, pagó, y salió de allí.

13

Cathryn trataba de ser paciente y mostrarse comprensiva; pero a medida que pasaba el tiempo se ponía cada vez más nerviosa. Se torturaba por haber dejado a Michelle para contestar el teléfono. Podría haber hecho que le pasaran la llamada directamente a la habitación.

Mientras se paseaba por la sala de espera, involuntariamente recordó el comentario de Michelle: «Creo que sería mejor que me muriera.» Al principio había tratado de quitarse ese pensamiento de la mente, pero como Michelle no aparecía, sus palabras volvían para atormentarla. Cathryn no tenía idea de si Michelle podría hacerse algún daño, pero, como en su vida había oído toda clase de espantosas historias, no podía dejar de tener miedo.

Consultó el reloj, salió de la sala de espera y fue al puesto de las enfermeras. ¿Cómo era posible que en un hospital se perdiera una niña de doce años, tan débil que apenas podía caminar?

—¿Hay noticias? —preguntó dirigiéndose a la enfermera encargada del turno de noche. Había una media docena de enfermeras sentadas charlando.

—Todavía nada —contestó la enfermera, interrumpiendo una conversación con una colega—. Seguridad ha revisado todas las escaleras. Sigo esperando la llamada de radiología. Estoy segura de que el apellido de la niña que han venido a buscar de radiología era Martel.

—Hace casi media hora —dijo Cathryn—. Estoy aterrorizada. ¿No podría llamar otra vez a radiología?

Sin molestarse por disimular su irritación, la enfermera volvió a llamar y le dijo a Cathryn que el otro técnico no había vuelto aún pero que llamaría cuando lo hiciera.

Cathryn se alejó del puesto de enfermeras, consciente de cuánto la intimidaba el personal del hospital. Estaba furiosa, pero sin embargo no era capaz de demostrar su enfado, por más justificado que fuera. En cambio, le dio las gracias a la enfermera y regresó al cuarto vacío de Michelle. Distraídamente, volvió a inspeccionar el baño, evitando mirarse en el espejo. Después miró dentro del armario que había junto al baño. Casi había cerrado la puerta cuando la abrió nuevamente. Estaba atónita.

Volvió corriendo al puesto de enfermeras, donde trató de atraer la atención de la enfermera encargada. Las enfermeras de la tarde, que terminaban su turno, y las de la noche, que entraban de guardia, se encontraban reunidas allí, informándose acerca de todas las novedades. Era el momento en que estaban proscritas las emergencias, médicas o de cualquier otra naturaleza. Cathryn tuvo que gritar para llamarles la atención.

—Acabo de descubrir que falta la ropa de mi hija —dijo Cathryn con ansiedad.

Se hizo un silencio.

La enfermera encargada se aclaró la garganta.

—Terminaremos en seguida, señora Martel.

Cathryn se volvió enfurecida. Obviamente, su emergencia no era lo suficientemente importante como para perturbar la rutina de la sala. Si la ropa de Michelle había desaparecido, eso significaba que había salido del hospital.

La llamada telefónica debía de haber sido de Charles, hecha con el fin de que Cathryn saliera de la habitación. De inmediato, la imagen del hombre que empujaba la camilla le volvió a la mente. Tenía la misma estatura, la misma complexión. ¡Debía de haber sido Charles! Cathryn volvió corriendo al puesto de las enfermeras. Estaba segura de que Michelle había sido secuestrada.

—Permítame aclarar bien esto —dijo el corpulento oficial de la policía de Boston. Cathryn leyó su nombre en la placa: William Kerney—. Usted estaba durmiendo cuando la enfermera le tocó el hombro.

—¡Sí! ¡Sí! —gritó Cathryn, exasperada por el ritmo lento de la investigación. Había esperado que la policía fuese más diligente—. Ya le he dicho cien veces lo que ha pasado. ¿No puede tratar de encontrar a la niña?

—Debemos completar el informe —explicó Kerney. Tenía una tablilla muy gastada, con su correspondiente bloc, sobre el brazo izquierdo. En la mano derecha luchaba con un lápiz, cuya punta chupaba de vez en cuando.

El grupo que estaba de pie en el cuarto vacío de Michelle, incluía a Cathryn, dos oficiales de la policía de Boston, la enfermera encargada del turno de tarde y el administrador del hospital. Este era un hombre alto y apuesto, que vestía un elegante traje gris. Tenía la extraña costumbre de sonreír después de cada oración, frunciendo los ojos. Lucía un bronceado estupendo, como si acabara de regresar del Caribe.

—¿Cuánto tiempo estuvo fuera de la habitación? —preguntó el oficial Kerney.

—Ya se lo he dicho —le contestó bruscamente Cathryn—. Cinco minutos... diez. No sé exactamente.

—Ajá —musitó Kerney, escribiendo la respuesta.

Michael Grady, el otro oficial, estaba leyendo los papeles de la tutoría temporal. Cuando terminó, se los dio al administrador.

—Es un caso de secuestro. No hay duda de eso.

—Ajá —murmuró Kerney, escribiendo «secuestro». No sabía cuál era el número de código correspondiente a ese delito, de modo que se dijo mental-

293

mente que no debía olvidarse de buscarlo al llegar a la comisaría.

Desesperada, Cathryn se volvió al administrador.

—¿No puede hacer algo usted? Lo siento, pero no recuerdo su nombre.

—Paul Mansford —contestó el administrador antes de dedicarle una sonrisa—. No es necesario que se disculpe. Estamos haciendo algo. La policía está aquí.

—Pero temo que le pase algo a la niña con tanto retraso —dijo Cathryn.

—¿Y vio a un hombre que empujaba a un paciente en una camilla, a la sala de operaciones? —preguntó Kerney.

—¡Sí! —gritó Cathryn.

—Ningún paciente fue a cirugía —dijo la enfermera.

William se volvió a la enfermera.

—Y ¿qué hay del hombre de la radiografía? ¿Puede describirlo?

La enfermera miró al techo.

—Estatura mediana, mediana complexión, pelo castaño...

—Eso no es nada original —señaló Kerney.

—¿Y sus ojos azules? —preguntó Cathryn.

—No me fijé en los ojos —contestó la enfermera.

—¿Qué llevaba puesto? —preguntó Kerney.

—¡Por Dios! —exclamó Cathryn, frustrada—. Hagan algo, por favor.

—Un guardapolvo blanco, largo —describió la enfermera.

—Muy bien —dijo Kerney—. Alguien llama, saca a la señora Martel de la habitación, presenta una orden de radiografía falsa, luego se lleva a la niña como si fuera a cirugía. ¿Correcto?

Todos asintieron, excepto Cathryn, que se llevó la mano a la boca para no chillar.

—¿Cuánto tiempo pasó hasta que notificaron a Seguridad? —preguntó Kerney.

—Un par de minutos —dijo la enfermera.

—Por eso pensamos que deben de estar todavía en el hospital —explicó el administrador.

—Pero la ropa ha desaparecido. Seguramente ya se han ido del hospital. Por eso hay que hacer algo antes de que sea demasiado tarde. ¡Por favor! —pidió Cathryn.

Todos la miraron como si fuera una niña. Ella les devolvió la mirada, luego alzó las manos, exasperada.

—¡Dios mío!

Kerney se volvió al administrador.

—¿Hay algún lugar del hospital donde llevar a una niña?

—Hay muchos escondites provisionales —convino el administrador—. Pero ninguno donde no se los pueda encontrar.

—Muy bien —dijo Kerney—. Supongan que fue el padre el que se llevó a la niña. ¿Por qué?

—Porque no estaba de acuerdo con el tratamiento —explicó Cathryn—. Por eso me concedieron la tutoría temporal, para que se mantuviera el tratamiento. Desgraciadamente, mi marido ha estado bajo una gran tensión, no sólo por la enfermedad de mi hija, sino también en su empleo.

Kerney silbó.

—Si no le gustaba el tratamiento —dijo—, ¿qué quería? ¿Letril, o algo así?

—No me lo dijo, pero sí sé que el Letril no le interesaba.

—Hemos tenido varios problemas a causa del Letril —dijo Kerney, haciendo caso omiso de lo que acababa de decir Cathryn. Se volvió a su compañero, Michael Grady, y le preguntó—: ¿Recuerdas el de ese chico que se fue a México?

—Claro que sí —afirmó Grady.

—Tenemos alguna experiencia con padres que buscan tratamientos poco ortodoxos para sus hijos. Es mejor que avisemos al aeropuerto. Podría tratar de sacarla del país —sugirió Kerney.

El doctor Keitzman llegó en medio del torbellino de movimiento y nerviosismo. Cathryn se sintió tremendamente aliviada al verlo. De inmediato el médico dominó al pequeño grupo y exigió que se le informara de todo. Paul Mansford y la enfermera le dieron un informe rápido entre los dos.

—¡Esto es terrible! —exclamó Keitzman, ajustándose nerviosamente las gafas—. Me parece que Charles Martel ha sufrido una crisis nerviosa. No hay duda.

—¿Cuánto puede vivir esa niñita sin tratamiento? —preguntó Kerney.

—Es difícil decirlo. Días, semanas, un mes a lo sumo. Tenemos aún varias drogas más para probar que podrían resultar efectivas, pero debe hacerse cuanto antes. Todavía existe una posibilidad de remisión.

—Bueno, nos ocuparemos de inmediato —dijo Kerney—. Terminaré el informe y se lo entregaré a los detectives.

Cuando los dos oficiales partían, una media hora después, Michael Grady se volvió a su compañero y le dijo:

—¡Qué historia! Es terrible. Una pobre niña con leucemia.

—Terrible, sí. Hay que agradecer que uno tiene hijos sanos.

—¿Crees que los detectives iniciarán la búsqueda en seguida?

—¿Ahora? ¿Estás bromeando? Esos casos de custodia son una pesadez. Por suerte se resuelven solos en veinticuatro horas. De todos modos, los detectives ni siquiera lo mirarán hasta mañana.

Subieron al coche patrulla, se comunicaron con la comisaría por radio, y se pusieron en marcha.

Cathryn abrió los ojos y miró alrededor, confundida. Reconoció las cortinas amarillas, la cómoda blanca con su tapete y los adornos, el tocador rosado que se transformaba en escritorio durante sus días de bachillerato, los anuarios del colegio sobre el estante y el crucifijo de plástico que le habían regalado para la confirmación. Se dio cuenta de que estaba en su viejo dormitorio, que su madre había conservado desde que Cathryn se fuera a la universidad. Lo que confundía a Cathryn era la razón por la que estaba allí.

296

Sacudió la cabeza para librarse de los efectos del somnífero que le había recomendado tomar, con insistencia, el doctor Keitzman. Estiró el brazo y tomó el reloj. No pudo creer lo que veía. Eran las doce menos cuarto. Cathryn parpadeó y volvió a mirar. No, eran las nueve. Aun así, era tarde.

Se puso una vieja bata a cuadros, abrió la puerta y fue rápidamente a la cocina, de donde llegaba un exquisito aroma a bizcochitos recién hechos y a panceta. Al entrar, su madre levantó la mirada, sumamente satisfecha de tener a su hija en casa, fuera cual fuese la razón.

—¿Ha llamado Charles? —preguntó Cathryn.

—No. Te he preparado un buen desayuno.

—¿Ha llamado alguien? ¿El hospital? ¿La policía?

—No ha llamado nadie. Relájate. Te he preparado tus bizcochos favoritos.

—No podría comer nada —se disculpó Cathryn. Le daba vueltas la cabeza. Sin embargo, no estaba tan preocupada como para no notar la desilusión de su madre—. Bueno, tal vez comeré algunos bizcochos.

Gina se animó y buscó una taza para Cathryn.

—Es mejor que despierte a Chuck —dijo Cathryn, dirigiéndose al pasillo.

—Ya ha desayunado y se ha ido —le informó Gina, triunfal—. Le gustan los bizcochos tanto como a ti. Ha dicho que tenía clase a las nueve.

Cathryn se volvió y se sentó a la mesa, mientras su madre le servía el café. Se sentía inútil. Había intentado con tanta dedicación ser una buena esposa y una buena madre, y de pronto tenía la sensación de haberlo estropeado todo. Despertar a su hijo adoptivo para que fuera a la universidad no era, ni con mucho, lo que determinaba que fuese una buena madre, pero no haberlo hecho le parecía representativo de su fracaso.

Levantó la taza de café, luchando contra sus emociones, y se la llevó a los labios, sin importarle lo caliente que estaba. Cuando tomó un sorbo, el líquido le quemó los labios y retiró la taza, derramándose café en la mano. Soltó la taza, que cayó sobre la mesa y se rompió, rompiendo también el plato. Cathryn se echó a llorar desconsoladamente.

Gina lo limpió todo de inmediato, asegurando repetidas veces a su hija que no debía llorar porque a ella no le importaba esa vieja taza que había comprado como recuerdo en Venecia la única vez que había ido a esa bella ciudad que amaba como a ninguna otra en el mundo entero.

Cathryn logró controlarse. Sabía que la taza veneciana era uno de los tesoros de su madre, y le sabía muy mal haberla roto, pero la reacción exagerada de Gina contribuyó a que se calmara.

—Creo que voy a ir a Shaftesbury —dijo Cathryn finalmente—. Recogeré más ropa para Chuck, y veré cómo está Jean Paul.

—Chuck tiene lo que necesita —objetó Gina—. Con lo que cuesta de gasolina ir hasta allá, más te convendría comprarle ropa nueva en Filene's.

—Es verdad —reconoció Cathryn—. Pero quiero estar cerca del teléfono, por si llama Charles.

—Si llama y no obtiene respuesta, llamará aquí. Después de todo, no es estúpido. ¿Adónde crees que habrá ido con Michelle? —preguntó Gina.

—No lo sé —confesó Cathryn—. Anoche la policía habló de México. Al parecer, muchas personas que buscan curas inusuales para el cáncer se van a México. Pero Charles no iría allí. Eso lo sé.

—Aborrezco decir «Te lo dije» —dijo Gina—, pero te lo advertí cuando te casaste con un hombre mayor, padre de tres hijos. Eso siempre trae problemas. ¡Siempre!

Cathryn contuvo la ira que sólo su madre era capaz de causar. Entonces, llamó el teléfono.

Gina contestó, mientras Cathryn contenía el aliento.

—Es para ti. Un detective llamado Patrick O'Sullivan.

Cathryn tomó el auricular, esperando lo peor. Patrick O'Sullivan la tranquilizó de inmediato, diciéndole que no tenían ninguna información acerca de Charles o de Michelle. Dijo que había habido una novedad interesante en el caso y le preguntó si podía encontrarse con él en el Instituto Weinburger. Ella aceptó de inmediato.

Quince minutos más tarde, ya estaba lista para salir. Le dijo a Gina que después del Weinburger iría a Nueva Hampshire. Gina intentó contestar, pero Cathryn insistió, explicando que necesitaba pasar un rato sola. Volvería a la hora de la cena, cuando estuviera Chuck.

Cruzó Boston por Memorial Drive sin ninguna novedad. Al entrar con el viejo Dodge en la zona de estacionamiento del Weinburger recordó un verano, hacía dos años, antes de conocer a Charles. ¿Podrían realmente haber transcurrido dos años?

Había dos coches de la policía estacionados cerca de la entrada. Cuando Cathryn pasó junto a ellos alcanzó a oír sus radios. Ver coches de la policía no era una buena señal, pero Cathryn no se permitió especular. Le abrieron la puerta del instituto, y una vez dentro se dirigió al laboratorio de Charles.

La puerta estaba entreabierta, y Cathryn entró. Lo primero que advirtió fue que el laboratorio había sido desmantelado. Tenía una idea de cómo era, pues había estado allí varias veces, y notó que faltaban todas las máquinas que parecían propias de ciencia ficción. Los mostradores estaban vacíos, como los de una tienda que hubiera quebrado.

Había seis personas en el laboratorio. Ellen, a quien Cathryn reconoció, estaba hablando con dos policías uniformados, que estaban atareados completando un informe. Al verlos escribir a duras penas, se acordó de la noche anterior. El doctor Ibáñez y el doctor Morrison estaban de pie cerca del escritorio de Charles, hablando con un hombre pecoso, vestido con una chaqueta *sport* de poliéster azul. Al verla entrar el hombre se le acercó de inmediato.

—¿La señora Martel? —le preguntó.

Cathryn asintió y estrechó la mano que le extendía el hombre. Era blanda y ligeramente húmeda.

—Soy el detective Patrick O'Sullivan. He sido asignado a su caso. Gracias por venir.

Por encima del hombro de Patrick, Cathryn vio que Ellen señalaba un espacio vacío sobre el mostrador, y luego seguía hablando. Cathryn no entendía lo que decía, pero sí que era algo de un equipo. Miró a los dos médicos, que estaban en medio de una acalorada discusión. Tampoco oyó lo que decían, pero advirtió que el doctor Morrison estaba enfadado.

—¿Qué pasa? —preguntó Cathryn, mirando al detective a sus ojos verdes.

—Parece que su marido, después de ser despedido de su cargo en el instituto, robó la mayor parte del equipo.

Cathryn abrió los ojos sorprendida. No podía creerlo.

—Eso no es posible.

—La evidencia es irrefutable. Los dos guardias nocturnos al parecer ayudaron a su marido a limpiar el laboratorio y cargarlo todo.

—Pero ¿por qué? —preguntó Cathryn.

—Yo esperaba que usted me lo explicara —dijo el detective.

Cathryn miró el cuarto, tratando de entender el alcance de la locura de su marido.

—No tengo ni la más remota idea —dijo Cathryn—. Me parece absurdo.

El detective levantó las cejas y arrugó la frente mientras seguía la mirada de Cathryn por el laboratorio.

—Realmente absurdo. Y también un gran robo, señora Martel.

Cathryn volvió a mirar al detective.

El hombre bajó la mirada y movió los pies.

—Esto arroja nueva luz sobre la desaparición de su marido. El secuestro de un hijo por su propio padre es una cosa, y, para decirle la verdad, no nos preocupamos demasiado por ello. Pero robar es otra cosa. Tendremos que extender una orden de detención contra el doctor Martel y dar su filiación por el teletipo.

Cathryn se estremeció. Cada vez que creía comprender los detalles de la pesadilla, ésta empeoraba. Ahora, Charles era un fugitivo.

—No sé qué decir.

300

—Lo sentimos mucho, señora Martel —dijo el doctor Ibáñez, acercándose por detrás de ella.

Se volvió y vio la expresión compasiva del director.

—Es una tragedia —convino el doctor Morrison con la misma expresión—. Y pensar que Charles era un investigador que prometía tanto...

Se hizo una pausa incómoda. El comentario de Morrison fastidió a Cathryn, pero no encontró qué contestar.

—Exactamente ¿por qué se despidió al doctor Martel? —preguntó O'Sullivan, rompiendo el silencio.

Cathryn se volvió al detective. Acababa de hacer la pregunta que a ella le hubiera gustado hacer, de tener valor.

—Fundamentalmente, debido a su extraño comportamiento. Empezamos a dudar de su estabilidad mental. —El doctor Ibáñez hizo una pausa—. Además, no sabía trabajar en equipo. En realidad, era un investigador solitario, y últimamente no cooperaba en nada.

—¿Qué clase de investigación estaba haciendo? —preguntó el detective.

—Es difícil de describir a un lego —dijo Morrison—. En pocas palabras, Charles estaba trabajando en un enfoque inmunológico del cáncer. Desgraciadamente, es algo un tanto anticuado. Hace diez años parecía muy prometedor, pero las esperanzas iniciales se vieron defraudadas por los últimos adelantos. Charles no podía, o no quería, adaptarse. Y, como sabrá, el avance de la ciencia no espera a nadie. —Morrison sonrió al terminar su declaración.

—¿Por qué cree usted que el doctor Martel se llevó el equipo? —preguntó O'Sullivan, abarcando con un gesto toda la habitación.

. El doctor Ibáñez se encogió de hombros.

—No tengo ni la menor idea.

—Yo creo que por rencor —contestó Morrison—. Como el niño que se lleva la pelota porque los demás no quieren obedecer sus reglas.

—¿No podría haberse llevado el equipo para continuar sus investigaciones? —preguntó O'Sullivan.

301

—No —dijo el doctor Morrison—. ¡Imposible! Para este tipo de investigaciones necesita animales, y Charles no se llevó ningún ratón. Y, como fugitivo, me parece que le va a resultar difícil conseguirlos.

—Tal vez me puedan suministrar una lista de proveedores —dijo el detective.

—Por supuesto —respondió Morrison.

El teléfono sonó en ese momento. Cathryn, sin saber por qué, dio un salto. Contestó Ellen, y llamó al detective O'Sullivan.

—Debe de estar pasando momentos muy difíciles —le dijo Ibáñez a Cathryn.

—Usted no se imagina... —convino Cathryn.

—Si podemos ayudar en alguna manera... —dijo Morrison.

Cathryn trató de sonreír.

Patrick O'Sullivan volvió.

—Bueno, hemos encontrado su coche. Lo dejó en un estacionamiento de la plaza Harvard.

Mientras conducía por la carretera 301, Cathryn se sentía muy desgraciada. La reacción la sorprendía porque, una de las razones por las que había decidido ir a su casa, además de estar cerca del teléfono por si llamaba Charles, era la esperanza de que eso le levantara el ánimo. Apreciaba los esfuerzos que hacía su madre por ayudarla, pero también le molestaban sus comentarios acerca de Charles y su actitud santurrona. Como Gina había sido abandonada por su marido, tenía bastante mal concepto de los hombres en general, y en especial de los que no eran religiosos, como Charles. Nunca había estado del todo de acuerdo con el casamiento de su hija, y no lo ocultaba.

Por eso, Cathryn ansiaba volver a su casa, a pesar de que sabía que ya no era un refugio feliz como antes. Al llegar, Cathryn quitó el pie del acelerador y frenó. Lo primero que vio fue el buzón. Lo habían arrancado y aplastado. Subió por el sendero, entre dos filas de árboles que formaban un pasadizo. A través de las ramas, ahora desnudas,

Cathryn alcanzó a ver la casa, totalmente blanca contra la sombra de las coníferas que crecían más allá del granero.

Detuvo la furgoneta frente al porche posterior y apagó el motor. Pensó lo cruel que podía ser la vida. Un incidente parecía capaz de iniciar una reacción en cadena como sucede con una serie de fichas de dominó puestas de lado: al caerse una, inevitablemente arrastra a las demás. Al bajar del coche, Cathryn vio que la puerta de la casa de muñecas se golpeaba en el viento. Miró más detenidamente y notó que la mayoría de los vidrios de las ventanas estaban rotos. Se volvió hacia el coche y retiró su llavero. Caminó sobre la nieve hasta la puerta posterior, la abrió y entró en la cocina.

Dio un alarido. Hubo un movimiento repentino, y una figura se precipitó por detrás y arremetió contra ella.

Al instante siguiente, se sintió empujada contra la pared de la cocina. La puerta se cerró de un golpe que hizo temblar la vieja casa de madera.

A Cathryn se le ahogó un grito en la garganta. Era Charles. Sin habla, observó cómo corría de ventana en ventana, mirando hacia fuera. En la mano derecha sostenía su vieja escopeta calibre doce. Cathryn notó que había clavado tablas en todas las ventanas y que espiaba entre los resquicios.

Antes de que Cathryn recobrara el equilibrio, Charles la tomó de un brazo y la llevó por la fuerza hasta la sala. Allí volvió a soltarla, y repitió el procedimiento de atisbar por todas las ventanas.

Cathryn estaba paralizada por el estupor y el miedo. Cuando Charles por fin se volvió hacia ella, se dio cuenta de que estaba exhausto.

—¿Estás sola? —preguntó.

—Sí —contestó Cathryn, con miedo de agregar algo más.

—Gracias a Dios —dijo Charles. La tensión en su rostro se aflojó visiblemente.

—¿Qué estás haciendo aquí? —preguntó Cathryn.

—Vivo aquí —dijo Charles, inspirando hondo y

dejando escapar la respiración por entre los labios apretados.

—No entiendo. Creía que habías tomado a Michelle y huido. ¡Aquí te encontrarán! —aseguró Cathryn.

Por primera vez, apartó los ojos de encima de Charles. Vio que la sala estaba totalmente cambiada. Los brillantes instrumentos de alta precisión del Weinburger se encontraban agrupados contra una pared. En medio de la habitación, en una cama de hospital improvisada dormía Michelle.

—¡Michelle! —exclamó Cathryn, corriendo y tomándola de las manos. Charles se acercó detrás de ella.

Michelle abrió los ojos un instante. Hubo un destello de reconocimiento, pero en seguida volvió a cerrarlos.

—¿Qué estás haciendo, por el amor de Dios?

—Te lo diré en seguida —dijo Charles, mientras arreglaba la sonda intravenosa a Michelle.

Tomó a Cathryn de un brazo y la llevo a la cocina.

—¿Café? —le preguntó.

Cathryn negó con la cabeza. Mantenía los ojos clavados en Charles, que se estaba sirviendo una taza. Luego se sentó frente a ella.

—Primero, quiero decir algo —empezó Charles, mirándola a los ojos—. He tenido tiempo para pensar y entiendo ahora tu situación en el hospital. Siento que mi indecisión con respecto al tratamiento de Michelle haya tenido que afectarte. Yo, más que cualquier lego, sé perfectamente cómo se aprovechan los médicos de los pacientes y de sus familias con tal de salirse con la suya. Quiero decirte que comprendo lo de la tutoría. No fue culpa de nadie ni existió mala intención, menos aún por tu parte. Siento haber reaccionado de esa manera, pero no pude evitarlo. Espero que me perdones. Sé que tratabas de hacer lo que era mejor para Michelle.

Cathryn no se movió. Quería correr al lado de Charles y echarle los brazos al cuello, porque por fin parecía normal, pero no podía moverse. Habían pasado muchas cosas, y demasiadas preguntas no tenían aún una respuesta.

Charles levantó la taza de café. Le temblaba tanto la mano que tuvo que ayudarse con la izquierda.

—Fue muy difícil decidir qué era lo que más convenía a Michelle —prosiguió Charles—. Igual que tú, pensé que la medicina ortodoxa podría darle más tiempo. Pero llegó un punto en que me di cuenta de que no progresaban, y que tenía que hacer algo yo.

Cathryn percibía la sinceridad de Charles. Lo que no lograba determinar era si su proceder era racional o no. ¿Habría sufrido una crisis nerviosa, como todos sugerían? Ella no tenía los conocimientos necesarios para decirlo.

—Todos los médicos estaban de acuerdo en que la quimioterapia era la única posibilidad de remisión que tenía —dijo Cathryn, sintiéndose a la defensiva por sus actos—. El doctor Keitzman me lo aseguró.

—Y estoy seguro de que era sincero.

—¿No es verdad?

—Por supuesto que debe producirse la remisión —dijo Charles—. Pero la quimioterapia, aun con esas altas dosis experimentales, no tocaba las células leucémicas. Al mismo tiempo, estaba destruyendo las células normales, sobre todo su propio sistema inmunitario.

Cathryn no estaba segura de entender completamente lo que le decía Charles, pero parecía coherente, no como el producto de una mente perturbada.

—Y yo creo —prosiguió Charles— que para que haya una posibilidad, ella debe tener el sistema inmunitario intacto.

—¿Quieres decir que tú tienes otro tratamiento? —le preguntó Cathryn.

Charles suspiró.

—Eso creo. ¡Eso espero!

—Pero todos los otros médicos convinieron que la quimioterapia era la única forma.

—Por supuesto —afirmó Charles—. Igual que un cirujano cree en la cirugía. Las personas están marcadas por lo que saben. Es humano. Pero la investigación del cáncer ha sido toda mi vida estos últimos nueve años, y creo que existe la posibilidad de que yo pueda hacer algo. —Charles hizo una pausa.

Obviamente, creía en lo que estaba diciendo, pero ¿estaría basado en la realidad, o era un delirio? Cathryn quería desesperadamente poder creer, pero era difícil, bajo esas circunstancias.

—¿Quieres decir que existe la posibilidad de que logres curarla?

—No quiero que esperes demasiado —explicó Charles—, pero sí, hay una posibilidad. Pequeña tal vez, pero es una posibilidad. Lo que es más importante, mi tratamiento no puede hacerle daño.

—¿Has podido curar alguno de tus animales con cáncer en el laboratorio?

—No —reconoció Charles, pero agregó en seguida—: Sé que eso hace que parezca poco realista, pero creo que no tuve suerte con los animales porque estaba trabajando demasiado despacio, con excesivo cuidado. El propósito era la investigación pura. Pero estaba a punto de probar una nueva técnica usando ratones sanos como intermediarios para curar a los enfermos.

—Pero aquí no tienes animales —dijo Cathryn, que recordó las preguntas del detective O'Sullivan.

—Eso no es verdad —dijo Charles—. Tengo un animal grande en quien experimentar. ¡Yo mismo!

Cathryn tragó. Por primera vez durante la conversación dudó del estado mental de Charles.

—La idea te sorprende. Pues no debería ser así. En el pasado, la mayoría de los grandes investigadores médicos se utilizaron a sí mismos como campo experimental. De todos modos, déjame que te explique lo que hago. Antes que nada, mi investigación ha avanzado hasta el punto que puedo tomar una célula cancerosa de un organismo y aislar una proteína, o lo que se llama un antígeno, sobre su superficie, lo que hace que esa célula sea diferente a todas las demás. Eso ya es un adelanto trascendental. Mi problema era hacer que el sistema inmunitario del organismo reaccionara a la proteína, y así se libraba de las células cancerosas anormales. Esto es lo que, creo, pasa en los organismos normales. Yo creo que el cáncer es algo muy frecuente, sólo que el sistema inmune del cuerpo se encarga de él. Cuando el sistema inmune falla, un cáncer se forma, y crece. ¿Entiendes hasta aquí?

Cathryn asintió.

—Cuando trataba que los animales cancerosos reaccionaran a la proteína aislada, no lo lograba. Creo que había una especie de mecanismo de bloqueo, y allí estaba cuando enfermó Michelle. Pero luego tuve la idea de inyectar el antígeno de superficie aislado, a animales sanos, para inmunizarlos. No tuve tiempo de llevar a cabo las pruebas, pero estoy seguro de que sería fácil porque los animales sanos reconocerán el antígeno como extraño, mientras que para los enfermos el antígeno es sólo ligeramente diferente a sus proteínas normales.

Cathryn intentó sonreír, aunque ya no podía seguir la explicación.

Impulsivamente, Charles extendió los brazos por encima de la mesa y la tomó por los hombros.

—Cathryn, trata de entender. Quiero que tengas fe en lo que estoy haciendo. Necesito que me ayudes.

Cathryn sintió un lazo interior que se aflojaba y caía. Charles era su marido. El hecho de que la necesitara, y se lo dijera, era un incentivo tremendo.

—¿Recuerdas que se utilizaron caballos para hacer antisuero diftérico? —preguntó Charles.

—Creo que sí.

—Lo que te estoy explicando es algo parecido. Lo que yo he hecho es aislar el antígeno de superficie de las células leucémicas de Michelle, que es lo que las hace diferentes de sus células normales, y me he estado inyectando ese antígeno.

—¿Para volverte alérgico a las células leucémicas de Michelle? —preguntó Cathryn, luchando por entender.

—Exactamente —dijo Charles entusiasmado.

—¿Luego inyectarás tus anticuerpos a Michelle? —preguntó Cathryn.

—No —dijo Charles—. Su sistema inmunitario

no aceptaría mis anticuerpos. Pero afortunadamente la inmunología moderna ha descubierto una manera de transferir lo que se llama inmunidad o sensibilidad celular de un organismo a otro. Una vez que mis linfocitos T estén sensibilizados al antígeno leucémico de Michelle, aislaré de mis células blancas lo que se llama un factor de transferencia, y se lo inyectaré a Michelle. Con suerte, estimúlará su propio sistema inmunitario, sensibilizándolo contra sus células leucémicas. De esa forma, podrá eliminar las células leucémicas existentes, y se desarrollarán otras nuevas.

—¿Y se curará entonces? —dijo Cathryn.

—Y se curará entonces —repitió Charles.

Cathryn no estaba segura de entender todo lo que le había dicho Charles, pero su plan parecía razonable. No creía posible que pudiera haberlo ideado en medio de una crisis nerviosa. Se dio cuenta de que, desde el punto de vista de Charles, todo lo que había hecho era racional.

—¿Cuánto llevará todo esto? —preguntó Cathryn.

—No sé con seguridad ni si resultará, siquiera —explicó Charles—. Pero por la manera en que está reaccionando mi cuerpo al antígeno, lo sabré en un par de días. Por eso he puesto tablas en las ventanas. Estoy dispuesto a luchar contra cualquiera que intente volver a llevar a Michelle al hospital.

Cathryn miró la cocina, fijándose en las tablas de las ventanas. Volviéndose a Charles, dijo:

—Supongo que sabrás que la policía de Boston te está buscando. Creen que puedes haber huido a México.

Charles se rió.

—Eso es absurdo. Y no me deben de estar buscando mucho, porque la policía local sabe que estoy aquí. ¿No te has fijado en el buzón, y en la casa de muñecas?

—He visto que el buzón está roto, y también las ventanas de la casa de muñecas.

—Eso hay que agradecérselo a nuestras autoridades locales. Anoche vino un grupo de Recycle Limitada. Vándalos. Llamé a la policía, y pensé que no vendrían nunca, hasta que noté que había un coche patrulla estacionado en el camino. Obviamente, son cómplices de lo ocurrido.

—¿Por qué? —preguntó Cathryn, estupefacta.

—Contraté a un abogado, joven y emprendedor, y al parecer les está causando problemas. Creo que piensan que me pueden asustar, para que detenga al abogado.

—¡Por Dios! —exclamó Cathryn. Empezaba a comprender cuán solo estaba Charles.

—¿Dónde están los muchachos? —preguntó Charles.

—Chuck está con mamá. Jean Paul en Shaftesbury, en casa de un amigo.

—Muy bien. Las cosas podrían ponerse difíciles aquí.

Marido y mujer, ambos en el límite de sus reservas emocionales, se miraron por encima de la mesa de la cocina. Una ola de amor los embargó. Se pusieron de pie y se confundieron en un abrazo desesperado, como si temieran que algo pudiera separarlos por la fuerza. Sabían que nada estaba resuelto, pero la reafirmación de su amor les daba nueva fortaleza.

—Por favor, confía en mí, ámame —suplicó Charles.

—Te amo —dijo Cathryn, sintiendo que las lágrimas le humedecían las mejillas—. Eso no ha sido nunca problema. Todo ha sido por Michelle.

—Confía entonces que yo quiero lo mejor para ella. Sabes cuánto la quiero.

Cathryn se separó de Charles para mirarlo.

—Todos creen que sufres una crisis nerviosa. Yo no sabía qué pensar, especialmente porque insistías en el asunto de Recycle cuando lo único que importaba era el tratamiento de Michelle.

—Recycle me dio algo que hacer. Lo más frustrante de la enfermedad de Michelle era el hecho de que no pudiera hacer nada, que es lo que pasó en el caso de Elizabeth. Lo único que hice fue verla morir; me parecía que lo mismo sucedería con Michelle. Necesitaba algo en qué concentrarme, y Recycle encauzó mi necesidad de acción. Pero mi cólera por lo que hacen es real, igual que mi determinación para que dejen de hacerlo. Claro que lo que más me interesa es Michelle, o no estaría aquí ahora.

Cathryn sentía como si se hubiera librado de un gran peso. Estaba segura ahora de que Charles nunca había perdido el contacto con la realidad.

—¿Cómo está Michelle?

—No está bien —reconoció Charles—. Está muy enferma. Es sorprendente comprobar lo agresiva que es su enfermedad. Le he dado morfina, porque tiene unos terribles calambres en el estómago. —Charles la abrazó, apartando la mirada.

—Los tenía cuando yo estaba con ella —dijo Cathryn. Sintió temblar a Charles; luchaba por no llorar. Cathryn lo abrazó con todas sus fuerzas.

Permanecieron juntos cinco minutos más. No pronunciaron una palabra, pero la comunicación fue total. Finalmente, Charles se separó. Ella vio que tenía los ojos rojos, y que estaba muy serio.

—Me alegro de que pudiéramos hablar —afirmó Charles—. Pero creo que tú no debes estar aquí. No hay duda de que habrá problemas. No es que no quiera que te quedes conmigo. En realidad, egoístamente, quiero que te quedes. Pero sé que será mejor que te marches, que busques a Jean Paul y que juntos os vayáis a casa de tu madre. —Charles asintió, como si se estuviera convenciendo a sí mismo.

—Quiero que seas egoísta —dijo Cathryn. Se sentía nuevamente segura como esposa—. Mi lugar está aquí. Jean Paul y Chuck no me necesitan.

—Pero, Cathryn.

—No hay pero que valga. Me quedo para ayudarte.

Charles la miró a los ojos. Tenía una expresión desafiante.

—Y si crees —prosiguió ella con una vehemencia desconocida— que puedes librarte de mí ahora que me has convencido de que lo que haces está bien, estás loco. Tendrías que echarme por la fuerza.

—Está bien, está bien —dijo Charles con una

sonrisa—. No te echaré. Pero te advierto que puede haber líos.

—Es mi responsabilidad, tanto como la tuya —afirmó Cathryn con convicción—. Esto es una asunto de familia, y yo soy parte de esta familia. Los dos aceptamos eso cuando decidimos casarnos. Yo no estoy aquí sólo para compartir la felicidad.

Charles sintió una mezcla de emociones, pero la principal era el orgullo. Era culpable por no haber dado a Cathryn el crédito que se merecía. Ella tenía razón, Charles siempre había tratado de escudarla contra los aspectos negativos de la vida, lo que estaba mal. Debería de haber sido más abierto y confiar más en ella. Cathryn era su mujer, no su hija.

—Si quieres quedarte, quédate, por favor.

—Quiero quedarme.

Charles la besó suavemente en los labios, luego se hizo atrás, para mirarla con expresión de admiración.

—Puedes ayudarme —dijo, consultando el reloj—. Es casi hora de inyectarme una nueva dosis del antígeno de Michelle. Ya te explicaré cómo puedes ayudar después que lo prepare. ¿Está bien?

Cathryn asintió y Charles le apretó la mano antes de volver a la sala.

Cathryn se sostuvo en una silla de la cocina. Se sentía un poco mareada. Todo lo que había sucedido esos últimos días era inesperado. En ningún momento se le había ocurrido que Charles pudiera llevar a Michelle a su casa. ¿Habría manera de cancelar la tutoría y las audiencias, eliminando así una de las razones por las que buscaba a Charles la policía?

Tomó el teléfono y llamó a su madre. Mientras esperaba que contestara, se dio cuenta de que si le decía que Charles estaba allí, causaría una discusión, por lo que decidió no decirle nada.

Gina respondió en seguida. Cathryn no mencionó su visita al Weinburger ni el hecho de que Charles fuera sospechoso de robo. Cuando se hizo una pausa, dijo:

—Si no te molesta dar de comer a Chuck y mandarlo a la universidad mañana, yo me quedaré en casa a pasar la noche. Quiero estar aquí, por si llama Charles.

—Querida, a mí me parece que tú no tienes por qué esperar que te llame ese hombre. Por otra parte, si llama y no le contestan, llamará aquí. Además, tengo planeada una comida estupenda para esta noche. Adivina qué estoy preparando.

Cathryn suspiró. Nunca dejaba de sorprenderle que su madre creyera que una buena comida podía arreglarlo todo.

—Madre, no quiero adivinar lo que estás preparando. Quiero quedarme aquí, en mi casa.

Cathryn se dio cuenta de que había herido a su madre, pero, dadas las circunstancias, no tenía otra alternativa. Tan pronto se le presentó la oportunidad de concluir la conversación sin parecer grosera, colgó.

Cathryn fue a la nevera, pensando en la comida. Tenían poca leche y huevos, pero aparte de eso no podían quejarse, pues estaban bien provistos, sobre todo contando con lo que había en el sótano. Cerró el frigorífico y miró las ventanas con tablas. Era como estar prisionera en su propia casa.

Pensó en el tratamiento de Charles para·Michelle. No comprendía todos los detalles, pero le parecía bien. Al mismo tiempo, reconoció que si estuviera con el doctor Keitzman, probablemente creería lo que dijera él. La medicina le resultaba demasiado complicada para cuestionar la palabra de los expertos. Como lega, el desacuerdo entre profesionales la ponía en una situación imposible.

Se dirigió a la sala, donde Charles sostenía una hipodérmica con la aguja hacia arriba, eliminándole las burbujas de aire. Cathryn se sentó en silencio, y se puso a observar. Michelle seguía durmiendo, con el pelo ralo desparramado sobre la almohada. Por entre los resquicios de las tablas de las ventanas, vio que estaba nevando otra vez.

—Ahora me inyectaré esto en la vena del brazo —dijo Charles—. Supongo que no lo querrás hacer tú.

Cathryn sintió que se le secaba la boca.

—Puedo intentarlo —dijo, con poco entusiasmo. En realidad, no quería tener nada que ver con eso. Sólo mirar la inyección la descomponía.

—¿Sí? —preguntó Charles—. Es muy difícil ponerse uno mismo una inyección intravenosa, a menos que uno sea un drogadicto. También quiero decirte cómo me debes aplicar epinefrina, por si es necesario. Con la primera dosis intravenosa del antígeno de Michelle que me di, me causé una anafilaxis, es decir, una reacción alérgica que dificulta la respiración.

—Dios mío —dijo Cathryn, casi para sí. Luego, dirigiéndose a Charles, dijo—: ¿No hay otra manera de absorber el antígeno? ¿Por vía bucal?

Charles negó con la cabeza.

—Traté de hacerlo, pero los ácidos estomacales le hacen perder efecto. Incluso traté de aspirarlo por la nariz, en forma de polvo, como si fuera cocaína, pero se me hinchó horriblemente la membrana mucosa de la nariz. Como tengo prisa, lo mejor es la vía intravenosa. El problema es que la primera reacción de mi cuerpo fue desarrollar una alergia simple, lo que se llama una hipersensibilidad inmediata. He tratado de disminuirla alterando levemente la proteína. Quiero una hipersensibilidad retardada.

Cathryn asintió, como si entendiera, pero no entendía mucho. Sólo sentía el frío de la hipodérmica. La sostenía con las puntas de los dedos, como si pudiera hacerle daño. Charles acercó una silla y la colocó frente a ella. Sobre el mostrador, a su alcance, puso dos hipodérmicas más pequeñas.

—Estas otras dos contienen epinefrina. Si de repente me pongo rojo como una remolacha, y no puedo respirar, méteme una de éstas en un músculo, e inyecta. Si no hay reacción en treinta segundos, usa la otra.

Cathryn sintió un extraño temor. Charles, sin embargo, parecía totalmente despreocupado. Se desabrochó la manga, la arrolló hasta encima del codo. Usando los dientes para sostener un extremo del

313

torniquete, Charles se ató el tubo de goma alrededor del brazo él solo. En seguida se le agrandaron las venas.

—Quítale la cubierta de plástico —le ordenó Charles—, luego mete la aguja en la vena.

Con manos temblorosas, Cathryn le sacó la cubierta a la aguja. La punta brillaba bajo la luz. Charles se aplicó un algodón con alcohol sobre la vena con la mano derecha, frotando vigorosamente la zona.

—Muy bien, ahora tú —dijo Charles, apartando los ojos.

Cathryn inspiró hondo. De pronto entendía por qué nunca había pensado en la medicina como carrera. Puso la aguja en la piel de Charles tratando de mantener recta la hipodérmica, y le dio un empujón suave. Se formó una pequeña depresión.

—Tienes que hundirla —dijo Charles, siempre sin mirar.

Cathryn le dio otro empujoncito. Se produjo otra depresión pequeña.

Charles se miró el brazo. Con la mano libre hundió la hipodérmica, y la aguja penetró hasta la vena.

—Perfecto. Ahora, sin mover la aguja, saca para afuera el émbolo.

Cathryn obedeció, y la hipodérmica se llenó de sangre roja.

—Muy bien —dijo Charles, quitándose el torniquete—. Ahora aprieta el émbolo despacio.

Cathryn apretó el émbolo. Se movía con facilidad. Cuando estaba por la mitad, se le resbaló el dedo. La aguja se hundió más, a medida que el émbolo se vaciaba. Apareció un huevo pequeño en el brazo de Charles.

—No importa. No está mal, para ser la primera vez. Sácala ahora —instruyó Charles.

Cathryn sacó la aguja y Charles se aplicó un poco de gasa en el lugar del pinchazo.

—Lo siento —dijo Cathryn, con miedo de haberle hecho daño.

—No es nada. Quizá sería mejor que me aplicara el antígeno por vía subcutánea. ¿Quién sabe? —De

314

pronto, la cara se le empezó a poner colorada. Se estremeció—. Maldición —logró decir. Cathryn se dio cuenta de que le había cambiado la voz—. Epinefrina —dijo, con mucha dificultad.

Cathryn tomó rápidamente una de las jeringas pequeñas. En el apuro de sacarle la cubierta de plástico, dobló la aguja. Buscó la otra. Charles, que estaba cubriéndose de manchas como urticaria, se señaló la parte superior del brazo. Conteniendo el aliento, Cathryn le hundió la aguja en el músculo. Esta vez lo hizo con fuerza. Apretó el émbolo. Una vez que lo descargó por completo, lo sacó. Luego tomó la primera jeringa. Trató de enderezar la aguja. Estaba a punto de aplicarla cuando Charles levantó la mano.

—Estoy bien —logró decir, con voz rara—. Ya empieza a desaparecer la reacción. Menos mal que estabas aquí.

Cathryn dejó la hipodérmica. Si antes estaba temblando, ahora se sacudía. Ponerle una inyección a Charles representaba la prueba suprema.

14

A las nueve y media ya se estaban alistando para la noche. Más temprano, Cathryn había preparado una comida. En el laboratorio improvisado, Charles había sacado una muestra de su propia sangre, para separar las células y aislar unos linfocitos T, con ayuda de eritrocitos ovinos. Luego, incubó los linfocitos T con algunos de sus micrófagos y células leucémicas de Michelle. Mientras comían, le dijo a Cathryn que todavía no veía indicios de una hipersensibilidad retardada. Dentro de veinticuatro horas, agregó, tendría que suministrarse una nueva dosis del antígeno de Michelle.

Michelle se despertó de su sueño, provocado por la morfina, y se puso contenta al ver a Cathryn. No recordaba haberla visto llegar. Se sentía algo mejor, y comió un poco de comida sólida.

—Parece que está mejor —susurró Cathryn mientras llevaban los platos a la cocina.

—La mejoría es más aparente que real —dijo Charles—. Su sistema se está recuperando de los otros medicamentos.

Charles hizo un fuego en el hogar, y bajaron el colchón de la cama de matrimonio a la sala. Quería estar cerca de Michelle en caso de que lo necesitara.

Una vez acostada, Cathryn sintió una fatiga tre-

317

menda. Creía que Michelle estaba todo lo cómoda y contenta que era posible en esas circunstancias, de modo que se relajó por primera vez en dos días. El viento empujaba la nieve contra la ventana. Se abrazó a Charles y dejó que el sueño la venciera.

Al oír ruido de vidrios rotos, Cathryn se sentó, por puro reflejo, aunque no sabía de dónde provenía el ruido. Charles, que estaba dormido, reaccionó con mayor deliberación. Se puso de pie, alzó la escopeta y soltó el seguro.

—¿Qué ha sido eso? —preguntó Charles. Le latía con violencia el corazón.

—Tenemos visita —contestó Charles—. Probablemente nuestros amigos de Recycle.

Se oyó un golpe seco contra la fachada de la casa, y algo cayó con un ruido sordo en el suelo de la galería.

—Son piedras —explicó Charles, acercándose al interruptor de la luz y sumiendo la habitación en la oscuridad.

Michelle murmuró algo, y Cathryn se acercó para tranquilizarla.

—Tenía razón —dijo Charles, espiando entre las tablas.

Cathryn llegó hasta donde él estaba, y miró por encima de su hombro. De pie en el sendero, a unos treinta metros de la casa, había un grupo de hombres con antorchas y, en el camino, un par de coches detenidos de cualquier forma.

—Están borrachos.

—¿Qué vamos a hacer? —susurró Cathryn.

—Nada. A menos que traten de entrar o se acerquen con esas antorchas.

—¿Dispararías contra alguno de ellos?

—No sé —respondió Charles—. Realmente no lo sé.

—Llamaré a la policía —dijo Cathryn.

—No te molestes. Ya deben de saber que están aquí.

—Lo intentaré, de todos modos.

Lo dejó junto a la ventana y se dirigió a la cocina, donde llamó a la operadora y pidió que la comunicara con la policía de Shaftesbury. El teléfono sonó ocho veces antes de que contestara una voz cansada. Dijo que era Bernie Crawford.

Cathryn denunció que su casa estaba siendo atacada por un grupo de borrachos, y agregó que necesitaban ayuda inmediata.

—Un momento —dijo Bernie.

Cathryn oyó que se abría un cajón y que el hombre buscaba algo.

—Un momento. Necesito un lápiz —dijo Bernie, dejando la línea antes de que Cathryn pudiera decir nada. Afuera se oyó un grito, y Charles vino corriendo a la cocina. Fue a la ventana que daba al norte, donde estaba la laguna.

—Muy bien —dijo Bernie, volviendo al auricular—. ¿Qué dirección es?

Cathryn le dio la dirección rápidamente.

—¿Distrito postal?

—¿Distrito postal? —preguntó Cathryn—. Necesitamos que nos socorran en este momento.

—Señora, los papeles hay que completarlos. Tengo que hacer un escrito antes de poder despachar un patrullero.

Cathryn le dio el distrito postal.

—¿Cuántos tipos hay en el grupo?

—No estoy segura. Una media docena.

Cathryn oía escribir al hombre.

—¿Son muchachos?

—¡Cathryn! —gritó Charles—. Necesito que vayas a vigilar la parte de delante. Están incendiando la casa de muñecas, pero puede ser para desviar nuestra atención. Uno de nosotros tiene que vigilar el frente de la casa.

—Escuche —gritó Cathryn en el auricular—. No puedo seguir hablando. Mande el patrullero ya. —Colgó de un golpe y corrió a la sala. Desde la ventana de al lado de la chimenea alcanzó a ver las llamas de la casa de muñecas. Se fijó en el jardín de delante. El grupo de las antorchas ya no estaba, pero vio que alguien sacaba algo del maletero de uno de los coches. En la oscuridad, le pareció un balde.

—Dios mío, que no sea combustible —dijo Cathryn.

Desde la parte de atrás de la casa, oyó el ruido de vidrios rotos.

—¿Estás bien? —gritó.

—Estoy bien. Los hijos de puta están rompiendo las ventanas de tu automóvil.

Cathryn oyó que Charles abría la puerta de atrás. Luego, el ruido de la escopeta, que hizo eco en la casa. Luego, la puerta se cerró.

—¿Qué ha pasado? —gritó Cathryn.

Charles volvió a la sala.

—Tiré al aire. Supongo que es lo único que respetan. Corrían para acá.

Cathryn volvió a mirar. El grupo rodeaba al hombre que venía del auto. A la luz de las antorchas, vio que llevaba una lata de veinte litros. Se arrodilló, al parecer para abrirla.

—Parece pintura —dijo Cathryn.

—Eso es —confirmó Charles.

Mientras miraban, el grupo empezó a vocear «comunista», una y otra vez. El hombre de la lata de pintura se acercó a la casa, al parecer dando valor al resto. Mientras se acercaban, Cathryn vio que traían toda clase de palos. Las voces aumentaban en intensidad. Charles vio a Wally Crab y al hombre que le había pegado.

Se detuvieron a unos quince metros de la casa. El que llevaba la lata siguió caminando, mientras los demás lo alentaban. Charles se apartó de la ventana, haciendo que Cathryn se pusiera detrás de él. Miraba fijamente la puerta, y puso el dedo en el gatillo.

Oyeron que las pisadas se detenían, luego el sonido de una pincelada contra las tablas. Después de cinco minutos, se oyó un ruido de pintura contra la puerta, seguido del sonido metálico de la lata contra la galería.

Volviendo a la ventana, Charles vio que los hombres se convulsionaban de risa. Lentamente, recorrieron el sendero hacia afuera, empujándose los unos a los otros, y tirándose sobre la nieve. Luego de varias discusiones a voz en grito, subieron a los dos coches. A los bocinazos desaparecieron en la noche, en dirección a la carretera 301 y Shaftesbury.

El silencio invernal regresó tan abruptamente como había sido interrumpido. Charles suspiró. Dejó la escopeta y tomó las manos de Cathryn entre las suyas.

—Ahora que has visto lo desagradable que es, tal vez sería mejor que te fueras a casa de tu madre hasta que pase todo.

—De ninguna manera —dijo Cathryn, sacudiendo la cabeza. Luego se alejó para ocuparse de Michelle.

Quince minutos después, el coche patrulla de la policía de Shaftesbury avanzó resbalando por el sendero y se detuvo detrás de la camioneta. Frank Neilson bajó corriendo como si se tratara de una emergencia.

—Puedes volver al coche, hijo de puta —le gritó Charles, que había salido a la galería.

Neilson, de pie, en actitud desafiante, con las manos en las caderas y los pies separados, se limitó a encogerse de hombros.

—Bueno, si no me necesitan.

—Saca tus inmundos pies de mi propiedad —le ordenó Charles, amenazante.

—Hay gente rara en esta parte del pueblo —dijo Neilson en voz alta al volver al automóvil.

La mañana, oscurecida por una capa de altas nubes color gris se instaló en la campiña helada. Charles y Cathryn se habían turnado para vigilar, pero los vándalos no habían vuelto. Al llegar el alba, Charles, sintiéndose más confiado, volvió a la cama colocada frente al hogar y se metió bajo las mantas, junto a Cathryn.

Michelle había mejorado considerablemente y, a pesar de que todavía estaba muy débil, podía sentarse, y se las arregló para sonreír cuando Charles, simulando ser un camarero, le llevó la bandeja del desayuno.

Mientras Charles extraía un poco de sangre para

analizar sus linfocitos T en busca de indicios de una hipersensibilidad retardada a las células leucémicas de Michelle, Cathryn trató de arreglar un poco la casa, que estaba patas arriba. Entre el equipo y los reactivos de Charles, la cama de Michelle y el colchón de la cama de matrimonio, la sala era una especie de laberinto. Poco podía hacer Cathryn allí, pero la cocina pronto respondió a sus esfuerzos.

—No hay indicios de una reacción de mis linfocitos —dijo Charles, entrando a buscar más café—. Tendrás que darme una nueva dosis del antígeno de Michelle más tarde.

—Muy bien —contestó Cathryn, tratando de dar confianza a Charles y a sí misma. No estaba segura de poder volver a hacerlo. La sola idea le ponía los pelos de punta.

—Debo pensar en alguna manera de aumentar la seguridad de la casa. No sé qué habría hecho si anoche esos hombres hubieran estado lo suficientemente borrachos para entrar por la puerta posterior.

—Los vándalos son una cosa. ¿Y si viene la policía, tratando de arrestarte? —preguntó Cathryn.

Charles se volvió para mirarla.

—Hasta que termine lo que estoy haciendo, tengo que mantener a todo el mundo fuera de la casa.

—Yo creo que es cuestión de tiempo. La policía vendrá en cualquier momento —afirmó Cathryn—. Y me temo que será mucho más difícil impedir que entren. Por el solo hecho de resistirte estarás quebrantando la ley, y pueden verse obligados a usar la fuerza.

—No lo creo —dijo Charles—. Tienen mucho que perder, y muy poco que ganar.

—El estímulo puede ser Michelle, si piensan que debe volver al tratamiento.

Charles asintió lentamente.

—Puedes tener razón, pero aun así, no se puede hacer nada.

—Yo creo que sí —explicó Cathryn—. Tal vez yo pueda hacer que la policía deje de buscarte. Conozco al detective que está a cargo del caso. Tal vez podría ir a verlo diciéndole que no quiero hacer ninguna acusación. En ese caso, tendrán que dejar de buscarte.

Charles tomó un trago de café. Lo que decía Cathryn tenía sentido. Sabía que si llegaba la policía, lo sacarían de la casa. Esa era una de las razones por las que había clavado las tablas en las ventanas, para que no arrojaran gases lacrimógenos, ni nada por el estilo. Tal vez tuvieran otros medios que no quería considerar siquiera. Cathryn tenía razón: la policía sería un verdadero problema.

—Está bien —dijo Charles— pero tendrás que ir en el furgón alquilado, que está en el garaje. Me parece que la camioneta no tiene parabrisas.

Se pusieron los abrigos y caminaron de la mano sobre la nueva capa de nieve hasta llegar al granero, que estaba cerrado con llave. Vieron los restos calcinados de la casa de muñecas, al borde del estanque, pero evitaron mencionarla. Las cenizas, que todavía humeaban, eran un recuerdo patente del terror de la noche anterior.

Mientras salía del garaje marcha atrás en el furgón, Cathryn sintió pocas ganas de irse. Ahora que Michelle se encontraba mejor y a pesar de los vándalos, disfrutaba de su nueva intimidad con Charles. Con cierta dificultad, pues conducir un furgón era una nueva experiencia, Cathryn le dio la vuelta. Se despidió de Charles con la mano y condujo con prudencia por la resbaladiza senda.

Al llegar al pie de la colina, se volvió a mirar la casa. En la luz acerada, parecía abandonada en medio de los árboles sin hojas. En toda la fachada estaba escrita la palabra «Comunista» con letras mayúsculas grandes y desiguales. El resto de la pintura roja salpicaba la puerta principal y, derramada como estaba por la galería, parecía sangre.

Mientras se dirigía a la central de policía de Boston, en la calle Berkeley, Cathryn ensayó lo que le diría a Patrick O'Sullivan. Decidió que la brevedad era lo mejor. Confiaba que todo terminara en cuestión de minutos.

Tuvo mucho trabajo para encontrar un lugar donde estacionar, y terminó dejando el furgón en una zona amarilla, donde no estaba permitido estacionar. Tomó el ascensor hasta el sexto piso, y encontró la oficina de O'Sullivan sin dificultad. Al verla entrar, el detective se puso de pie y rodeó el escritorio. Iba vestido exactamente igual que el día anterior, cuando la conoció. Hasta la camisa era la misma, pues recordaba que tenía una mancha de café a la derecha de la corbata de poliéster azul oscura. Le resultaba difícil imaginar que ese hombre, al parecer tan suave, pudiera hacer gala de la violencia que obviamente necesitaría en ocasiones para la clase de trabajo que hacía.

—Siéntese, por favor —dijo O'Sullivan—. Y quítese el abrigo.

—Está bien, gracias —contestó Cathryn—. Sólo ocuparé un minuto de su tiempo.

La oficina del detective parecía el decorado de un melodrama de televisión. Sobre las paredes de pintura descascarillada se veían las fotos obligatorias de algunos funcionarios superiores, todos de rostro adusto. También había un panel de corcho lleno de fotos de personas buscadas. El escritorio del detective estaba cubierto de papeles, sobres, latas llenas de lápices. También había una máquina de escribir y la foto de una pelirroja regordeta y cinco niñitas pelirrojas.

O'Sullivan echó atrás su silla, entrelazando los dedos sobre el estómago. Su cara estaba totalmente inexpresiva. Cathryn se dio cuenta de que no tenía ni idea de lo que podía estar pensando aquel hombre.

—Bueno —dijo, inquieta. Su seguridad empezaba a esfumarse—. La razón por la que he venido a verlo es que no quiero presentar acusación contra mi marido.

La cara del detective O'Sullivan no se alteró ni un ápice.

Cathryn desvió la mirada un momento. La reunión no se estaba desarrollando como había planeado. Prosiguió:

—En otras palabras, no quiero ser la tutora de la niña.

El detective permaneció inexpresivo, lo que aumentó la ansiedad de Cathryn.

—No es que no me importe —agregó Cathryn en seguida—. Pero mi marido es el padre biológico y es médico, de modo que creo que él está mejor capacitado para determinar la clase de tratamiento que quiere que reciba su hija.

—¿Dónde está su marido? —preguntó O'Sullivan.

Cathryn pestañeó. La pregunta del detective hacía pensar que no había escuchado lo que ella había dicho. Luego se dio cuenta de que no debía haber hecho una pausa.

—No sé —dijo; pensó que no sonaba muy convincente.

Abruptamente, O'Sullivan se enderezó en la silla, y puso los brazos encima del escritorio.

—Señora Martel, me parece que es mejor que le informe de una cuestión. Aunque usted haya iniciado un procedimiento legal, no puede detener su marcha unilateralmente antes de la audiencia. El juez que le concedió la tutoría temporal, por razones de emergencia, también nombró un tutor *ad litem*, llamado Robert Taber. ¿Qué opina el señor Taber de presentar una acusación contra su esposo para qué Michelle vuelva al hospital?

—No sé —contestó Cathryn mansamente, confundida por esta complicación.

—Se me dio a entender —prosiguió el detective O'Sullivan— que la vida de la niña estaba en peligro si no se le suministraba un tratamiento específico tan pronto como fuera posible.

Cathryn no dijo nada.

—Me doy cuenta de que usted ha estado hablando con su marido.

—He hablado con él —admitió Cathryn— y la niña está bien.

—¿Y del tratamiento médico?

—Mi marido es médico —dijo Cathryn, como si eso respondiera a la pregunta del detective.

—Eso puede ser verdad, señora Martel, pero el tribunal sólo aceptará el tratamiento convenido.

Cathryn hizo acopio de todo su coraje para ponerse de pie.

—Debo irme.

—Quizá debería decirnos dónde está su marido.

—Prefiero no decirlo —contestó Cathryn, dejando de simular ignorancia.

—Recuerde que tenemos orden de arresto. Las autoridades del Instituto Weinburger están realmente ansiosas por presentar una acusación contra él.

—Se les devolverá todo su equipo —dijo Cathryn.

—Usted no debe implicarse y hacerse cómplice del delito —dijo Patrick O'Sullivan.

—Gracias por su tiempo —dijo Cathryn, y se volvió para dirigirse a la puerta.

—Ya sabemos dónde está su marido —afirmó el detective.

Cathryn se detuvo y se volvió.

—¿Por qué no se vuelve y se sienta?

Por un instante, Cathryn no se movió. Al principio iba a marcharse, pero luego se dio cuenta de que era más importante averiguar lo que planeaban hacer. De mala gana, volvió a su asiento.

—Debería explicarle algo más —dijo O'Sullivan—. No hemos puesto la orden de arresto contra su esposo en el teletipo hasta esta mañana. Pensaba que no era un caso común, y a pesar de lo que decían los del Instituto Weinburger, no creía que su marido hubiera robado el equipo. Pensaba que lo había cogido, pero no robado. Yo esperaba que, de alguna manera, el caso se resolviera solo. Por ejemplo, que su marido llamara a alguien y le dijera: «Lo siento. Aquí está el equipo, y aquí está la niña. Me dejé llevar por mis sentimientos...» o algo semejante. De haber sucedido eso, creo que podríamos haber evitado el proceso. Pero luego empezaron a ejercer presión, la gente del instituto y la del hospital. De modo que la orden contra su marido ha salido esta mañana, y en seguida hemos tenido una respuesta. Ha llamado la policía de Shaftesbury para decir que sabían que Charles Martel estaba en su casa, y que con mucho gusto irían a aprehenderlo. De modo que yo he dicho...

—¡Dios mío, no! —exclamó Cathryn, palideciendo. El detective O'Sullivan hizo una pausa a mitad de la frase, y observó a Cathryn.

—¿Está usted bien, señora?

Cathryn cerró los ojos y se cubrió la cara con las manos. Un minuto después las apartó y miró a O'Sullivan.

—Es una pesadilla, y continúa.

—¿De qué está hablando? —preguntó el detective.

Cathryn habló de la cruzada de Charles contra Recycle Limitada, y la actitud de la policía local. También le contó la reacción de la policía cuando atacaron la casa.

—Sí, parecían excesivamente ansiosos —admitió O'Sullivan, recordando su conversación con Frank Neilson.

—¿No puede llamarlos y decirles que esperen? —preguntó Cathryn.

—Ya ha pasado mucho tiempo.

—¿No podría llamar y ponerse en contacto con ellos para que la policía local no sienta que está operando sola? —le suplicó.

O'Sullivan tomó el teléfono y pidió a la operadora que lo conectara con Shaftesbury.

Cathryn le preguntó si estaba dispuesto a ir a Nueva Hampshire a supervisarlo. todo.

—No tengo ninguna autoridad allí —dijo el detective.

Al oír que respondían a su llamada, dirigió su atención al teléfono.

—Lo tenemos rodeado —dijo la voz de Bernie lo suficientemente alto, de modo que al retirar O'Sullivan el auricular del oído, Cathryn lo oía todo—. Pero este Martel está loco. Ha puesto tablas en todas las ventanas. La casa parece una fortaleza. Tiene una escopeta que sabe usar muy bien, y a su hija como rehén.

—Parece una situación bastante difícil —dijo O'Sullivan—. ¿Han llamado a la policía estatal para que los ayude?

—¡Diablos, no! —exclamó Bernie—. Nosotros nos encargaremos de él. Tenemos muchos voluntarios

327

Lo llamaremos en cuanto lo aprehendamos para que arregle su traslado a Boston.

Patrick le dio las gracias a Bernie, quien le dijo que la policía de Shaftesbury estaba siempre lista y dispuesta ayudar.

O'Sullivan miró a Cathryn. La conversación con Bernie había demostrado la veracidad de su acusación. El agente de Shaftesbury estaba muy lejos de ser un policía profesional. La idea de buscar voluntarios parecía tomada de una película del Oeste de Clint Eastwood.

—Habrá problemas —afirmó Cathryn, meneando la cabeza—. Habrá una confrontación. Y, por Michelle, Charles está decidido. Temo que se defenderá.

—¡Por Dios! —estalló O'Sullivan, poniéndose de pie y tomando su abrigo de una percha que había cerca de la puerta—. Cómo aborrezco los casos de custodia. Vamos, iré con usted, pero recuerde, yo no tengo autoridad en Nueva Hampshire.

Cathryn condujo tan rápido como le fue posible, mientras Patrick O'Sullivan la seguía en un Chevy Nova azul, particular. Mientras se aproximaban a Shaftesbury, Cathryn sintió que se le aceleraba el pulso. Cuando tomó la última curva para llegar a la casa, se sintió aterrorizada. Al aproximarse, vio una gran multitud. Había autos estacionados a ambos lados de la carretera 301, en una extensión de quince metros. Dos patrulleros de la policía bloqueaban la entrada a su casa.

Cathryn estacionó el furgón lo más cerca que pudo, se bajó y esperó a O'Sullivan, que se detuvo detrás del furgón. La multitud daba a la escena un aspecto de feria campestre, a pesar de la temperatura bajo cero. Al otro lado del camino algunas personas emprendedoras habían instalado una parrilla sobre un fuego de carbón. Asaban chorizos y vendían sándwiches a dos dólares cincuenta. Junto a la parrilla había un recipiente con hielo lleno de latas de cerveza. Cerca de allí un grupo de niños estaba construyendo bolas de nieve.

O'Sullivan se acercó a Cathryn y le dijo:

—Por Dios, esto parece un *picnic*.

—Sí, salvo por las pistolas.

Agrupados detrás de los dos patrulleros de la policía había un montón de hombres vestidos muy diversamente. Algunos llevaban trajes de faena, otros chaquetones forrados de piel. Todos portaban escopetas. Algunos llevaban la escopeta en una mano, y una lata de cerveza en la otra. En el centro del grupo estaba Frank Neilson, con el pie sobre el parachoques de uno de los coches de la policía. Tenía un *walkie-talkie* en la mano y al parecer estaba coordinando una operación de hombres que estaba terminando de rodear la casa.

O'Sullivan dejó a Cathryn y se dirigió a Frank Neilson, presentándose. Desde donde estaba, Cathryn se dio cuenta de que el jefe de policía de Shaftesbury lo consideraba un intruso. Como si le costara, Neilson quitó el pie del parachoques y mostró toda su estatura. Le llevaba treinta centímetros. Los dos hombres no parecían compartir la misma profesión. Neilson vestía su uniforme acostumbrado, completo, con el revólver reglamentario en la pistolera y, en la cabeza, un gorro de piel sintética que imitaba el astracán, con las solapas para las orejas abrochadas arriba. Sullivan, por otra parte, estaba despeinado y vestía un abrigo color caqui, forrado en lana y muy raído.

—¿Qué tal va? —preguntó O'Sullivan de manera informal.

—Bien —contestó Neilson—. Todo está bajo control. Se pasó el dorso de la mano por la nariz—. Se oyó un ruido en el *walkie-talkie,* y Neilson se excusó. Habló y dijo que el grupo de los gatos debía acercarse a unos treinta metros y permanecer en su puesto. Luego se volvió a O'Sullivan—. Tengo que asegurarme que el sospechoso no huya por la puerta de atrás.

O'Sullivan se volvió y miró hacia los hombres armados.

—¿Le parece aconsejable que haya tantas armas?

—¿No me querrá decir cómo debo manejar esta situación? —preguntó Neilson, sarcástico—. Oiga, detective, esto es Nueva Hampshire, no Boston. Aquí no tiene ninguna autoridad. Y para hablar con franqueza, no me gusta que los muchachos de la ciudad vengan aquí tratando de dar consejos. Aquí mando yo. Sé cómo resolver una situación con rehén. Primero hay que cubrir todo el área, luego negociar. De modo que si me disculpa, tengo trabajo que hacer.

Neilson le dio la espalda y volvió su atención al *walkie-talkie.*

—Perdóneme —dijo un hombre alto y delgado dándole un golpecito a O'Sullivan en el hombro—. Me llamo Harry Barker, del *Globe*, de Boston. Usted es el detective O'Sullivan de la policía de Boston, ¿verdad?

—Ustedes no pierden el tiempo, ¿eh?

—El *Sentinel* de Shaftesbury nos avisó. Esta podría ser una historia muy buena, de gran interés humano. ¿Nos puede dar alguna información?

O'Sullivan señaló a Frank Neilson.

—Ese es el que manda. Que él le cuente la historia.

Neilson tomó un megáfono y estaba listo para usarlo cuando Harry Barker se le acercó. Hubo un breve intercambio de palabras, luego el periodista se hizo a un lado. La voz ronca de Frank Neilson retumbó en el paisaje invernal. Los voluntarios dejaron de reír y gritar. Hasta los niños callaron.

—Muy bien, Martel, su propiedad está rodeada. Quiero que salga con las manos en alto.

La multitud permaneció inmóvil. El único movimiento era el de unos pocos copos de nieve que caían entre las ramas de los árboles. Ni un sonido salió de la blanca casa victoriana. Neilson repitió el mismo mensaje, con idéntico resultado. El único ruido era el del viento en los pinos de detrás del granero.

—Me acercaré —dijo Neilson a nadie en particular.

—Me parece que no es una buena idea —advirtió O'Sullivan, lo suficientemente fuerte como para que todos los que estaban cerca lo oyeran.

Después de fulminar al detective con la mirada,

Neilson tomó el megáfono en la mano derecha y con gran ceremonia echó a andar. Al pasar junto a O'Sullivan, rió.

—El día en que Frank Neilson no pueda darle una lección a un medicucho de porquería, será el día en que devuelva su insignia.

Mientras la multitud murmuraba, excitada, Neilson subió trabajosamente el sendero hasta llegar a un punto situado unos quince metros más allá de los coches patrulla. Nevaba un poco más fuerte, y la parte superior de su gorro estaba blanca.

—Martel —gritó el jefe de policía por el megáfono—, le advierto que, si no sale, entraremos nosotros.

El silencio descendió al salir la última palabra del cono del megáfono. Neilson volvió al grupo e hizo un gesto de exasperación, como si se tratara de un problema de peste en un jardín. Luego empezó a acercarse a la casa.

Ninguno de los espectadores se movió ni habló. Se intuía que algo iba a pasar. Neilson estaba ya a unos treinta metros de la fachada de la casa.

De repente la puerta manchada de pintura roja se abrió, y Charles Martel salió, escopeta en mano. Hubo dos explosiones casi simultáneas.

Neilson se tiró de cabeza en el banco de nieve de uno de los bordes del sendero, mientras los espectadores huían o se refugiaban detrás de los árboles o los coches. Charles volvió a cerrar la puerta de un golpe. Los perdigones cayeron como lluvia inocente sobre el área.

Hubo varios murmullos provenientes de la multitud, luego vítores cuando Frank Neilson se puso de pie. Inmediatamente, corrió tan rápido como le fue posible, pues estaba gordo. Al acercarse a los automóviles, trató de detenerse pero se cayó y se resbaló sobre las nalgas los últimos tres metros, pegando contra la rueda posterior del coche patrulla. Varios voluntarios se agolparon alrededor del automóvil y lo levantaron.

—¡Maldito hijo de puta! —gritó Neilson—. ¡Esto es el colmo! Ese miserable recibirá su merecido.

Alguien le preguntó si lo había alcanzado algún perdigón, pero el jefe de policía meneó la cabeza. Con meticulosidad se limpió la nieve, luego se arregló el uniforme y la pistolera.

—Soy demasiado veloz para él.

Un furgón de la cadena local de televisión estacionó en la vecindad y un grupo de hombres saltó afuera. Se dirigieron al jefe de policía. La periodista era una mujer joven y despierta, con un abrigo largo, acolchado y un sombrero de visón. Después de unas breves palabras con Neilson, las luces de las cámaras se encendieron, iluminando todo el área. La joven hizo una presentación breve, luego se volvió al jefe de la policía y le puso el micrófono a dos centímetros de su nariz respingona.

La personalidad de Frank Neilson experimentó un cambio de ciento ochenta grados. Tímido y turbado, dijo:

—Sólo cumplo con mi deber lo mejor que puedo.

Al llegar la televisión, el concejal John Randolph, cuyo único interés era político, emergió de entre la multitud. Se abrió paso hasta entrar en la esfera de luces y, poniendo un brazo por encima del hombro de Neilson, dijo:

—Y todos sabemos que está haciendo un trabajo magnífico. Demostremos el aprecio que sentimos por nuestro valeroso jefe de policía.

John Randolph quitó el brazo del hombro de Neilson y empezó a aplaudir. La multitud lo imitó.

La periodista retiró el micrófono y preguntó si Frank podía darles una idea de lo que estaba pasando.

—Bueno —empezó Neilson, inclinándose hacia el micrófono—. Tenemos a un científico loco encerrado allí. —Señaló torpemente la casa, por encima del hombro—. Tiene una niña enferma, que quiere mantener alejada de los médicos. Está armado y es peligroso. Hay una orden de arresto, por secuestro y robo. Sin embargo, no hay por qué tener miedo, todo está bajo control.

O'Sullivan se abrió paso entre la gente, buscando a Cathryn. La encontró cerca de su coche. Se tapaba

332

la boca con las dos manos. El espectáculo la aterrorizaba.

—El resultado va a ser trágico si usted no interviene —dijo Cathryn.

—No puedo intervenir —le explicó O'Sullivan—. Ya se lo he dicho antes de venir. Pero me parece que todo irá bien mientras la prensa y la televisión estén aquí. Impedirán que el jefe de policía haga algún disparate.

—Quiero ir a la casa para estar con Charles —dijo Cathryn—. Temo que crea que he sido yo quien ha hecho venir a la policía.

—¿Está loca? —preguntó O'Sullivan—. Debe de haber cuarenta hombres armados rodeando el lugar. Es peligroso. Además, no le permitirán que entre. Sería un rehén más. Trate de tener un poco de paciencia. Volveré a hablar con Neilson para tratar de convencerlo de que llame a la policía estatal.

El detective volvió a encaminarse hacia los patrulleros, deseando estar en Boston, donde debía estar. Al acercarse al puesto de mando improvisado, volvió a oír la voz del jefe de policía, aumentada en volumen por el megáfono. Estaba nevando más fuerte, y uno de los voluntarios preguntó si oirían al jefe de policía desde la casa. Charles no contestó.

O'Sullivan se acercó a Neilson y le sugirió que sería más fácil usar el teléfono portátil para hablar con Charles. El jefe meditó y, si bien no contestó, subió al auto, buscó el número de teléfono de Charles, y marcó. Charles contestó de inmediato.

—Muy bien, Martel. ¿Cuáles son sus condiciones para soltar a la chica?

La respuesta de Charles fue breve:

—Puede irse al infierno, Neilson.

—Maravillosa idea tuvo usted —dijo Neilson a O'Sullivan. Colgó el teléfono. Luego, a nadie en particular dijo—: ¿Cómo demonios se puede negociar cuando no hay demandas? ¿Eh? Que alguien me conteste a eso.

—Jefe —dijo una voz—. ¿Por qué no nos deja a mí y a mis compañeros que ataquemos directamente?

333

La idea horrorizó a O'Sullivan. Trató de pensar una manera de hacer que Neilson llamara a la policía del estado.

Frente a Neilson había tres hombres de blanco, con chaquetones con capucha, de tipo militar, y pantalones blancos.

—Sí —dijo uno de los hombres más pequeños, a quien le faltaban los dientes delanteros—. Hemos examinado el lugar. Sería fácil por atrás. Correríamos desde un lado del granero, y abriríamos por la fuerza la puerta posterior. Todo terminaría en seguida.

Neilson recordó a los hombres. Eran de Recycle Limitada.

—Todavía no he decidido qué hacer —dijo.

—¿Y gas lacrimógeno? —sugirió O'Sullivan—. Eso obligaría a salir al buen doctor.

Neilson fulminó al detective con la mirada.

—Mire, si necesito su opinión, se la pediré. E problema es que aquí no tenemos un equipo sofis ticado. Si lo queremos, tenemos que llamar a la policía estatal. Yo quiero manejar este asunto sin que salga del ámbito local.

Un alarido atravesó la tarde, seguido de varios gritos. O'Sullivan y Neilson se volvieron al mismo tiempo, y vieron a Cathryn correr en diagonal a través del área que quedaba frente a los autos.

—¿Qué diablos...? —preguntó Neilson.

—Es la esposa de Martel —explicó O'Sullivan.

—¡Dios! —gritó Neilson.

Luego, al grupo más cercano de voluntarios, dijo:

—Sujétenla. ¡Que no vaya a la casa!

Cuanto más rápido trataba Cathryn de correr, más le costaba, a causa de la nieve endurecida que cedía bajo sus pies. Al llegar al sendero, el banco de nieve que habían dejado las máquinas al limpiar constituyó una barrera, y Cathryn se vio obligada a trepar gateando. Se dejó caer al otro lado, y luego se puso de pie.

Con gritos de excitación, una media docena de voluntarios, que no estaban haciendo nada, corrieron hacia ella. Era una carrera para ver quién llegaba primero. Sin embargo, la nieve recién caída hacía que fuera difícil avanzar, y los voluntarios se molestaban entre sí, sin querer. Dos de ellos lograron salir de detrás de los coches y empezaron a correr por el sendero lo más rápidamente que podían. Un murmullo de excitación se desprendió de la multitud. O'Sullivan se encontró crispando los puños. Mentalmente instaba a Cathryn a que hiciera un esfuerzo mayor, aunque sabía que su presencia en la casa serviría para complicar la situación.

Cathryn se había quedado sin aliento. Alcanzaba a oír el jadeo de sus perseguidores, y sabía que ganaban terreno. Desesperada, trató de pensar en alguna maniobra para evadirlos, pero una punzada en el costado le hacía difícil pensar.

Allá delante vio que se abría la puerta manchada de pintura roja. Luego, hubo un relámpago de luz anaranjada, y casi simultáneamente, una explosión. Cathryn se detuvo, sin aliento. Esperaba sentir algo. Miró hacia atrás y vio que sus perseguidores se habían tirado sobre la nieve, para resguardarse. Llegó a los escalones de la entrada, y tuvo que ayudarse con los brazos. Charles, con la escopeta en la mano derecha, se acercó y ella sintió cómo la impulsaba hacia la casa.

Se desplomó en el suelo, jadeando. Oyó a Michelle que llamaba, pero no se movió. Charles corría de ventana en ventana. Después de un minuto, Cathryn se incorporó y fue hasta la cama de Michelle.

—Te echaba de menos, mamita —dijo Michelle, abrazándola.

Cathryn se dio cuenta de que había procedido bien.

Charles entró en la sala y volvió a examinar la entrada. Satisfecho, se acercó a Cathryn y Michelle y, dejando la escopeta, las estrechó en un abrazo.

—Ahora tengo a mis dos mujeres —dijo, con un guiño.

Cathryn empezó a explicar todo lo que había pasado. Repitió varias veces que ella no tenía nada que ver con la llegada de la policía.

—No he pensado ni por un segundo que hubiera

alguna relación. Me alegro de que hayas vuelto. Es difícil vigilar en ambas direcciones a la vez —explicó Charles.

—No confío en la policía local. Ese Neilson es un psicópata —afirmó Cathryn.

—Estoy totalmente de acuerdo —convino Charles.

—No sé si no sería mejor que nos rindiéramos. Tengo miedo a Neilson y sus agentes.

Charles meneó la cabeza. Con la boca formó la palabra «no».

—Escúchame... Yo creo que están ahí... porque buscan violencia.

—Ya lo sé.

—Si te rindes, devuelves el equipo al Weinburger, y explicas al doctor Keitzman lo que estás tratando de hacer por Michelle, quizá puedas continuar tu experimento en el hospital.

—De ninguna manera —dijo Charles.

Le hacía gracia la ingenuidad de Cathryn.

—El poder combinado de la investigación organizada y la medicina me impediría hacer algo así. Dirían que estoy desequilibrado mentalmente. Si pierdo control sobre Michelle ahora, nunca podré volver a tocarla. Y eso no sería conveniente, ¿verdad? —Charles le enmarañó el pelo a su hija, que asintió—. Además —prosiguió Charles— me parece que mi cuerpo empieza a mostrar señales de hipersensibilidad retardada.

—¿Sí? —preguntó Cathryn. Le costaba sentir entusiasmo después de ver a esa multitud frenética allá afuera. La tranquilidad aparente de Charles le sorprendía.

—La última vez que analicé los linfocitos T noté una leve reacción a las células leucémicas de Michelle. Ya empieza, pero es lento. Aun así, pienso que podría darme otra dosis del antígeno cuando la situación se calme.

Debido a la nevada, oscureció temprano. Charles eligió la hora de la comida para que Cathryn lo ayudara a ponerse la inyección del antígeno de Michelle. Usó una técnica diferente: hizo que ella le hundiera un catéter en la vena. Cathryn tuvo que intentarlo varias veces, pero logró hacerlo. Ella misma se sorprendió. Con un acceso intravenoso abierto, Charles le dio instrucciones explícitas de cómo hacer frente a la esperada reacción anafiláctica. Tomó epinefrina casi inmediatamente después del antígeno, de modo que pudo controlar la suave reacción con toda facilidad.

Cathryn preparó la comida mientras Charles ideaba métodos para asegurar la casa. Clavó tablas en las ventanas del piso superior y reforzó las barricadas detrás de las puertas. Lo que más le preocupaba era el gas lacrimógeno; por eso extinguió el fuego del hogar y obstruyó la chimenea, para que no pudiera entrar por ahí.

Cuando caía la noche, vieron que la multitud empezaba a dispersarse, decepcionada y enojada porque no había presenciado ninguna escena de violencia. Unos pocos mirones persistentes se quedaron, pero ellos también empezaron a marcharse cuando el termómetro descendió a quince grados bajo cero. Cathryn y Charles se turnaban; mientras uno vigilaba por las ventanas, el otro le leía a Michelle. Su aparente mejoría se había detenido, y nuevamente se sentía muy débil. Tenía calambres en el estómago, aunque no muy fuertes, pues se calmaban solos. A las diez ya dormía.

Excepto por los ruidos de la caldera, la casa estaba silenciosa y Charles, que hacía el primer turno de vigilancia, tenía dificultad en mantenerse despierto. La sensación de renovados bríos que le produjera la epinefrina empezaba a desaparecer, y se sentía exhausto. Se sirvió una taza de café tibio y la llevó a la sala. Tenía que desplazarse a tientas, porque había apagado todas las luces. Sentado junto a una de las ventanas, trató de distinguir los coches de la policía, pero no era posible. Apoyó la cabeza en el respaldo de la silla un momento y se sumió en un profundo sueño.

15

Exactamente a las dos de la madrugada, Bernie Crawford extendió con cautela el brazo por encima del respaldo del asiento del coche y se preparó a despertar al jefe, tal cual estaba planeado. Neilson roncaba. El problema era que al jefe no le gustaba que lo despertaran. La última vez que Bernie había tratado de hacerlo, cuando cubrían un área a la espera de un sospechoso, el jefe le había asestado un feroz golpe en la cabeza. Cuando se despertó del todo le pidió disculpas, pero eso no hizo desaparecer el dolor. Retirando el brazo, Bernie pensó en otra maniobra. Se bajó del automóvil, notando que había siete centímetros más de nieve acumulada. Abrió la portezuela posterior, extendió un brazo y le dio un empujón al jefe.

Neilson irguió la cabeza e intentó agarrar a Bernie, que rápidamente retrocedió. A pesar de su volumen, el jefe salió inmediatamente del coche, decidido a·dar un escarmiento al agente, que estaba preparado para huir por la carretera 301. Sin embargo, no bien Neilson respiró el aire helado se detuvo y miró a su alrededor, desorientado.

—¿Está bien, jefe? —preguntó Bernie desde una distancia prudencial.

—Por supuesto —gruñó Neilson—. ¿Qué hora es?

De regreso en el automóvil, Neilson tosió durante casi tres minutos, lo que hacía difícil que pudiera encender el cigarrillo. Después de dar unas cuantas chupadas, sacó su *walkie-talkie* y se comunicó con Wally Crab. Neilson no estaba del todo satisfecho con el plan, pero, como decían todos, él no tenía una idea mejor. A media tarde, a todos se les había terminado la paciencia, y Neilson se sentía obligado a hacer algo, para no perder el respeto de todo el mundo. Entonces aceptó la idea de Wally Crab.

Crab había estado en la marina y había luchado en Vietnam durante mucho tiempo. Le dijo a Neilson que, si se entraba rápidamente en una casa, atacando por sorpresa, la gente de dentro no tenía forma de resistir. Era así de simple. Le dijo que, después que todo hubiera terminado, Neilson en persona podría llevar al sospechoso a Boston y a la niña al hospital. Sería un héroe.

—¿Qué hay de la escopeta del tipo? —preguntó Neilson.

—¿Crees que va a estar ahí sentado con la cosa entre las manos? No. Después de que volemos la puerta de atrás, entraremos y lo agarraremos. Estarán tan sorprendidos que no moverán ni un solo músculo. Créeme, ¿piensas qué lo haría, si no supiera que va a resultar? Seré estúpido, pero no estoy loco.

De modo que Neilson había aceptado. Le gustaba la idea de ser un héroe. Decidieron que la hora elegida sería las dos, y seleccionaron a Wally Crab, Giorgio Brezowski y Angelo de Jesús. Ellos serían los encargados de derribar la puerta. Neilson no conocía a los hombres, pero Crab le dijo que habían estado en Vietnam con él y que tenían «verdadera» experiencia. Además, se habían ofrecido como voluntarios.

El *walkie-talkie* crepitó en la mano de Neilson, y la voz de Crab llenó el automóvil.

—Te oímos. Estamos preparados. En cuanto abramos la puerta de atrás, avanzad.

—¿Estás seguro de que resultará? —preguntó Neilson.

—Tranquilízate, ¿quieres? ¡Por Dios!

—Está bien. Estamos listos.

Neilson apagó el *walkie-talkie* y lo tiró al asiento de atrás. No había nada más que hacer hasta que viera la puerta abierta.

Crab se metió el diminuto *walkie-talkie* en su abrigo y se subió la cremallera. Su cuerpo voluminoso temblaba de excitación. Para él la violencia era tan buena como el sexo, tal vez mejor, pues era menos complicada.

—¿Estáis listos, muchachos? —preguntó a las dos formas agazapadas detrás de él. Asintieron. El grupo se había aproximado a la casa de los Martel desde el sur, desplazándose entre los pinos hasta llegar al granero. Vestidos de blanco, por cortesía de la gerencia de Recycle Limitada, eran casi invisibles en medio de la nevada, fina pero persistente.

Al llegar al granero, rodearon el lado este hasta que Wally Crab, que era el jefe, pudo ver la casa desde la esquina. Excepto por una luz en la galería de atrás, la casa estaba a oscuras. Desde donde estaban, había unos treinta metros antes de llegar a la puerta.

—Muy bien, revisad el equipo —dijo Wally—. ¿Dónde está la escopeta?

Angelo se la pasó a Brezo, quien se la dio a Wally. Era una Remington de dos cañones, calibre doce, cargada con cartuchos Magnum triple cero capaces de hacer un agujero en la puerta de un coche. Wally quitó el seguro. Cada hombre llevaba, además, una pistola treinta y ocho de la policía.

—¿Todos recuerdan su trabajo? —preguntó Wally. El plan era que Wally iría delante, abriría la puerta de atrás para que Brezo y Angelo entraran. Wally creía que era un buen plan, de la clase que lo había mantenido vivo durante cinco años en Vietnam. Tenía por costumbre ofrecerse voluntario para la parte más segura de un ataque, la menos expuesta.

Angelo y Brezo asintieron, tensos de excitación. Habían hecho una apuesta entre sí. El que le diera primero a Martel, ganaría cien dólares.

—Bien —dijo Wally—. Ya voy. Haré la señal para Angelo.

Después de mirar la casa oscura una vez más, Wally caminó junto a la pared del granero, y luego corrió, agachado. Cruzó los treinta metros que lo separaban de la casa rápidamente y sin hacer ruido, ganando la sombra de la galería. La casa seguía en silencio, de modo que hizo la señal a Angelo. Angelo y Brezo se reunieron con él, con sus pistolas y linternas.

Wally miró a los dos hombres.

—Recordad que hay que dispararle de frente, no de espaldas.

Con nueva energía, Wally subió corriendo los escalones y apuntó la escopeta a la cerradura de la puerta posterior. Una explosión atronó en el silencio de la noche, volando una parte de la puerta posterior. Wally agarró el borde y la abrió. Al mismo tiempo, Brezo subió los escalones y pasó al lado de Wally, dirigiéndose a la cocina. Angelo estaba a su lado.

Cuando Wally abrió la puerta, activó la trampa de Charles. Una soga tiró el gancho de un mecanismo simple que soportaba varios sacos de cincuenta kilos de patatas, que habían estado almacenadas en el sótano. Las patatas colgaban, sostenidas por un gancho unido a una soga gruesa suspendida sobre la puerta misma, y cuando se abrió la puerta las patatas se precipitaron inmediatamente.

Brezo acababa de encender su linterna cuando vio los sacos suspendidos. Levantó las manos para protegerse la cara justo cuando Angelo chocaba con él por atrás. Las patatas cayeron encima de Brezo. El impacto hizo que accidentalmente accionara el gatillo de su pistola, en el momento en que caía hacia atrás, se deslizaba por la galería y se derrumbaba sobre la nieve. La bala atravesó la pantorrilla de Angelo, antes de incrustarse en el suelo de la galería. El también cayó contra la galería, pero de costado, y arrastró consigo parte de la balaustrada. Wally, que no estaba seguro de lo que pasaba, saltó por encima de la baranda y corrió hacia el granero.

Angelo no se dio cuenta de que estaba herido hasta que trató de levantarse y su pie izquierdo se negó a funcionar. Brezo, que se había recobrado lo necesario para incorporarse, fue en ayuda de Angelo.

Charles y Cathryn se sobresaltaron al oír la explosión. Cuando Charles se recobró lo suficiente como para orientarse, buscó desesperadamente la escopeta. Cuando la encontró, corrió a la cocina. Cathryn fue inmediatamente junto a Michelle, pero la niña no se había despertado.

Al llegar a la cocina, Charles distinguió los sacos de patatas que se balanceaban en el vano de la puerta de atrás. Era difícil ver más allá del cuadrado de luz que proyectaba el foco de la galería, pero le pareció ver dos figuras blancas que se dirigían al granero. Apagó la luz y pudo verlas mejor. Eran dos hombres; uno parecía sostener al otro. Ambos llegaron al granero.

Charles consiguió cerrar la puerta, que estaba astillada, y luego la aseguró con sogas. A continuación puso un almohadón en el agujero hecho por la perdigonada. Con mucho esfuerzo, volvió a arreglar los sacos de patatas. Sabía que se habían salvado por poco. A lo lejos, oyó la sirena de una ambulancia que se acercaba. Se preguntó si el hombre al que le habían caído las patatas encima estaría gravemente herido.

Regresó a la sala, donde explicó a Cathryn lo sucedido. Luego tocó la frente de Michelle. Le había vuelto la fiebre, y era altísima. Primero con suavidad, luego con mayor energía, trató de despertarla. Finalmente, la niña abrió los ojos y sonrió, pero inmediatamente volvió a dormirse.

—Eso no es buena señal —dijo Charles.

—¿Qué pasa? —le preguntó Cathryn.

—Las células leucémicas pueden estar invadiéndole el sistema nervioso central —dijo Charles—. Si es así, necesitará radioterapia.

—¿Eso quiere decir que hay que llevarla al hospital? —preguntó Cathryn.

—Sí.

El resto de la noche pasó sin novedades, y Charles y Cathryn lograron mantener su turno de vigilancia de tres horas. Cuando amaneció. Cathryn vio que se había acumulado una nueva capa de nieve de más de quince centímetros de alto. Al final del sendero quedaba un coche patrulla.

Sin despertar a Charles, Cathryn fue a la cocina y empezó a preparar un desayuno abundante. Quería olvidarse de lo que estaba sucediendo alrededor, y la mejor manera era mantenerse atareada. Hizo café, masa de bizcochos, sacó panceta de la nevera, y batió huevos para hacerlos revueltos. Cuando todo estuvo listo, lo puso en una bandeja y la llevó a la sala. Después de despertar a Charles, apartó la servilleta que cubría la bandeja y reveló el festín. Michelle se despertó también; parecía más animada, aunque no tenía hambre. Cuando Cathryn le tomó la temperatura, vio que tenía treinta y nueve grados.

Cuando llevaron los platos a la cocina. Charles le dijo a Cathryn que estaba preocupado porque existía una posibilidad de infección. Si la fiebre de Michelle no bajaba con aspirina, tendría que suministrarle antibióticos.

Cuando terminaron de arreglar la cocina, Charles se sacó sangre, separó una población · de linfocitos T, y los mezcló con sus propios macrófagos y células leucémicas de Michelle. Luego observó pacientemente en el microscopio. Había una reacción, definitivamente mayor que la del día anterior, pero todavía no era adecuada. Aun así, Charles festejó el triunfo, y, tomando a Cathryn de las manos, la hizo girar y girar. Cuando se calmó, le dijo que esperaba que su sensibilidad retardada fuera adecuada al día siguiente.

—¿Eso quiere decir que hoy no tengo que ponerte la inyección? —preguntó Cathryn, esperanzada.

—Me gustaría que no. Lamentablemente, no deberíamos contradecir al triunfo, de modo que es mejor que hagamos una nueva inoculación.

Frank Neilson se detuvo al final del sendero de la casa de los Martel, y al hacerlo el automóvil patinó y abolló la parte delantera del coche patrulla que había permanecido allí toda la noche. Hubo un desmoronamiento de parte de la nieve acumulada sobre el vehículo, y de él emergió Bernie Crawford, atontado por el sueño.

El jefe descendió de su coche con Wally Crab.

—No habrás estado durmiendo, ¿verdad?

—No —dijo Bernie—. He estado vigilando la noche entera. No han dado señales de vida.

Neilson miró la casa. Parecía muy pacífica, bajo la fresca capa de nieve.

—¿Cómo está el tipo al que dispararon? —preguntó Bernie.

—Está bien. Lo llevamos al hospital del condado. Te diré que ahora que ha disparado contra un agente voluntario, Martel está en graves dificultades.

—Pero si él no disparó.

—Eso no importa. No habría sido herido, de no ser por Martel. Preparar una trampa es un delito.

—Me recuerda a aquellos amarillos de Vietnam —dijo Wally Crab—. Deberíamos hacer volar la casa.

—Un momento —aclaró Neilson—. Hay una niña enferma y una mujer ahí dentro. He traído unos fusiles. Tendremos que aislar a Martel.

A mediodía, poco había sucedido. Llegaron algunos espectadores del pueblo y, aunque no había tantos como el día anterior, se formó una multitud considerable. El jefe había distribuido los fusiles y apostado a sus hombres en varios lugares alrededor de la casa. Luego intentó comunicarse con Charles por el megáfono; le pidió que saliera a la galería, para que pudieran hablar. Charles no contestó. Cada vez que Frank Neilson lo llamaba por teléfono, Charles colgaba. Neilson sabía que si no conseguía que el episodio llegara a una conclusión feliz, intervendría la policía del estado, y él perdería el control. Quería evitarlo a toda costa. Quería tener el mérito de haber resuelto el asunto, pues era el caso mayor y más comentado desde el secuestro de unos niños, hijos de los propietarios de la hilandería, en 1862.

Neilson arrojó con ira el megáfono sobre el asiento del coche y cruzó el camino para comprar un bocadillo de chorizo. Cuando estaba a punto de morder el pan, vio un gran coche negro que tomaba la curva y se detenía. De él bajaron cinco hombres. Dos lucían elegantes ropas de ciudad; uno, de pelo blanco, estaba enfundado en un abrigo de piel largo. El otro, casi calvo, llevaba una chaqueta de cuero reluciente, con un cinturón. Otros dos hombres iban vestidos de azul, con trajes que les venían pequeños. Neilson los reconoció: eran guardaespaldas.

Frank mordió el bocadillo mientras los hombres se le acercaban.

—Neilson, soy el doctor Carlos Ibáñez. Mucho gusto en conocerlo.

Frank Neilson estrechó la mano del médico.

—Le presento al doctor Morrison —dijo Ibáñez, haciendo que su colega se acercara.

Neilson le estrechó la mano a Morrison, luego dio un nuevo mordisco a su bocadillo.

—Tengo entendido que tiene problemas —dijo Ibáñez, indicando la casa de los Martel.

Frank se encogió de hombros. No era bueno reconocer que uno tiene problemas, jamás.

Volviéndose al jefe, Ibáñez explicó:

—Somos los dueños de ese costoso equipo que tiene el sospechoso en casa. Y estamos muy preocupados por él.

Frank asintió.

—Hemos venido a ofrecer ayuda —informó Ibáñez, magnánimo.

Frank los miró, uno a uno. El asunto se complicaba cada vez más.

—En realidad, hemos traído a dos oficiales de seguridad profesionales de Breur Chemicals, el señor Eliot Hoyt y el señor Anthony Ferrullo.

Frank también estrechó la mano de los dos guardias.

—Por supuesto, sabemos que usted lo tiene todo bajo control —aseguró Morrison—. Pero se nos ocurrió que podría recibir ayuda de estos hombres, que han traído un equipo que le interesará.

Hoyt y Ferrullo sonrieron.

346

—Pero depende de usted, por supuesto —aclaró Morrison.

—Absolutamente —agregó Ibáñez.

—Creo que tengo todos los hombres que necesito, por el momento —declaró Neilson con la boca llena.

—Bueno, ténganos presente —dijo Ibáñez.

Neilson se excusó y se encaminó al puesto de mando improvisado, confundido después de conocer a Ibáñez y sus amigos. Le dijo a Bernie que se comunicara con los hombres de los fusiles y les dijera que no habría tiros hasta nueva orden, después de lo cual se metió en el coche. Quizás aceptar la ayuda de la compañía química no era mala idea. Ellos estaban interesados en el equipo, no en la gloria.

Ibáñez y Morrison vieron cómo se alejaba Neilson, hablaba con otro policía, y se metía en el coche. Morrison se arregló sus delicadas gafas de montura de concha.

—Asusta que un tipo como éste esté en una posición de autoridad.

—Es una farsa, realmente —convino Ibáñez—. Volvamos al automóvil.

Se dirigieron al coche.

—Esta situación no me gusta nada —dijo el doctor Ibáñez—. Esta publicidad puede revertir la simpatía del público hacia Charles: el estadounidense típico defiende su hogar contra fuerzas exteriores. Si esto sigue mucho tiempo, aparecerá en todas las pantallas de televisión del país.

—Exactamente —dijo el doctor Morrison—. La ironía es que Charles Martel, que odia la publicidad, no podría haberse fabricado una plataforma mejor, ni aunque lo hubiera intentado. Como van las cosas, podría causar daños irreparables a la investigación del cáncer.

—Y a Cancerán y al Weinburger en particular —agregó Ibáñez—. Tenemos que convencer a ese policía imbécil de que utilice a nuestros hombres.

—Hemos plantado la idea en su cabeza —señaló Morrison—. No podemos hacer nada más en este momento. Tiene que parecer una decisión propia.

347

Alguien que llamaba al vidrio escarchado del automóvil despertó bruscamente a Neilson de su siesta. Estaba a punto de saltar del coche cuando se despertó del todo. Bajó la ventanilla y se encontró con un par de gafas gruesas como fondos de botella. El tipo tenía pelo rizado y le formaba una mata en la cabeza, ahora cubierta de nieve. El jefe supuso que era otro espectador venido de la ciudad.

—¿Es usted el jefe Neilson? —preguntó el hombre.

—¿Quién lo pregunta?

—Yo. Soy el doctor Stephen Keitzman, y me acompaña el doctor Jordan Wiley.

El jefe miró por encima del hombro de Keitzman al otro hombre, preguntándose qué sucedería.

—¿Podemos hablar con usted unos minutos? —preguntó Keitzman, protegiéndose la cara de la nieve.

Neilson bajó del automóvil, dejando muy claro que era un esfuerzo extraordinario el que hacía.

—Somos los médicos de la niñita que está en la casa —explicó el doctor Wiley—. Sentimos que era nuestro deber venir, para ver si podíamos hacer algo.

—¿Los escuchará a ustedes Martel? —preguntó el jefe.

Keitzman y Wiley intercambiaron miradas.

—Lo dudo —reconoció Keitzman—. No creo que quiera hablar con nadie. Creemos que sufre una crisis nerviosa.

—Es de imaginar —afirmó el jefe.

—De todos modos —observó el doctor Keitzman, balanceando los brazos para luchar contra el frío— lo que nos preocupa es la niñita. No sé si sabe usted lo enferma que está, pero en realidad, cada hora que pasa sin tratamiento, se acerca más a la muerte.

—Tan grave está, ¿eh? —dijo Neilson, mirando la casa de los Martel.

—En efecto —aseguró Keitzman—. Si se retrasa demasiado, temo que rescatará a una niña muerta,

—También nos preocupa la posibilidad de que

348

Martel pueda estar experimentando con la niña —agregó Wiley.

—¡Mierda! —exclamó Neilson—. ¡El muy hijo de puta! Gracias por avisarme. Se lo comunicaré a mis agentes. —Neilson llamó a Bernie, habló un minuto con él, y luego buscó su *walkie-talkie*.

A media tarde la multitud era más numerosa que la del día anterior. En Shaftesbury había corrido la voz de que algo sucedería pronto, y hasta la escuela terminó antes. Joshua Wittenburg, el director, había llegado a la conclusión de que del episodio se podía aprender una lección de derecho civil; además, creía que se trataba del mayor escándalo en Shaftesbury desde que encontraron el gato de la viuda Watson congelado en la cámara de Tom Brachman.

Jean Paul caminaba lentamente por la periferia de la multitud. Nunca había sido objeto de burlas, y la experiencia era en extremo inquietante. Siempre había pensado que su padre era un poco extraño pero no loco, y ahora que todo el mundo decía que había perdido la razón, se sentía preocupado. Además, no entendía por qué su familia no se había puesto en contacto con él. Las personas con quienes estaba trataban de tranquilizarlo pero era obvio que ellos también cuestionaban el proceder de su padre.

Jean Paul quería ir a la casa, pero tenía miedo de hablar con la policía, y era fácil ver que la casa estaba rodeada.

Evitando una bola de nieve arrojada por uno de sus ex amigos, Jean Paul atravesó la multitud y la carretera. Después de unos minutos le pareció ver una figura conocida. Era Chuck, con raída chaqueta del ejército.

—¡Chuck! —gritó Jean Paul, ansioso.

Chuck miró a Jean Paul, luego se volvió y corrió hacia unos árboles. Jean Paul lo siguió, llamándolo varias veces.

—¡Por amor de Dios! —susurró Chuck, cuando Jean Paul por fin lo alcanzó en un pequeño claro—. ¿Por qué no gritas más fuerte, para que todos te oigan?

349

—¿Qué quieres decir? —preguntó Jean Paul, confundido.

—Trato de pasar inadvertido, para averiguar qué diablos pasa —dijo Chuck—. ¡Y tú vienes y gritas mi nombre! ¡Por Dios!

Jean Paul no había pensado en disfrazarse.

—Yo sé lo que sucede —aseguró Jean Paul—. Todo el pueblo está detrás de papá porque intenta cerrar la fábrica. Dicen que está loco.

—No sólo el pueblo —señaló Chuck—. Lo vi en la televisión, anoche en Boston. Papá secuestró a Michelle del hospital.

—¿Es cierto? —preguntó Jean Paul.

—¿Eso es todo lo que se te ocurre? A mí me parece un verdadero milagro, y tú no dices más que eso. Papá se ha burlado de todo el sistema. ¡Me parece sensacional!

Jean Paul miró la cara de su hermano. Una situación que para él era perturbadora, a Chuck le encantaba.

—Sabes, si los dos nos uniéramos, podríamos ayudar —propuso Chuck.

—¿Tú crees? —preguntó Jean Paul. Era extraño que Chuck se ofreciera a cooperar en algo.

—Por Dios. Di algo más inteligente.

—¿Cómo podríamos ayudar?

Los muchachos tardaron unos cinco minutos en decidir qué podían hacer. Luego cruzaron la carretera y se acercaron a los coches de la policía. Chuck se había nombrado representante, de modo que fue él quien se dirigió a Frank Neilson.

El jefe se puso muy contento de ver a los muchachos. No sabía cómo proceder ahora que los tenía allí. No aceptó la propuesta de ir a la casa para tratar de razonar con su padre, pero los convenció para que usaran el megáfono, y se pasó media hora enseñándoles lo que debían decir. Esperaba que Charles hablara con sus hijos y les comunicara sus condiciones para resolver la situación. Frank estaba satisfecho de que los muchachos quisieran cooperar.

Cuando todo estuvo listo, Frank tomó el megáfono, saludó a los presentes, y luego señaló la casa.

Su voz atronó, pidiendo a Charles que abriera la puerta para hablar con sus hijos.

Neilson bajó el megáfono y aguardó. No hubo ningún ruido ni movimiento proveniente de la casa. El jefe repitió el mensaje, volvió a esperar, con el mismo resultado. Maldiciendo en voz baja, entregó el megáfono a Chuck y le dijo que tratara él.

Chuck tomó el megáfono con manos temblorosas. Apretó el botón y empezó a hablar.

—Papá, soy yo, Chuck. Estoy con Jean Paul. ¿Me oyes?

Después de la tercera vez, la puerta manchada de pintura roja se abrió unas pulgadas.

—Te oigo, Chuck —gritó Charles.

En ese momento, Chuck trepó por los parachoques de los dos coches juntos, y tiró el megáfono. Jean Paul lo siguió. Todos, incluyendo los agentes de la policía, estaban observando la casa cuando los muchachos lo hicieron, y tardaron un momento en reaccionar. Eso les dio la oportunidad a los muchachos de echar a correr sendero arriba.

—¡Agárrenlos, malditos sean! ¡Agárrenlos! —gritó Neilson.

Un murmullo se desprendió de la multitud. Varios agentes, encabezados por Bernie Crawford, echaron a correr desde detrás de los coches patrulla.

Aunque era el menor, Jean Paul era mejor atleta que Chuck, y pronto pasó a su hermano, que tenía cierta dificultad en avanzar por lo resbaladizo del terreno. A unos doce metros de los coches de la policía, Chuck se resbaló, y se dio un fuerte golpe. Sin aliento, logró incorporarse, pero al hacerlo Bernie lo tomó de una punta de la andrajosa chaqueta. Chuck trató de zafarse, pero lo único que logró fue hacer caer a Bernie, que arrastró al muchacho encima de él. Chuck golpeó a Bernie con sus huesudas nalgas.

Enredados, los dos resbalaron por el sendero, haciendo rodar a los otros dos agentes que los seguían. Todos cayeron de manera cómica, como en una persecución de una película muda. Chuck logró librarse aprovechando la confusión; puso pronto distancia entre él y sus perseguidores y fue detrás de Jean Paul.

Bernie quedó totalmente sin aliento, pero los otros dos pronto volvieron a la persecución. Habrían vuelto a agarrar a Chuck, de no ser por Charles. Metió la escopeta por la puerta entreabierta y disparó una perdigonada. Todo pensamiento de heroísmo de parte de los agentes se esfumó, y de inmediato se refugiaron detrás del tronco de un roble que crecía a la vera del sendero.

Cuando los muchachos llegaban a la galería, Charles abrió la puerta, y entraron como una ráfaga. Charles cerró la puerta inmediatamente, la aseguró, y vigiló las ventanas para ver si se acercaba alguien. Satisfecho, se volvió a sus hijos.

Los dos muchachos estaban junto a la puerta, cohibidos, sin aliento, y alelados al ver que la sala de su casa estaba transformada en un laboratorio de ciencia ficción. Chuck, amante de las películas viejas, al ver las tablas en las ventanas dijo que parecía el decorado de una. película de Frankenstein. Pronto empezaron a sonreír, pero inmediatamente se pusieron serios al ver la expresión severa de su padre.

—Yo creía que no tenía que preocuparme por vosotros dos —dijo firmemente—. ¡Maldición! ¿Qué diablos hacéis aquí?

—Pensamos que necesitabas ayuda —dijo Chuck débilmente—. Todo el mundo está en contra de ti.

—No soportaba oír lo que decía la gente de ti —explicó Jean Paul.

—Esta es nuestra familia —afirmó Chuck—. Debemos estar aquí, sobre todo, si podemos ayudar a Michelle.

—¿Cómo está, papá? —preguntó Jean Paul.

Charles no contestó. Su enfado con los muchachos desapareció de repente. El comentario de Chuck, además de sorprendente, era correcto. Eran una familia, y los muchachos no debían ser excluidos. Por otra parte, que Charles supiera, era la primera acción generosa de Chuck.

—¡Sinvergüenzas! —exclamó Charles, con una sonrisa.

Desprevenidos por el abrupto cambio de su padre, los muchachos vacilaron un momento, pero luego corrieron a abrazarlo.

Charles se dio cuenta de que no se acordaba de cuánto hacía que no abrazaba a sus hijos. Cathryn, que estaba observando la escena desde que aparecieron los muchachos, se acercó a besarlos a ambos.

Luego, todos fueron a ver a Michelle, y Charles la despertó con suavidad. La niña les dedicó una amplia sonrisa y Chuck se acercó y la abrazó.

16

Neilson jamás había subido a una limusina; por otra parte, no sabía si le gustaría. Sin embargo, en cuanto entró y se colocó en el asiento de felpa, se sintió como en su casa: hasta había un bar. Rehusó un cóctel, pues estaba de servicio, pero aceptó un coñac, por sus poderes contra el frío.

Después de que los muchachos Martel lograron entrar en la casa, Neilson se vio obligado a reconocer que la situación iba de mal en peor. En vez de rescatar a los rehenes, éstos aumentaban. En vez de vérselas con un loco y una niña enferma, se enfrentaba a toda una familia, refugiada tras una barricada en su propia casa. Había que hacer algo, de inmediato. Alguien sugirió que se llamara a la policía estatal, pero eso era justamente lo que Neilson quería evitar. Sin embargo, sería inevitable, si él no lograba resolver el incidente dentro de las próximas doce horas. Fue esta premura de tiempo la que hizo que decidiera hablar con los médicos.

—Como sé lo enferma que está la niñita, no puedo rechazar la ayuda que me han ofrecido —dijo.

—Por eso estamos aquí —señaló Ibáñez—. El señor Hoyt y el señor Ferrullo están listos y deseosos de recibir sus órdenes.

Los dos guardias, ubicados uno a cada lado del bar, asintieron.

—Magnífico —convino Frank Neilson. El problema era que no sabía qué órdenes darles. Su mente funcionaba en círculos. De repente recordó algo que había dicho Ibáñez—. ¿Mencionó usted un equipo especial?

—Desde luego —afirmó Ibáñez—. Señor Hoyt, ¿querría mostrárnoslo, por favor?

Hoyt era un hombre apuesto, delgado pero musculoso. Neilson notó el bulto de una pistolera debajo del traje.

—Con mucho gusto —dijo Hoyt, inclinándose hacia Frank—. ¿Qué cree usted que es esto, señor Neilson? —Entregó a Frank un objeto pesado con forma de lata de cerveza y una manija en el extremo.

Frank le dio vueltas en las manos y se encogió de hombros.

—No sé. ¿Gas lacrimógeno? Algo parecido.

Hoyt sacudió la cabeza.

—No. Es una granada.

—¿Una granada? —exclamó Neilson, alejando el objeto.

—Se llama granada de concusión. Es lo que usan las unidades antiterroristas para rescatar rehenes. Se tira dentro de una habitación o un avión y, cuando detona, en vez de herir a nadie, puede lastimar los tímpanos, simplemente aturde a todo el mundo durante diez, veinte, a veces treinta segundos. Creo que usted podría usarla con gran provecho en esta situación.

—Sí, estoy seguro de eso. Pero tenemos que entrar en la casa. Y ese tipo ha puesto tablas en todas las ventanas.

—No en todas —señaló Hoyt—. Hemos notado que las dos ventanas del desván no tienen tablas. Es fácil llegar a ellas por el techo. Permítame enseñarle... —Hoyt extrajo dos planos del interior de la casa de Martel. Al notar la sorpresa del jefe, dijo:

—Es sorprendente cuánto se puede conseguir cuando se investiga un poco. Fíjese cómo las escaleras del desván bajan al vestíbulo principal del primer piso. Desde esta escalera sería muy fácil para alguien como Tony Ferrullo, que es experto en este tipo de cosas, arrojar una granada de concusión a la sala, donde es obvio que está el sospechoso. En ese momento, sería sumamente fácil entrar por la puerta principal y por la de atrás al mismo tiempo, y rescatar a los rehenes.

—¿Cuándo podríamos intentarlo? —preguntó Neilson.

—Usted manda —dijo Hoyt.

—¿Esta noche?

—Esta noche será.

Neilson bajó de la limusina en un estado de excitación reprimida. El doctor Morrison extendió un brazo y cerró la portezuela.

Hoyt rió.

—Es como robarle los caramelos a un niño.

—¿Será capaz de hacer que parezca defensa propia? —preguntó Ibáñez.

Ferrullo se enderezó.

—Puedo hacer que parezca lo que usted quiera.

Exactamente a las diez, Charles conectó el dializador. Luego, con el cuidado de quien toca el objeto más precioso del mundo, extrajo el dializado en una redoma. Le temblaban los dedos al transferir la solución cristalina al esterilizador. No tenía ni idea de cómo era la estructura de la pequeña molécula contenida en la redoma, sólo sabía que era dializable; ése había sido el último paso en el proceso de aislamiento. Sabía también que no le afectaban las enzimas que sí afectaban al ácido desoxirribonucleico, al ácido ribonucleico y a las uniones peptídicas de las proteínas. Pero el hecho de que la estructura de la molécula fuera desconocida era menos importante en esta etapa que el conocimiento de su efecto. Este era el misterioso factor de transferencia que, con suerte, transferiría su hipersensibilidad retardada a Michelle.

Esa tarde, Charles volvió a analizar la reacción de sus linfocitos T a las células leucémicas de Michelle. La reacción fue dramática, pues instantáneamente los linfocitos provocaron la lisis y destruyeron las células leucémicas. Mientras Charles observaba por el microscopio de contraste de fase, le parecía mentira que se produjera una reacción tan rápida. Al parecer los linfocitos, sensibilizados a un antígeno de superficie de la célula leucémica, eran capaces de atravesar las membranas de las células leucémicas. Charles gritó de alegría en cuanto vio la reacción.

Al descubrir que la reacción de su hipersensibilidad retardada era adecuada, anuló la próxima dosis de antígeno que pensaba suministrarse. Eso satisfizo a Cathryn, para quien el procedimiento era muy desagradable. Anunció, en cambio, que necesitaba extraer el último litro de sangre. Cathryn se puso verde, pero Chuck logró sobreponerse a su aversión por la sangre y, con la colaboración de Jean Paul, ayudó a Charles.

Antes de la comida, Charles separó las células blancas en una de las sofisticadas máquinas que había traído del Weinburger. Por la tarde había iniciado la ardua tarea de extraer de las células blancas la pequeña molécula que ahora estaba esterilizando.

Al llegar a este punto, sabía que iba a ciegas. Lo que había logrado, habría llevado años bajo las condiciones de investigación adecuadas, en donde cada paso hubiera sido examinado críticamente y reproducido cientos de veces. Sin embargo, lo que él había logrado hasta ese momento había sido hecho antes, en esencia, con antígenos diferentes, como en el caso del bacilo de la tuberculosis. Ahora Charles tenía la solución de una molécula desconocida, de concentración y potencia desconocidas. No había tiempo para determinar la mejor manera de administrarla. Lo que tenía era una teoría: que en el sistema de Michelle existía un factor de bloqueo que hasta ese momento había impedido que su sistema inmunitario reaccionara al antígeno de sus células leucémicas. Charles creía, y esperaba, que el factor de transferencia superara ese factor de bloqueo o supresión, y permitiera que Michelle se sensibilizara a sus células leucémicas. Pero ¿qué cantidad de este factor debía darle? Y ¿cómo? Tendría que improvisar, y rezar.

Michelle no se mostró entusiasmada con la idea de una nueva sonda intravenosa, y permitió que Charles se la pusiera. Cathryn se sentó a su lado, sosteniéndole la mano y tratando de distraerla. Los dos muchachos estaban arriba, vigilando si se producía algún movimiento sospechoso fuera.

Sin decir nada, Charles estaba preparado para cualquier eventualidad al suministrar a su hija la primera dosis del factor de transferencia. Aunque había diluido la primera dosis con agua esterilizada, estaba preocupado por los efectos laterales. Después de darle una dosis diminuta, comprobó su pulso y presión arterial. Se sintió aliviado al no detectar ninguna reacción.

A medianoche la familia se reunió en la sala. Charles le había suministrado a Michelle aproximadamente un dieciseisavo del factor de transferencia. El único cambio aparente en el estado de la niña era un aumento leve de la temperatura; luego se quedó dormida espontáneamente.

Decidieron turnarse y relevarse cada dos horas. Aunque todos estaban exhaustos, Chuck insistió en tomar el primer turno, y se fue arriba. Charles y Cathryn se quedaron dormidos casi de inmediato. Jean Paul se quedó despierto un tiempo, oyendo cómo su hermano iba de cuarto en cuarto, en el piso superior.

Jean Paul se despertó al sentir que su hermano lo tocaba ligeramente. Le parecía que acababa de dormirse, pero Chuck le dijo que eran las dos, hora de iniciar su turno.

—Todo tranquilo; sólo ha venido un furgón hace una hora, y ha sido detenido por los coches de la policía. Pero no he visto a nadie.

Jean Paul asintió, luego fue al baño de la planta baja, a lavarse la cara. Al entrar en la sala oscura, pensó si era conveniente quedarse abajo o subir al primer piso. Como era difícil desplazarse abajo, subió a su cuarto. La cama le pareció tentadora, pero resistió la tentación. En cambio, se acercó a la ventana y miró por entre las tablas. No pudo ver mucho, ni siquiera si nevaba, o si era nieve levantada por el viento. De cualquier modo, había mucha nieve en el aire.

Fue de cuarto en cuarto, lentamente, como había oído hacer a Chuck, escudriñando la oscuridad. El silencio era total. De vez en cuando se oía una ráfaga de aire que hacía traquetear las ventanas. Jean Paul se sentó en el dormitorio de sus padres, por donde se veía el sendero, tratando de distinguir el furgón, sin éxito. Entonces oyó un ruido, como metal contra piedra. Al mirar hacia donde había oído el ruido, se encontró mirando el hogar, que compartía la misma chimenea con el de la sala. Volvió a oír el ruido.

Sin un momento de vacilación, bajó corriendo a la sala.

—Papá —murmuró—. Despierta.

Charles parpadeó, luego se incorporó.

—¿Las cuatro? —preguntó.

—No —murmuró Jean Paul—. He oído un ruido en tu dormitorio. Parecía venir de la chimenea.

Charles saltó, despertando a Cathryn y a Chuck.

—Jean Paul dice que ha oído un ruido —susurró Chuck.

—Sé que he oído un ruido —afirmó Jean Paul, indignado.

—¡Está bien, está bien! —dijo Charles—. Oíd, necesitamos por lo menos un día más. Si están tratando de entrar, debemos detenerlos.

Charles le dio la escopeta a Cathryn, y la apostó en la puerta de atrás. Colocó a los muchachos junto a la puerta delantera. Jean Paul estaba armado con un bate de béisbol. Charles tomó el atizador y subió corriendo la escalera. Fue a su dormitorio. De pie junto a la chimenea, se felicitó por haber tenido la idea de obstruirla. No oyó nada, excepto el viento bajo el alero.

Después de varios minutos, salió del dormitorio, cruzó el vestíbulo y entró en el dormitorio de Michelle. Desde allí se veía el granero, donde se había originado el asalto de la noche anterior, pero no vio nada allí, excepto los pinos que susurraban y se mecían en el viento.

Anthony Ferrullo colocó una escalera portátil de aluminio contra la chimenea y subió al techo. Caminó como un gato por el borde hasta llegar a una de las ventanas del desván. Luego, con la ayuda de una soga, para no resbalarse, bajó por el declive del techo hasta llegar a la base de una de las ventanas. Cortó un pequeño círculo en el vidrio y la abrió despacio. El desván tenía olor a humedad. Encendió la linterna y miró adentro. Vio los baúles y cajones de costumbre y, satisfecho, comprobó que había suelo, en lugar de vigas separadas entre sí. Se dejó caer en el cuarto sin hacer el menor ruido.

Ferrullo esperó, aguzando los oídos, para detectar algún movimiento en la casa. No tenía prisa. Estaba seguro de que Hoyt ya estaba en su puesto debajo de la galería de delante, listo para entrar violentamente por la puerta principal. Neilson había insistido en que participaran dos de sus hombres. Ellos atacarían la puerta posterior después de la explosión, pero, si todo salía como esperaba Ferrullo, el asunto terminaría antes de que ellos tuvieran tiempo de entrar.

Satisfecho de que todo estaba tranquilo, Ferrullo avanzó lentamente, tentando cada palmo donde apoyaba el pie antes de descargar el peso del cuerpo. Estaba justo sobre la cabeza de Charles.

Charles observó el granero unos cinco minutos, hasta convencerse de que allí no había ninguna actividad. Se dirigió al vestíbulo, preguntándose qué podía haber oído Jean Paul. De repente, las vigas del techo crujieron. Inmóvil, Charles escuchó, deseando haber imaginado el sonido. Luego, éste se repitió.

Un estremecimiento de miedo le atravesó el cuerpo exhausto. ¡Había alguien en el desván!

Asió el atizador con fuerza, comprobando que tenía las manos húmedas. Empezó a seguir los sonidos de arriba. Pronto avanzó hasta la pared del cuarto de Michelle, detrás del cual estaba la escalera que subía al desván. Miró, pero sólo alcanzó a distinguir la puerta en la oscuridad. Estaba cerrada, pero no con llave. Esta sobresalía, tentadora, del agujero de la cerradura. Al oír la primera pisada en la escalera, el corazón le empezó a latir con fuerza. Nunca había experimentado tanto terror. Desesperado, se debatió entre cerrar la puerta con llave, o esperar a que apareciera el intruso.

Quienquiera que estuviera bajando la escalera, lo hacía con una lentitud angustiosa. Charles apretó el atizador con todas sus fuerzas. Bruscamente, las pisadas furtivas se detuvieron, y volvió a reinar el silencio. Charles esperó, aterrorizado.

Oyó que abajo Michelle se movía en sueños. Dio un respingo, deseando que nadie viniera a llamarlo ahora o, lo que era peor, subiera la escalera. Oyó que Jean Paul le susurraba algo a Chuck.

Los ruidos provenientes de la sala parecieron activar el movimiento en los escalones que bajaban del desván. Charles volvió a oír otra pisada. Luego, horrorizado, vio que el picaporte empezaba a girar, muy lentamente. Tomó el atizador con las dos manos, y lo levantó sobre la cabeza.

Anthony Ferrullo abrió la puerta lentamente, unos veinte centímetros. Alcanzaba a ver todo el vestíbulo y la balaustrada que se juntaba con la baranda de la escalera principal. Desde allí se bajaba a la sala. Después de constatar la posición de su pistolera, sacó la granada de concusión del cinturón y tiró hacia afuera el mecanismo que regulaba el tiempo.

Charles no pudo resistir la espera ni un segundo más, sobre todo porque estaba seguro de que no podría pegarle al intruso. Impulsivamente, levantó un pie y cerró la puerta con un puntapié. Sintió una leve resistencia, aunque no suficiente para evitar que la cerrara. Saltó hacia delante, con la intención de dar vuelta a la llave.

No llegó a la puerta. Hubo una explosión tremenda. La puerta que daba a la escalera del desván se abrió, y envió a Charles hasta el dormitorio de Michelle. Le zumbaban los oídos. A cuatro patas, vio que Ferrullo rodaba por la escalera y caía en el vestíbulo.

Cathryn y los muchachos saltaron al oír la explosión, que fue seguida por pisadas en las puertas de delante y de atrás. Al instante siguiente, una almádena atravesó la puerta del frente. Una mano entró por la abertura y buscó el picaporte. Chuck la agarró y tiró. Jean Paul dejó caer el bate y corrió en ayuda de su hermano. La fuerza combinada de ambos forzó el brazo contra los fragmentos astillados. El hombre invisible dio un alarido de dolor. Se oyó un disparo y volaron esquirlas de la puerta, lo que convenció a los muchachos a soltar el brazo.

En la cocina, Cathryn apretó la escopeta, mientras dos hombres luchaban con la puerta, que ya estaba rota. Lograron soltar la soga que la aseguraba, y abrieron la puerta. Cayeron las patatas, pero esta vez los hombres las esquivaron. Wally Crab se apoderó del saco en el aire, mientras Brezo trasponía la puerta. Con la escopeta apuntando al suelo, Cathryn apretó el gatillo. Una descarga de perdigones rugió contra el linóleo, rebotando y desparramándose por la puerta y sobre Brezo. Este cambió de dirección y siguió a Wally por la galería, justo cuando Cathryn metía otro cartucho en la recámara y disparaba hacia el vano de la puerta.

La violencia terminó tan repentinamente como había empezado. Jean Paul corrió a la cocina, donde encontró a Cathryn inmovilizada por la experiencia. Cerró la puerta de atrás y volvió a asegurarla, luego tomó la escopeta de sus manos temblorosas. Chuck fue arriba a ver si Charles estaba bien, y se sorprendió al encontrarlo agachado, examinando a un tipo desconocido, chamuscado y aturdido.

Con ayuda de Chuck, Charles bajó al hombre y lo ató a una silla de la sala. Cathryn y Jean Paul vinieron de la cocina, y toda la familia trató de sobreponerse después de lo sucedido. Nadie podía pensar en dormir, excepto Michelle. Después de algunos minutos, los muchachos se ofrecieron a continuar la vigilancia y desaparecieron en el piso superior. Cathryn fue a la cocina a preparar café.

Charles volvió a sus máquinas. El corazón le latía con fuerza. Dio a Michelle otra dosis del factor de transferencia; la niña volvió a tolerarla, sin efectos contraproducentes. En realidad, ni siquiera se despertó. Convencido de que la molécula no era tóxica, Charles tomó el resto de la solución y lo agregó a la botella medio vacía de la solución intravenosa, disponiéndola de modo que durara cinco horas.

Una vez hecho esto, Charles se dirigió al inesperado prisionero, que había recobrado el sentido. Estaba quemado por todas partes. Charles notó que era un tipo apuesto, de ojos inteligentes. No se parecía en nada a la idea de matón que tenía Charles. Lo que más le preocupaba era el hecho de que pareciera un verdadero profesional. Charles lo registró y le quitó una pistolera que contenía una Smith & Wesson, de acero inoxidable, calibre 38 especial. No era un arma cualquiera.

—¿Quién es usted? —le preguntó Charles.

Anthony Ferrullo se quedó inmóvil, como si fuera de piedra.

—¿Qué está haciendo aquí?

Silencio.

Un tanto cohibido, Charles le metió la mano en los bolsillos de la chaqueta. Encontró una cartera y la sacó. Ferrullo no se movió. Charles abrió la cartera y se sorprendió al ver la cantidad de billetes de cien dólares. Había varias tarjetas de crédito y un permiso de conducir. Charles lo cogió y lo acercó a la luz. Anthony L. Ferrullo, Leonia, Nueva Jersey. ¿Nueva Jersey? Volvió a revisar la cartera, y encontró una tarjeta. Anthony L. Ferrullo, Breur Chemical, Seguridad. ¡Breur Chemical!

Charles sintió un estremecimiento de miedo. Hasta ese momento, creía que los riesgos en que incurría al erigirse en contra de los intereses médicos e industriales organizados, se resolverían en un tribunal de justicia. La presencia de alguien como Anthony Ferrullo indicaba que los riesgos eran de naturaleza mucho más mortífera. Lo que más lo perturbaba era el hecho de que los riesgos se extendían a toda su familia. En el caso de Ferrullo, era evidente que la palabra «seguridad» era un eufemismo que sustituía a coerción y violencia. Por un momento, el hombre de seguridad no fue un individuo, sino un símbolo del mal, y Charles tuvo que contenerse para no pegarle, presa de una furia ciega. En lugar de hacerlo, empezó a encender las luces. Todas. No quería más oscuridad, ni ocultamiento.

Llamó a los muchachos, y toda la familia se reunió en la cocina.

—Mañana terminará todo —dijo Charles—. Saldremos, y nos entregaremos.

Cathryn se alegró, pero los muchachos se miraron, consternados.

—¿Por qué? —preguntó Chuck.

—Ya he hecho por Michelle lo que quería hacer, y la verdad es que podría necesitar radioterapia en el hospital.

—¿Va a mejorar? —preguntó Cathryn.

—No tengo idea —admitió Charles—. Teóricamente, no hay ninguna razón por la que deba mejorar, pero hay cien preguntas que no he respondido. Es una técnica que está fuera de todas las prácticas médicas aceptadas. En este momento, lo único que podemos hacer es esperar.

Charles se dirigió al teléfono y llamó a todos los medios de información pública que se le ocurrieron, inclusive los canales de televisión de Boston. Informó a quienes quisieron oírlo que él y su familia dejarían la casa al mediodía.

Luego llamó a la policía de Shaftesbury, dijo quién era, y solicitó hablar con Frank Neilson. Cinco minutos después, lo comunicaban con el jefe. Charles le dijo que había llamado a los medios de información pública y les había comunicado que él y su familia saldrían de la casa al mediodía. Luego colgó. Charles esperaba que la presencia de tantos periodistas de la prensa y la televisión eliminaría toda posibilidad de violencia.

Exactamente a las doce, Charles abrió la puerta principal. Hacía un día maravilloso, de cielo muy azul y un pálido sol invernal. Al final del sendero, frente a una verdadera multitud, había una ambulancia, junto a los dos coches de la policía y varios furgones de televisión.

Charles miró a su familia y sintió amor y orgullo por todos. Lo habían respaldado mucho más de lo que esperaba. Se dirigió a la cama y alzó a Michelle. La niña agitó los párpados pero no abrió los ojos.

—Muy bien, señor Ferrullo, después de usted —dijo Charles.

El guardia de seguridad salió a la galería. Su cara chamuscada brillaba al sol. Luego seguían los dos muchachos, y después Cathryn. Charles cerraba la marcha, con Michelle. En un grupo compacto, echaron a andar por el sendero.

Charles se sorprendió al ver a Ibáñez, a Morrison, a Keitzman y a Wiley todos juntos cerca de la ambulancia. Cuando la multitud se dio cuenta de que no habría violencia, un grupo de hombres empezó a abuchearlos, sobre todo los de Recycle Ltd. Una sola persona aplaudió. Era Patrick O'Sullivan, que se sentía inmensamente feliz de que el asunto terminara pacíficamente.

Wally Crab, escondido entre los árboles, guardó silencio. Metió el dedo índice en el gatillo de su rifle favorito y apoyó la mejilla contra la fría caja. Cuando trató de apuntar, el cañón del rifle empezó a sacudirse a causa de la cantidad de whisky que había consumido esa mañana. Se recostó contra una rama, lo que mejoró la situación considerablemente, pero las instancias de Brezo a que se diera prisa lo ponían nervioso.

El disparo de un arma de fuego atravesó la quietud invernal. La multitud se esforzó por mirar cómo se tambaleaba Charles Martel. No cayó, sino que se arrodilló, y con la suavidad de quien tiene a un recién nacido en los brazos, depositó a su hija sobre la nieve, antes de caer boca abajo a su lado. Cathryn se volvió y dio un grito, luego se tiró de rodillas, tratando de ver si su marido estaba mal herido.

Patrick O'Sullivan fue el primero en reaccionar. Con una reacción profesional, su mano derecha buscó la culata del revólver reglamentario. No lo sacó, pero mantuvo la mano sobre él mientras se abría paso y corría por el sendero. Mientras daba vueltas alrededor de Cathryn y Charles como un buitre que cuida su nido, recorría la multitud con la mirada, tratando de detectar cualquier movimiento sospechoso.

17

Charles, que nunca había estado internado en un hospital, consideró la experiencia un verdadero tormento. Había leído algunos artículos de fondo relacionados con los problemas asociados a la invasión tecnológica de la medicina, pero nunca llegó a imaginar el estado de inseguridad e impotencia en que se encontraría. Habían pasado tres días desde que fuera herido. Luego lo habían operado. Al mirar la maraña de tubos y botellas, monitores e indicadores, se sentía como uno de sus propios animales de laboratorio. Por suerte, el día anterior lo habían sacado del horror de Cuidados Intensivos, y lo habían depositado como un pedazo de carne en un cuarto privado en la mejor ala del hospital.

Al tratar de acomodarse, Charles sintió una punzada terrible alrededor del pecho, como una franja de fuego. Durante un segundo, contuvo el aliento, preguntándose si se habría abierto la herida, y esperó que volviera el dolor. Comprobó, aliviado, que no había sido así, pero se quedó inmóvil, con miedo de moverse. De su costado izquierdo, entre las costillas, salía un tubo de goma que se conectaba con una botella colocada en el suelo, junto a la cama. Una red sumamente complicada de alambres y poleas sostenía en tracción su brazo izquierdo.

369

Charles estaba inmovilizado, totalmente a la merced de las enfermeras, incluso para las funciones más básicas.

Un golpe suave le llamó la atención. Antes de poder responder, la puerta se abrió silenciosamente. Charles temía que fuera el técnico que acudía cada cuatro horas para practicarle la insuflación artificial de los pulmones, procedimiento que, según pensaba Charles, no había sido igualado, como método de tortura, desde la Inquisición. Pero no, era el doctor Keitzman.

—¿Aguanta una visita breve? —le preguntó.

Charles asintió. Aunque no se sentía con ganas de hablar, estaba ansioso por tener noticias de Michelle. Cathryn no había podido decirle nada, excepto que la niña no estaba peor.

El doctor Keitzman entró en el cuarto, un tanto cohibido. Acercó una silla a la cama, y su cara se contorsionó con el tic que denotaba tensión. Se arregló las gafas.

—¿Cómo se encuentra, Charles? —preguntó.

—No podría encontrarme mejor —contestó Charles, sin poder ocultar el sarcasmo. Hablar, e incluso respirar, significaban un riesgo, y en cualquier momento esperaba que volviera el dolor.

—Le traigo buenas noticias. Podría ser un poco prematuro, pero me parece que usted debe saberlo.

Charles no dijo nada. Estudió el rostro del oncólogo, con miedo de hacerse ilusiones.

—Primero —dijo Keitzman—, Michelle reaccionó extremadamente bien a la radioterapia. Un solo tratamiento parece haber eliminado la infiltración del sistema nervioso central. Está despierta y sabe dónde está.

Charles asintió, esperando que eso no fuera todo lo que había ido a decirle.

Se produjo un silencio.

Entonces se abrió la puerta y entró el técnico respiratorio, empujando su odiada máquina.

—Es hora del tratamiento del doctor Martel —dijo el técnico con vivacidad, como si se tratara de un servicio placentero. Al ver a Keitzman, el técnico se detuvo en actitud respetuosa—. Discúlpeme, doctor.

—No hay por qué. Tengo que irme, de todos modos. —Luego, mirando a Charles, agregó—: Lo otro que quería decirle era que las células leucémicas de Michelle prácticamente han desaparecido. Creo que ha entrado en remisión.

Charles sintió que una tibieza le inundaba el cuerpo.

—¡Dios mío! ¡Eso es maravilloso! —exclamó, con entusiasmo. Entonces sintió una punzada que le recordó dónde estaba.

—Así es —convino el doctor Keitzman—. Todos estamos muy satisfechos. Dígame, Charles. ¿Qué le hizo a Michelle mientras estaban en casa?

Charles tuvo dificultad en contener la alegría. Sus esperanzas remontaron vuelo. A lo mejor, Michelle estaba curada. A lo mejor todo había funcionado, tal como esperaba él. Mirando a Keitzman, Charles pensó un instante. Se dio cuenta de que no quería entrar en una explicación detallada de todo y dijo:

—Sólo traté de estimular su sistema inmunitario.

—¿Quiere decir, usando un adyuvante, como BCG? —preguntó el doctor Keitzman.

—Algo por el estilo —contestó Charles. No estaba en condiciones de entrar en una discusión científica.

—Bueno —dijo Keitzman, dirigiéndose a la puerta—. Tendremos que hablar de eso. Obviamente, lo que usted hizo ayudó a la quimioterapia que le dimos antes de que la sacara del hospital. No comprendo la forma en que ocurrió, pero ya hablaremos de eso cuando se sienta más fuerte.

—Sí —prometió Charles—. Cuando me sienta más fuerte.

—De todos modos, estoy seguro de que sabrá que el juicio de tutoría ha sido anulado. —El doctor Keitzman se arregló las gafas, saludó con la cabeza al técnico, y se marchó apresuradamente.

La alegría que sentía Charles por la noticia de Keitzman amortiguó el dolor del tratamiento respiratorio con mayor efectividad que la morfina. Con el técnico al lado, la máquina producía presión positiva en sus pulmones, algo que ningún paciente podía hacer por sí mismo debido a la severidad del dolor. El procedimiento duró veinte minutos y cuando por fin se fue el técnico, Charles estaba exhausto. A pesar del intenso dolor, se hundió en un sueño intermitente.

No sabía cuánto tiempo había transcurrido cuando se despertó a causa de un ruido proveniente del otro extremo del cuarto. Volvió la cabeza en dirección a la puerta y se sorprendió al ver que no estaba solo. Cerca de la cama, a poco más de un metro, estaba sentado el doctor Carlos Ibáñez. Con las manos huesudas entrelazadas sobre el regazo y el pelo despeinado, parecía viejo y endeble.

—Espero no molestarlo —dijo Ibáñez con voz suave.

Charles sintió rabia, pero al recordar la noticia de Keitzman, se le pasó. Lo miró con indiferencia.

—Me alegro de que esté bien —continuó Ibáñez—. Los cirujanos me dijeron que tuvo usted mucha suerte.

«¡Suerte! ¡Qué término más relativo!», pensó Charles, con irritación.

—¿Le parece buena suerte recibir un tiro en el pecho? —preguntó.

—No me refiero a eso —explicó Ibáñez, sonriendo—. Al dar en su brazo izquierdo la velocidad de la bala disminuyó, de modo que cuando le entró en el pecho, no llegó al corazón. Eso fue una suerte.

Charles sintió una punzada de dolor. Aunque no se consideraba particularmente afortunado, no estaba de humor para discutir. Sacudió ligeramente la cabeza, como para indicar que aceptaba el comentario de Ibáñez. En realidad, se estaba preguntando a qué habría venido el viejo.

—¡Charles! —dijo Ibáñez con renovado vigor—. He venido a negociar.

«¿Negociar? —pensó Charles, intrigado—. ¿De qué diablos estará hablando?»

—He meditado mucho todo esto —siguió Ibá-

372

ñez—, y estoy dispuesto a reconocer que he cometido algunos errores. Puedo compensarle, si usted está dispuesto a cooperar.

Charles miró las botellas que colgaban encima de él, y fijó los ojos en el fluido intravenoso que goteaba del filtro. Así se controló, y evitó mandar a Ibáñez al diablo.

El director esperaba que Charles le contestara, pero al darse cuenta de que no lo iba a hacer, se aclaró la garganta.

—Permítame ser muy franco, Charles. Sé que usted podría causarnos muchos problemas desagradables, ahora que se ha convertido en una especie de celebridad. Eso no haría bien a nadie. He convencido a la junta directiva de que retire las acusaciones en su contra y que lo vuelva a contratar...

—Al diablo con su contrato —lo cortó Charles bruscamente. Dio un respingo de dolor.

—Está bien —dijo Ibáñez en tono conciliador—. Comprendo que usted no quiera volver al Weinburger. Pero hay otras instituciones en las que podemos ayudarlo a encontrar la clase de trabajo que necesita, y donde podrá realizar sus investigaciones con absoluta libertad.

Charles pensó en Michelle, preguntándose si habría hecho algo por ella. ¿Habría descubierto algo, en realidad? No lo sabía, pero debía averiguarlo. Para hacerlo, necesitaba un laboratorio.

Se volvió y examinó el rostro de Ibáñez. A diferencia de Morrison, Ibáñez nunca le había disgustado.

—Debo advertirle que, si decido negociar, impondré una gran cantidad de condiciones. —En realidad, Charles no había pensado ni un momento en lo que haría después de recuperarse. Mientras miraba al director, se puso a pasar rápida revista a las diversas posibilidades.

—Estoy dispuesto a satisfacer sus exigencias, siempre que sean razonables —afirmó Ibáñez.

—Y ¿qué espera de mí? —le preguntó Charles

—Sólo que no cause problemas al Weinburger. Ya hemos protagonizado bastantes escándalos.

Durante un segundo, Charles no se dio cuenta de a qué se refería el doctor Ibáñez. Los acontecimientos de la semana anterior sólo habían servido, en su caso particular, para convencerlo de su propia impotencia y vulnerabilidad. Aislado en su casa primero, luego en Cuidados Intensivos, no se había percatado de hasta qué punto se había convertido en una figura pública. Como científico prominente que había arriesgado la vida para salvar a su hija, la prensa escucharía con mucho gusto cualquier crítica que quisiëra hacer acerca del Weinburger, sobre todo después de los malos comentarios de que había sido objeto últimamente el instituto.

Vagamente, Charles empezó a tomar conciencia de su poder para negociar.

—Muy bien —dijo, lentamente—. Quiero seguir investigando donde sea mi propio jefe.

—Eso es fácil de arreglar. Ya me he puesto en contacto con un amigo de Berkeley.

—Y la evaluación de Cancerán —agregó Charles—. Todas ias pruebas existentes deben ser desechadas. La droga debe ser estudiada como si acabaran de recibirla.

—De eso ya nos hemos dado cuenta —señaló Ibáñez—. Hemos iniciado desde cero un estudio nuevo de su toxicidad.

Charles lo miró fijamente, sorprendido de lo que le estaba diciendo Ibáñez.

—Además está el asunto de Recycle Limitada. No debe descargar más sustancias químicas en el río.

El doctor Ibáñez asintió.

—Su abogado logró convencer a la PMA, y tengo entendido que el problema se solucionará pronto.

—Y —dijo Charles, preguntándose hasta dónde podría llegar—, quiero que Breur Chemical pague una indemnización a la familia Schonhauser. Sin mencionar quién lo hace.

—Creo que puedo arreglar eso, particularmente si se mantiene anónimo.

Se hizo una pausa.

—¿Algo más? —preguntó Ibáñez.

Charles se sorprendió de que hubiera ido tan rápido. Trató de pensar en algo más, pero no se le ocurrió.

—Supongo que eso es todo.

El doctor Ibáñez se puso de pie y arrimó la silla contra la pared.

—Siento mucho perderlo, Charles. De veras.

Charles observó cómo Ibáñez cerraba la puerta silenciosamente al salir.

Charles decidió que, si alguna vez volvía a conducir de un extremo del país al otro, lo haría sin los chicos y con aire acondicionado. Y si debía elegir entre las dos medidas, se decidiría por la primera. Los tres no habían hecho más que pelearse desde que salieran de Nueva Hampshire, aunque esa mañana habían estado relativamente tranquilos, como si la vasta extensión del desierto de Utah los hubiera sumido en un silencio reverente. Charles miró por el espejo retrovisor. Jean Paul estaba detrás de él, mirando por la ventanilla. Michelle, a su lado, aburrida e inquieta. Más atrás, en la furgoneta reparada, Chuck se había fabricado un nido. Había pasado la mayor parte del viaje leyendo. ¡Un libro de química, nada menos! Charles meneó la cabeza. Nunca entendería a ese muchacho. Ahora decía que quería hacer un curso de verano en la universidad. Aunque fuera un capricho pasajero, Charles estaba muy contento, pues su hijo le había anunciado que quería estudiar medicina.

Mientras cruzaban las salinas de Bonneville, al oeste de Salt Lake City, Charles echó un vistazo a Cathryn, sentada a su lado. Había empezado un bordado sobre cañamazo al comenzar el viaje, y parecía absorbida por el movimiento repetitivo de la aguja. Al notar la mirada de Charles, levantó los ojos. Se miraron. A pesar de la molestia de los chicos, ambos compartían un profundo sentimiento de gozo a medida que la horripilante experiencia de la enfermedad de Michelle y de esa última mañana violenta se convertían en pasado.

Cathryn extendió el brazo y colocó una mano sobre la pierna de Charles. Había perdido peso, pero estaba más guapo que antes. Y la tensión que normalmente le estiraba la piel alrededor de los ojos había desaparecido. Para alivio de Cathryn, Charles por fin podía relajarse, hipnotizado por la carretera y el paisaje borroso, que lo tranquilizaba.

—Cuanto más pienso en lo que pasó, menos lo entiendo —dijo Cathryn.

Charles se movió en el asiento, tratando de encontrar una posición más o menos cómoda, pues tenía el brazo izquierdo enyesado. Aunque aún no había logrado aceptar la mayor parte de lo sucedido, existía algo que ya había reconocido. Cathryn era ahora su mejor amiga. Eso hacía que la experiencia hubiera valido la pena.

—¿De modo que has estado pensando? —le preguntó Charles, para que Cathryn tomara el hilo de la conversación por donde quisiera.

Cathryn siguió pasando el hilo de vivos colores por la trama del cañamazo.

—Con la locura de la mudanza y el viaje, no he tenido mucho tiempo para pensar en lo que pasó realmente.

—¿Qué es lo que no entiendes?

—¡Papá! —gritó Jean Paul desde el asiento de atrás—. ¿Juegan al béisbol en Berkeley? ¿Hay hielo, y todo eso?

Charles estiró el cuello para poder ver a Jean Paul, y contestó:

—Me temo que hielo no hay. En Berkeley, siempre es primavera, más o menos.

—¿Cómo puedes ser tan estúpido? —gruñó Chuck, dando un golpecito a Jean Paul en la cabeza.

—Cállate —dijo Jean Paul volviéndose para pegar un manotazo al libro de Chuck—. No estaba hablando contigo.

—Está bien, callaos —gritó Charles con severidad. Luego, con voz más tranquila, agregó—: A lo mejor puedes aprender a practicar el *surf*, Jean Paul.

—¿Es cierto? —preguntó Jean Paul. Se le iluminó el rostro.

—Sólo se practica *surf* en el sur de California —dijo Chuck—, donde están todos los bichos raros.

—Mira quién habla —replicó Jean Paul.

—¡Basta! —gritó Charles, sacudiendo la cabeza en consideración a Cathryn.

—No importa —dijo Cathryn—. Me reconforta oír pelear a los chicos. Eso me convence que todo es normal.

—¿Normal? —se burló Charles.

—De todos modos —dijo Cathryn, mirando a Charles—, una de las cosas que aún no entiendo es por qué el Weinburger cambió tan radicalmente de postura. Porque nos han ayudado muchísimo.

—Yo tampoco lo entendía —explicó Charles— hasta que me acordé lo inteligente que es el doctor Ibáñez. Temía que los medios de información pública se enteraran de la historia. Con todos esos periodistas dando vueltas, temía que me sintiera tentado a decirles lo que yo pensaba acerca del tipo de investigación cancerológica a que se dedican ellos.

—¡Por Dios! Si la gente se enterara de lo que realmente pasa —dijo Cathryn.

—Supogno que si yo hubiera sabido negociar realmente, debería haberle pedido un coche nuevo —dijo Charles, riendo.

Michelle, que había estado oyendo a sus padres, sin prestar mucha atención, buscó su peluca en el bolso de mano. Era de un tono castaño tan parecido al de Cathryn como había podido encontrar. Charles y Cathryn le habían rogado que eligiera una negra, del color de su pelo, pero Michelle no había cedido. Quería parecerse a Cathryn. Ahora ya no estaba tan segura. La idea de ir a una escuela nueva era ya bastante terrible de por sí, sin contar el hecho de su extraño pelo. Finalmente había comprendido que no podía tener pelo castaño unos meses, y luego negro.

—No quiero empezar la escuela hasta que me crezca el pelo.

Charles miró por encima del hombro y vio que

Michelle tocaba distraídamente la peluca. Adivinó lo que estaba pensando. Estuvo a punto de criticarla por elegir una peluca de otro color, pero se contuvo y dijo:

—¿Por qué no te compras otra peluca? Esta vez, negra.

—¿Qué tiene de malo ésta? —preguntó bromeando Jean Paul, quitándosela y encasquetándosela de cualquier modo.

—Papá —gritó Michelle—. Dile a Jean Paul que me devuelva la peluca.

—Deberías haber sido una chica, Jean Paul —dijo Chuck—. Estás mil veces mejor con peluca.

—¡Jean Paul! —gritó Cathryn, volviéndose para frenar a Michelle—. Devuélvele la peluca a tu hermana.

—Está bien, bolita de billar —dijo riendo Jean Paul, y arrojó la peluca en dirección a Michelle. Luego, se protegió del último golpe que le asestó, ineficazmente, su hermana.

Cathryn y Charles intercambiaron miradas. Estaban demasiado contentos de ver sana a Michelle para poder reprenderla. Todavía recordaban aquellos horrendos días, cuando esperaban a ver si el experimento de Charles funcionaría. Y luego, cuando Michelle empezó a mejorar, tuvieron que aceptar el hecho de que nunca sabrían si había reaccionado a las inyecciones inmunológicas o a la quimioterapia que había recibdio antes de que Charles la sacara del hospital.

—Aunque estuvieran seguros de que tus inyecciones la curaron, no te darían crédito por su curación —dijo Cathryn.

Charles se encogió de hombros.

—Nadie puede probar nada, ni siquiera yo mismo. De todos modos, en un año, o menos, tendré la respuesta. El instituto de Berkeley acepta que yo continúe con mis propias investigaciones y mi enfoque en el estudio del cáncer. Con un poco de suerte podré demostrar que lo que pasó con Michelle fue el primer ejemplo de cómo utilizar el cuerpo para que él mismo se cure de una leucemia. Si eso...

—¡Papá! —gritó Jean Paul desde su asiento—. ¿No podrías parar en la próxima estación de gasolina?

Charles tamborileó sobre el volante, pero Cathryn extendió el brazo y le apretó la mano. Charles quitó el pie del acelerador.

—Faltan ochenta kilómetros para que lleguemos a un pueblo. Me detendré, simplemente. Todos necesitamos descansar.

Charles se detuvo en el polvoriento arcén.

—Muy bien, todos afuera, a descansar y a recuperarse.

—Hace más calor que en un horno —dijo Jean Paul, consternado, buscando un refugio.

Charles llevó a Cathryn a una loma, desde donde se veía el oeste. Era una extensión árida y desolada del desierto, que llevaba a unas montañas de picos agudos. En el coche, Chuck y Michelle estaban discutiendo. «Sí —pensó Charles—, todo es normal.»

—No sabía que el desierto fuera tan hermoso —murmuró Cathryn, hipnotizada por el paisaje.

Charles inspiró hondo.

—Huele el aire. Hace que Shaftesbury parezca otro planeta.

Charles rodeó a Cathryn con el brazo derecho.

—¿Sabes lo que más miedo me da? —preguntó.

—¿Qué?

—Que vuelvo a estar contento otra vez.

—No te preocupes por eso —dijo Cathryn, riendo—. Espera a que lleguemos a Berkeley, sin casa, con poco dinero y tres chicos hambrientos.

Charles sonrió.

—Tienes razón. Todavía hay muchas oportunidades para la catástrofe.

Epílogo

Cuando las nieves se derritieron en las altas Montañas Blancas de Nueva Hampshire, cientos de corrientes fluyeron, acrecentadas, al río Pawtomack. En un espacio de dos días, su nivel creció varios centímetros, y su indolente curso hacia el mar se convirtió en tórrente. Al pasar junto al pueblo de Shaftesbury, el agua transparente rugió al chocar contra los antiguos muelles de granito de las desiertas hilanderías, salpicando rocío y formando arcos iris en miniatura en el aire cristalino.

A medida que el tiempo se fue tornando más templado, brotes verdes atravesaron el suelo en ambas márgenes del río y crecieron en áreas que antes eran demasiado tóxicas para que pudieran sobrevivir. Aun a la sombra de Recycle Limitada, aparecieron renacuajos por primera vez en muchos años, y se dedicaron a perseguir a las asustadizas arañas de agua, y las truchas arco iris migraron hacia el sur a través de las aguas antes emponzoñadas.

A medida que las noches se hacían más cortas y se acercaba el cálido verano, una sola gota de benceno apareció en la conexión de una cañería de uno de los nuevos tanques que almacenaban las sustancias químicas. Ninguno de los encargados de supervisar las instalaciones había comprendido cabalmente cuáles eran las solapadas predisposiciones del benceno, y desde el instante en que las primeras moléculas entraron en el nuevo sistema, empezaron a disolver las juntas de goma que sellaban la línea.

El fluido tóxico tardó alrededor de dos meses en corroer la goma y caer sobre los bloques de granito que había debajo de los tanques, pero después de la primera gota, las restantes cayeron con ritmo acelerado. Las moléculas venenosas siguieron el camino de menor resistencia, abriéndose paso a través de la mampostería de argamasa, filtrándose luego lateralmente hasta llegar al lecho del río. La única prueba de su presencia era un olor levemente aromático, casi dulzón.

Las primeras en morir fueron las ranas, luego los peces. Cuando bajó el río, a medida que el sol del verano se hacía más intenso, la concentración del veneno aumentó.